GERMAN IN REVIEW

GERMAN IN REVIEW

A Concise Survey of Grammar

THIRD EDITION

ROBERT O. RÖSELER
University of Wisconsin

HOLT, RINEHART AND WINSTON, NEW YORK

Library of Congress Catalog Card Number: 61-18764

October, 1963

37569–0611

Printed in the United States of America

Preface

No matter whether the objective in a language course be the ability to converse in the foreign language or the ability to read with ease, comprehension, and enjoyment, experience has shown that the teaching of grammatical forms cannot be neglected without simultaneously neglecting a very vital part of the student's training. Therefore, it is my conviction that grammar has a definite place in the teaching of a foreign language just as do the teaching of pronunciation, the acquisition of a vocabulary, the development of fluency in reading, skill in writing, and oral proficiency. Grammar shows the student the regularity in a mass of forms which otherwise would appear to be an unfathomable chaos of confusing irregularities. A too hasty and cursory treatment of grammar in the earlier stages of the teaching a modern foreign language is certain to result later in lack of comprehension; the student is likely to find himself in distress whenever a reading selection demands of him an exact analysis of an involved sentence. So long as grammatical forms are necessary for exact understanding, especially in a richly inflected language as German, essential forms of grammar need to be taught and need a frequent systematic review as do vocabulary and the use of idioms.

Regardless of how much we advocate learning grammar inductively in a beginner's course, we know just as surely that in the second, third, or fourth semester of study the student must have and will ask for a systematic knowledge of grammar, since he cannot remember the multitudious facts except in groupings, governed by principles. We recognize fully that these principles must be securely grasped and retained by the student but only on the basis of acquired linguistic habits and not on that of pure memory work: not grammar for its own sake, but grammar as a means to an end, with the stress placed upon functional rather than upon theoretical grammar.

German in Review is intended for German classes which have completed their basic study in German and have started to read German texts. It furnishes a systematic review of the grammatical principles of the German language with oral and written exercises and illustrative reading material to drill and fix these essentials. It may be used either as a supplement in reading courses where a part of the teaching period is set aside for a short review of a chapter of grammar or in grammar and composition courses.

Features of this book are:

1. The arrangement of the subject matter is topical so that the important facts about each grammatical principle may be found in one place. Most sections occupy one or two pages, constituting a day's lesson for

the average class, and containing but a single topic to keep the attention of the student focused for that day upon only one point of grammar.

2. Although the sections are grouped under topical headings, they can be assigned in any order which will best meet the immediate needs of the class, since each section is a complete unit.
3. The various sections begin with illustrative paradigms or sentences from which the concise grammatical rules which follow are derived.
4. The illustrative reading selections serve to show the student how the preceding grammatical forms are actually used by well-known authors such as Hermann Hesse, Heinrich Waggerl, Theodor Storm, Wilhelm Raabe, C. F. Meyer, etc.
5. The comprehensive Table of Contents and complete Index facilitate rapid reference to any topic to which the student's attention has been directed.

Based on suggestions and recommendations of many instructors who have used *German in Review* with their students, the following new chapters have been added to this new third revision of *German in Review:*

A chapter on numerals and on adverbs, a chapter on impersonal verbs and on ıeflexive verbs, on the imperative and on the infinitive form of a German verb, on phrase compounds and on derivations of verbs by a suffix and a prefix, also chapters on derivations of nouns by a suffix and a prefix, on nouns adopted from other languages, on adjective word formation, and several chapters on word study.

It is the duty and great pleasure of the author to express his most cordial thanks to the many friends and colleagues who have used the first editions of *German in Review* and who have so generously assisted by pertinent corrections and suggestions in the revision and completion of this new Third Edition of *German in Review.*

Madison, Wisconsin R. O. R.

Table of Contents

THE VERB

TABLE OF CONTENTS

PAGE

WORD ORDER

SYNOPSIS OF GRAMMAR

VOCABULARIES

THE VERB

1 Present Tense — Personal Endings Indicative — Active

FIRST PERSON	SECOND PERSON	THIRD PERSON
ich frag**e**	du frag**st** Sie frag**en**	er, sie, es frag**t**
wir frag**en**	ihr frag**t** Sie frag**en**	sie frag**en**
ich wart**e**	du wart**est** Sie wart**en**	er, sie, es wart**et**
wir wart**en**	ihr wart**et** Sie wart**en**	sie wart**en**

1. The present tense, indicative active, of a German verb is formed by adding the following endings to the stem of the verb:

   –e; –st, –en; –t
   –en; –t, –en; –en

2. As an aid in pronunciation the connecting vowel **–e–** is added in the second and third person singular and the second person plural to verbs whose stems end in **–t, –d, –n** preceded by a consonant: **warten – wartest, finden – findest, bitten – bittest, zeichnen – zeichnest.** (Exception is the verb **lernen: du lernst, er lernt.**)

A. *Read and supply the proper form of the verb:*

1. Ich gehe heute nicht zur Schule.
   Er ____ heute nicht zur Schule.
   Wir ____ heute nicht zur Schule.
   ____ wir heute nicht zur Schule?
   ____ er heute nicht zur Schule?
   ____ Sie heute nicht zur Schule?
   Warum ____ er heute nicht zur Schule?
   Warum ____ ihr heute nicht zur Schule?
   Warum ____ sie heute nicht zur Schule?

2. Ich bleibe eine Woche in New York.
   Er ____ eine Woche in New York.
   Wir ____ eine Woche in New York.

____ Sie lange in New York?
____ du lange in New York?
____ er lange in New York?
Warum ____ er nicht länger in New York?
Warum ____ sie nicht länger in New York?
Warum ____ du nicht länger in New York?

3. Ich glaube ihm nicht.
Wir ____ ihm nicht.
Er ____ ihm nicht.
Warum ____ er ihm nicht?
Warum ____ Sie ihm nicht?
Warum ____ ihr ihm nicht?

4. Wo wohnen Sie hier in der Stadt?
Wo ____ sie hier in der Stadt?
Wo ____ du hier in der Stadt?
Wo ____ wir hier in der Stadt?
Wo ____ ihr hier in der Stadt?
Wo ____ ich hier in der Stadt?

5. Er antwortet mir nicht.
Sie ____ mir nicht.
Du ____ mir nicht.
Warum ____ ihr mir nicht?
Warum ____ du mir nicht?
Warum ____ er mir nicht?

6. Ich arbeite heute nicht.
Er ____ heute nicht.
Wir ____ heute nicht.
Warum ____ Sie heute nicht?
Warum ____ ihr heute nicht?
Warum ____ du heute nicht?

B. *Supply the proper form of the verb in parentheses in each of the following sentences:*

1. Der Lehrer (fragen), und ich (antworten). 2. Warum (kommen) du immer zu spät zur Schule? 3. Wie (gehen) es deinem Vater? 4. Danke, es (gehen) ihm gut. 5. Warum (schreiben) ihr mir keine Antwort auf meinen Brief? 6. Ich (bitten) euch um eine Antwort. 7. In einer halben Stunde (erreichen) du die Stadt. 8. Der Junge (gehorchen) seiner Mutter nicht. 9. Bitte, (warten) Sie auf mich. 10. (Glauben) du mir nicht? 11. (Zweifeln) ihr an der Wahrheit meines Berichts? 12. Wir (zweifeln) nicht.

C. *Rewrite the following sentences in German:*

1. He is going to school. 2. He is writing a letter. 3. I am closing the door. 4. She is studying her lesson. 5. Are you studying your lesson? 6. They are going home. 7. Where do you live? 8. Where does he live? 9. When does school begin? 10. Don't you believe me?

2 Past Tense of Weak Verbs*
Indicative — Active

FIRST PERSON	SECOND PERSON	THIRD PERSON
ich frag**te**	du frag**test** Sie frag**ten**	er, sie, es frag**te**
wir frag**ten**	ihr frag**tet** Sie frag**ten**	sie frag**ten**
ich wart**ete**	du wart**etest** Sie wart**eten**	er, sie, es wart**ete**
wir wart**eten**	ihr wart**etet** Sie wart**eten**	sie wart**eten**

Weak verbs form the past tense by adding the suffix **–te** to the stem of the verb. If the stem ends in **–t, –d, –m, –n,** preceded by a consonant, the suffix **–ete** is added: **antworten – antwortete, reden – redete, öffnen – öffnete.**

A. *In the following sentences supply the proper past tense endings of the verb:*

1. Ich lerne ein neues Gedicht auswendig.
   Wir ____ ein neues Gedicht auswendig.
   Er ____ ein neues Gedicht auswendig.
   Ihr ____ ein neues Gedicht auswendig.
   ____ du ein neues Gedicht auswendig?
   ____ Sie ein neues Gedicht auswendig?
   ____ sie ein neues Gedicht auswendig?

2. Ich frage nach dem Namen der Stadt.
   Wir ____ nach dem Namen der Stadt.
   Er ____ nach dem Namen der Stadt.
   Ihr ____ nach dem Namen der Stadt.
   ____ du nach dem Namen der Stadt?
   ____ Sie nach dem Namen der Stadt?
   ____ sie nach dem Namen der Stadt?

* The term *weak* and *strong* is intended to contrast those verbs which form their past tense by means of an internal vowel-change, called *ablaut,* thus seeming to rely upon their own inner strength, with those which have the *weakness* to rely upon foreign aid in the form of a suffix.

3. Er arbeitet acht Stunden den Tag.
   Ich ___ acht Stunden den Tag.
   Ihr ___ acht Stunden den Tag.
   Vater ___ acht Stunden den Tag.
   Ich und mein Bruder ___ acht Stunden den Tag.
   Warum ___ ihr nur acht Stunden den Tag?
   Warum ___ Karl und Marie nur acht Stunden den Tag?

4. Glaubt er mir nicht?
   ___ Sie mir nicht?
   ___ du mir nicht?
   ___ ihr mir nicht?
   Suchen Sie mich?
   ___ er mich?
   ___ du mich?
   ___ ihr mich?

B. *Read and rewrite the following in past tense:*

Nach kurzer Rast (setzen) ich meine Wanderung fort. Bald (lichten) sich der Wald. Grüne Wiesen (breiten) sich vor mir aus. Ein schmaler Pfad (führen) mich zu einem einsamen Gehöft. Bald (erreichen) ich das Wohnhaus. Blühende Rosen (ranken) sich an den Wänden des Wohnhauses empor. Das rote Ziegeldach (leuchten) in der Sonne. Ein freundlicher Bauer (strecken) mir grüßend die Hand entgegen. Wir (plaudern) über das Wetter, die Ernte und über die Vorteile und Nachteile des Landlebens. Er (zeigen) mir den kürzesten Weg zur Stadt, dem Ziel meiner Reise. Ich (wünschen) ihm einen guten Nachmittag, (danken) ihm und (wandern) weiter.

3 Past Tense of Strong Verbs Indicative — Active

FIRST PERSON	SECOND PERSON	THIRD PERSON
ich sang	du sangst Sie sangen	er, sie, es sang
wir sangen	ihr sangt Sie sangen	sie sangen
ich schr**ie**b	du schr**ie**bst Sie schr**ie**ben	er, sie, es schr**ie**b
wir schr**ie**ben	ihr schr**ie**bt Sie schr**ie**ben	sie schr**ie**ben

Strong verbs form the past tense by a change of the stem vowel. The first and third person singular drop the personal ending.

bleiben — blieb
schneiden — schnitt

nehmen — nahm
sprechen — sprach

fliegen — flog
ziehen — zog

geben — gab
lesen — las

fallen — fiel
halten — hielt*

binden — band
trinken — trank

fahren — fuhr
tragen — trug

A. *Read and supply the proper past tense ending of the verb:*

1. Ich gehe gleich nach Hause.
   Wir ___ gleich nach Hause.
   Er ___ gleich nach Hause.
   Ihr ___ gleich nach Hause.
   ___ du gleich nach Hause?
   ___ Sie gleich nach Hause?
   ___ sie gleich nach Hause?

2. Wir geben ihm Geld.
   Ich ___ ihm Geld.
   Ihr ___ ihm Geld.
   Er ___ ihm Geld.
   ___ du ihm Geld?
   ___ ihr ihm Geld?
   ___ Sie ihm Geld?

* For vowel changes consult the list of strong verbs, p. 234.

3. Ich lese diese Geschichte.
   Du ___ diese Geschichte.
   Wir ___ diese Geschichte.
   Er ___ diese Geschichte.
   Warum ___ Sie diese Geschichte?
   Warum ___ ihr diese Geschichte?
   Warum ___ sie diese Geschichte?

4. Ich finde das Buch.
   Er ___ das Buch.
   Wir ___ das Buch.
   Wo ___ du das Buch?
   Wo ___ ihr das Buch?
   Wo ___ sie das Buch?
   Wann ___ er das Buch?

B. *Rewrite the following sentences in German:*

1. I met him yesterday in the theater (*im Theater*). 2. We drove home (*nach Hause*) together. 3. We stayed in the country all day (*den ganzen Tag*). 4. He spoke and read German very well (*sehr gut*). 5. I walked with her to school (*zur Schule*). 6. She wore a new dress (*ein neues Kleid*). 7. I talked to (*mit*) her. 8. We were sitting by the window (*am Fenster*). 9. The child ran quickly to its father (*zu seinem Vater*). 10. I came home late (*spät nach Hause*), sat a while at the window, wrote a letter, and went to bed.

C. *Read and write the following in the past tense and classify the verbs according to weak and strong:*

Es (sein) noch mitten in der fröhlichen Jugendzeit. Knulp und ich (wandern) damals in der warmen Sommerszeit durch eine fruchtbare Gegend. Wir (haben) wenig Sorgen. Tagsüber (gehen) wir an den gelben Kornfeldern entlang, oder wir (liegen) auch im kühlen Schatten unter einem Baum oder am Waldesrand. Am Abend aber (hören) ich zu, wie Knulp den Bauern Geschichten (erzählen), mit den Kindern (spielen) und für die Mädchen seine lustigen Lieder (singen). Ich (hören) mit Freuden zu. Nur wenn er unter den Mädchen (stehen), und sein braunes Gesicht (leuchten), und die Mädchen zwar viel (lachen) und (spotten), aber doch mit ihren Augen an ihm (hängen), dann (gehen) ich zur Seite, um nicht überflüssig dabeizustehen. Ich (besuchen) dann den Pfarrer des Ortes um ein gescheites Abendgespräch, oder ich (setzen) mich ins Gasthaus und (trinken) ein Glas Wein.

From „Knulp" by Hermann Hesse.

4 Past Participle of Weak Verbs Active

INFINITIVE	PAST PARTICIPLE	INFINITIVE	PAST PARTICIPLE
fragen	**gefragt**	arbeiten	**gearbeitet**
sagen	**gesagt**	reden	**geredet**
hören	**gehört**	öffnen	**geöffnet**
hoffen	**gehofft**	atmen	**geatmet**

studieren — **studiert**
addieren — **addiert**
regieren — **regiert**

1. Weak verbs form the past participle by adding the prefix **ge–** and the suffix **–t** to the stem of the verb. 2. If the stem of the verb ends in **–t, –d, –m, –n** the suffix **–et** is added.* 3. Verbs ending in **–ieren** drop the prefix **ge–** but retain the suffix **–t.**

A. *Give the past participle of the following weak verbs:*

1. lieben lernen grüßen loben bauen glauben
   danken kaufen wohnen holen suchen spielen
   lachen reisen schicken leben machen schenken

2. kosten zeichnen beten reden läuten antworten
   atmen warten regnen rechnen retten

3. dividieren photographieren korrigieren realisieren
   subtrahieren mechanisieren musizieren lamentieren

B. *Supply the past participle for the verbs in parentheses:*

1. Ich habe lange Zeit in dieser Stadt (wohnen). 2. Wir haben uns ein neues Haus (kaufen). 3. Er hat drei Jahre lang fleißig (studieren). 4. Meine Eltern sind gestern nach Europa (reisen). 5. Ich habe drei Stunden lang auf euch (warten). 6. Er hat mich eben (photographieren). 7. Du hast auf meinen Brief nicht (antworten). 8. Ich bin sicher, er hat die Unterschrift (fälschen). 9. Ich habe ihre Arbeit noch nicht (korrigieren). 10. Sie hatten ihre Aufgabe gut (lernen). 11. Vor einem Jahr haben wir einen neuen Präsidenten (wählen). 12. Es hat in der letzten Nacht stark (regnen). 13. Wieviel hat das neue Haus (kosten)? 14. Hast du dieses Bild (zeichnen)? 15. Hast du gestern auf mich (warten)?

* BUT: lernen - gelernt; warnen - gewarnt.

5 Past Participle of Strong Verbs Active

INFINITIVE	PAST PARTICIPLE	INFINITIVE	PAST PARTICIPLE
fallen	ge**fall**en	liegen	ge**leg**en
sehen	ge**seh**en	binden	ge**bund**en
geben	ge**geb**en	helfen	ge**holf**en
ziehen	ge**zog**en	reiten	ge**ritt**en

Strong verbs form the past participle by adding the prefix **ge–** and the suffix **–en** to the stem of the verb. Most strong verbs change the stem-vowel in forming the past participle.

A. *Give the past participle of the following strong verbs:**

1.	bleiben	scheinen	steigen	schneiden	reiten
2.	biegen	ziehen	fliegen	schließen	riechen
3.	trinken	singen	finden	springen	schwimmen
4.	brechen	sprechen	sterben	treffen	werfen
5.	lesen	sehen	essen	bitten	sitzen
6.	fahren	tragen	wachsen	waschen	schlagen
7.	fallen	fangen	halten	laufen	reißen

B. *Supply the past participle for the verbs in parentheses:*

1. Ich habe ihn heute morgen in der Schule (sehen). 2. Er ist in der Schule (bleiben). 3. Sie hat ihr Frühstück nicht (essen). 4. Es war kalt in meinem Zimmer, und ich habe die Fenster (schließen). 5. Die Familie ist vor einem Jahre nach Chicago (ziehen). 6. Ich habe mich in den Finger (schneiden). 7. Er sah uns kommen und ist schnell ins Haus (laufen). 8. Ich habe das Buch (leihen), aber ich habe die Geschichte noch nicht (lesen). 9. Ich bin gestern ins Theater (gehen) und habe Karl dort im Theater (treffen). 10. Das Kind hat am Wasser gespielt und ist dabei ins Wasser (fallen). 11. Er ist lange krank gewesen und ist gestern (sterben). 12. Ich habe dir mein Buch nur (leihen), ich habe es dir nicht (geben).

* For vowel changes consult the list of strong verbs, p. 234.

6 Present Participle

fliegen — fliegend, *flying*	genügen — genügend, *sufficient*
wachsen — wachsend, *growing*	glänzen — glänzend, *brilliant*
sterben — sterbend, *dying*	reizen — reizend, *charming*

1. The present participle of all German verbs is formed by adding the suffix **–d** to the present infinitive. 2. The present participle is never used in tense formation as is so frequently the case in English. The English progressive forms *he is going, he was coming* are in German: **er geht, er kam.** Its most common use in German is as an adjective.

EXAMPLE: Der Stern leuchtet — der leuchtende Stern
ein leuchtender Stern — die leuchtenden Sterne
leuchtende Sterne

A. *Follow the example and continue:*

1. Der Knabe lernt.
   der ____ Knabe
   ein ____ Knabe
   die ____ Knaben
   ________ Knaben

2. Der Mann arbeitet
   der ____ Mann
   ein ____ Mann
   die ____ Männer
   ________ Männer

3. Die Arbeit genügt.
   die ____ Arbeit
   eine ____ Arbeit
   die ____ Arbeiten
   ________ Arbeiten

4. Das Kind spielt.
   das ____ Kind
   ein ____ Kind
   die ____ Kinder
   ________ Kinder

Like the present participle, the past participle of a German verb is also used as an adjective.

EXAMPLE: Wir heizen das Zimmer — das geheizte Zimmer
ein geheiztes Zimmer — die geheizten Zimmer
geheizte Zimmer

B. *Follow the example and continue:*

1. Ich rette den Jungen.
der ___ Junge
ein ___ Junge
die ___ Jungen
______ Jungen

2. Ich öffne die Tür.
die ___ Tür
eine ___ Tür
die ___ Türen
______ Türen

3. Er malt das Bild.
das ___ Bild
ein ___ Bild
die ___ Bilder
______ Bilder

4. Wir sprechen die Sprache.
die ___ Sprache
eine ___ Sprache
die ___ Sprachen
______ Sprachen

C. Certain present participles may be added as predicative complements to verbs.

EXAMPLE: Schweigend verließen wir das Haus.
Verzweifelnd schritt er auf und ab.
Wiederholungen wirken leicht ermüdend.
Er sprach und las Deutsch fließend.

For each sentence choose an appropriate present participle from the list which follows the exercise and by adding it as a predicative complement to the verb, complete the sentence:

1. Die Nachricht von seinem plötzlichen Tode wirkte ___ auf seine Anhänger. 2. Er sprach von seinen Plänen sehr ___. 3. Wir fanden den Blick ins Tal hinab ___. 4. Die Sängerin sang ihre Rolle ganz ___. 5. Der Mann handelte in dieser Angelegenheit in jeder Weise ___. 6. Auch die ganze Persönlichkeit der Sängerin war ___. 7. Der Besuch eines Museums ist immer ___. 8. Seine Leistungen als Student waren nicht ___. 9. In seiner Muttersprache sprach und schrieb er ___. 10. Die Reisebeschreibungen in diesem Buche sind ___.

fesselnd, *fascinating*
abstoßend, *repulsive*
lohnend, *rewarding*
entmutigend, *discouraging*
überzeugend, *convincing*
genügend, *satisfactory*
reizend, *charming*
glänzend, *brilliant*
entzückend, *delightful*
überwältigend, *overpowering*

7 Changes in the Present Tense of Strong Verbs

INFINITIVE	FIRST PERSON	SECOND PERSON	THIRD PERSON
tragen	ich trage	du trägst	er trägt
laufen	ich laufe	du läufst	er läuft
sprechen	ich spreche	du sprichst	er spricht
sehen	ich sehe	du siehst	er sieht

Strong verbs with the stem-vowel **–a–**, **–au–** change **–a–** to **–ä–** and **–au–** to **–äu–** in the second and third person singular. Most strong verbs with the stem-vowel **–e–** change **–e–** to **–i–** or **–ie–** in the second person singular.

A. *Conjugate the following verbs in the present tense singular:*

schlafen	schlagen	fahren	wachsen	waschen
fallen	halten	fangen	raten	laufen
helfen	essen	sterben	treffen	nehmen
brechen	werfen	lesen	geben	stehlen

B. *Restate the following sentences in German, using: 1) the second person singular; 2) the third person singular:*

1. Ich fahre morgen früh nach New York.
   Du ___ morgen früh nach New York.
   Er ___ morgen früh nach New York.

2. Ich nehme meinen Freund nach Europa mit.
   Du ___ deinen Freund nach Europa mit.
   Er ___ seinen Freund nach Europa mit.

3. Ich lese eine sehr interessante Geschichte.
   Du ___ eine sehr interessante Geschichte.
   Er ___ eine sehr interessante Geschichte.

4. Ich esse heute im Wirtshaus zu Mittag. 5. Ich helfe meinem Bruder bei seiner Schularbeit. 6. Sonntag morgens schlafe ich gern bis neun Uhr. 7. Ich spreche nicht gern über diese Sache. 8. Ich verlasse die Stadt und ziehe nach New York. 9. Ich treffe ihn morgen auf dem Bahnhof. 10. Ich vergesse schnell, was er gesagt hat.

INFINITIVE	SECOND PERSON SINGULAR		THIRD PERSON
reisen	du reist*	*but*	er reist
essen	du ißt	*but*	er ißt
schließen	du schließt	*but*	er schließt

Any verb, strong or weak, with a stem ending in a sibilant: **s, ss, ß, sch, tz, z** may contract in the second person singular of the present tense the sibilant of the stem with the **–s–** of the inflectional ending. In colloquial speech this contraction is usual.

Give the second person singular of the following verbs:

gießen, *to pour*	= du ___	heißen, *be called*	= du ___
genießen, *to enjoy*	= du ___	reißen, *to tear*	= du ___
schießen, *to shoot*	= du ___	fließen, *to flow*	= du ___
schmelzen, *to melt*	= du ___	stoßen, *to push*	= du ___
sitzen, *to sit*	= du ___	stürzen, *to plunge*	= du ___

* In older literature, you will find the following forms also: du reisest; du issest; du schließest.

8 HABEN As Auxiliary of Perfect Tenses

PRESENT PERFECT	PAST PERFECT	FUTURE PERFECT
ich **habe** gefragt	ich **hatte** gefragt	ich **werde** gefragt **haben**
du **hast** gefragt	du **hattest** gefragt	du **wirst** gefragt **haben**
er **hat** gefragt	er **hatte** gefragt	er **wird** gefragt **haben**
wir **haben** gefragt	wir **hatten** gefragt	wir **werden** gefragt **haben**
ihr **habt** gefragt	ihr **hattet** gefragt	ihr **werdet** gefragt **haben**
sie **haben** gefragt	sie **hatten** gefragt	sie **werden** gefragt **haben**
Sie **haben** gefragt	Sie **hatten** gefragt	Sie **werden** gefragt **haben**

Haben is the auxiliary used in the forming of perfect tenses (Present Perfect, Past Perfect, and Future Perfect) of all transitive and most intransitive verbs.

A. *Conjugate the following sentences in: 1) the present perfect tense; 2) the past perfect tense:*

1. Ich kaufe das Buch.

Ich ___ das Buch ___.	Ich ___ das Buch ___.
Du ___ das Buch ___.	Du ___ das Buch ___.
Er ___ das Buch ___.	Er ___ das Buch ___.
Wir ___ das Buch ___.	Wir ___ das Buch ___.
Ihr ___ das Buch ___.	Ihr ___ das Buch ___.
Sie ___ das Buch ___.	Sie ___ das Buch ___.
Sie ___ das Buch ___.	Sie ___ das Buch ___.

2. Ich suchte den Mann.
3. Ich öffnete ihm die Tür.
4. Ich arbeitete fleißig.
5. Ich baute mir ein neues Haus.
6. Ich vergaß seinen Namen.

B. *Rewrite the following sentences, using the present perfect tense:*

1. Ich pflanze Rosen und andere Blumen in meinem Garten. 2. Er sammelt alte Bücher und alte schöne Bilder. 3. Wir teilten unser Geld mit ihm. 4. Schenkst du ihm diese schöne Füllfeder zu seinem Geburtstag? 5. Vor ein paar Tagen schrieb ich ihm, aber er antwortete mir nicht auf meinen Brief. 6. Glaubt ihr mir nicht?

C. *Rewrite the following sentences and complete the dependent clause, using the past perfect tense:*

EXAMPLE: Mutter hat ihre Handschuhe nicht finden können, denn (Fritz, legen sie in seine Schublade).
Mutter hatte ihre Handschuhe nicht finden können, denn Fritz hatte sie in seine Schublade gelegt.

1. Ich bin mit meinen Freunden ins Gebirge gefahren, denn (sie mich eingeladen).
2. Mein Freund ist zu spät gekommen, (das Theater schon angefangen).
3. Er hat die Adresse nicht lesen können, denn (ich sehr undeutlich geschrieben).
4. Peter hat Fräulein Klein angerufen, denn (sie ihm ihre Telefonnummer geben).
5. Herr Schmidt konnte sein Auto nicht finden, denn (man es ihm stehlen).
6. Karl hat die Gewalt über sein Auto verloren, denn (das helle Sonnenlicht ihn blenden).
7. Fritz ist heute nicht zur Vorlesung gekommen, denn (er im Laboratorium arbeiten).
8. Wir haben ihn nicht mehr in seiner Wohnung angetroffen, denn (er die Stadt schon verlassen).

D. *Rewrite the following sentences, using the future perfect tense:**

EXAMPLE: Er hat wahrscheinlich einen Kranken besucht.
Er wird wahrscheinlich einen Kranken besucht haben.

1. Wir bringen euch morgen bestimmt das Geld. 2. Er bringt den Brief sofort zur Post. 3. Sie hat ihre Aufgabe nicht gelernt. 4. Er wußte den Namen der Straße nicht. 5. Er hat mich auf der Straße nicht erkannt. 6. Er hat die Einladung, uns zu besuchen, gewiß vergessen.

* The future perfect very often expresses presumption: **Er wird gestern nach New York gefahren sein,** *he has probably started for New York yesterday.*

9 SEIN As Auxiliary of Perfect Tenses

PRESENT PERFECT	PAST PERFECT	FUTURE PERFECT
ich **bin** gekommen	ich **war** gekommen	ich **werde** gekommen **sein**
du **bist** gekommen	du **warst** gekommen	du **wirst** gekommen **sein**
er **ist** gekommen	er **war** gekommen	er **wird** gekommen **sein**
wir **sind** gekommen	wir **waren** gekommen	wir **werden** gekommen **sein**
ihr **seid** gekommen	ihr **wart** gekommen	ihr **werdet** gekommen **sein**
sie **sind** gekommen	sie **waren** gekommen	sie **werden** gekommen **sein**
Sie **sind** gekommen	Sie **waren** gekommen	Sie **werden** gekommen **sein**

Sein is the auxiliary used in forming the perfect tenses of intransitive verbs which denote: 1) a change of position: **begegnen, fallen, folgen, gehen, laufen, kommen, reisen, reiten, springen, steigen, wandern;** 2) a change in condition: **werden, wachsen, sterben.** It is also used in forming the perfect tenses of two verbs of rest: **sein, bleiben.**

A. *Conjugate the following sentences in: 1) the present perfect tense; 2) the past perfect tense:*

1. Ich gehe mit Karl zur Schule.
   Ich ____ mit Karl zur Schule ____.
   Du ____ mit Karl zur Schule ____.
   Er ____ mit Karl zur Schule ____.
   Wir ____ mit Karl zur Schule ____.
   Ihr ____ mit Karl zur Schule ____.
   Sie ____ mit Karl zur Schule ____.
   Sie ____ mit Karl zur Schule ____.
   Ich ____ mit Karl zur Schule ____.
   Du ____ mit Karl zur Schule ____.
   Er ____ mit Karl zur Schule ____.
   Wir ____ mit Karl zur Schule ____.
   Ihr ____ mit Karl zur Schule ____.
   Sie ____ mit Karl zur Schule ____.
   Sie ____ mit Karl zur Schule ____.

2. Ich komme aus der Schule. 3. Ich schwimme über den Fluß.

4. Ich bleibe zu Hause. 5. Ich reise nach Europa.

B. *Change the following sentences to the present perfect tense:*

1. Er geht in kein Theater. 2. Die Leute eilen in die Kirche. 3. Die Großeltern ziehen zu uns in die Stadt. 4. Er ist schon lange fort. 5. Du bist immer gut und freundlich gegen mich. 6. Die Kinder waren noch in der Schule. 7. Ich blieb in einem Wirtshaus über Nacht. 8. Er starb vor einem Jahr.

C. *Change the following sentences to the future perfect tense and translate them as denoting presumption in the past:*

1. Er ist nach Hause gegangen. 2. Sie kommt heute wieder zu spät zur Vorlesung. 3. Sie bleiben heute etwas länger in der Bibliothek. 4. Sie fährt mit ihrer Mutter in die Stadt. 5. Die Kinder sind in den Garten gelaufen. 6. Er ist plötzlich krank geworden. 7. Er ist zu keinem Arzt gegangen. 8. Der Arzt ist nicht zu Hause gewesen. 9. Sie ist bei ihrer Freundin über Nacht geblieben. 10. Er ist ungefähr fünfzig Jahre alt gewesen.

D. *In the following sentences fill in the present perfect forms of* **sein** *or* **haben:**

1. Karl ___ heute nicht in der Vorlesung gewesen. 2. Das Kind ___ vom Spielen müde geworden. 3. Wann ___ Sie ihn das letzte Mal gesehen? 4. Wo ___ Sie ihm zum ersten Mal begegnet? 5. Wo ___ du gestern abend gewesen? 6. Warum ___ sie nicht länger in Deutschland geblieben? 7. Wann ___ Sie in Chicago angekommen? 8. Warum ___ Sie nicht länger in New York geblieben? 9. Warum ___ Sie die Stadt so schnell verlassen? 10. ___ Sie auf Ihrer Europareise auch in die Schweiz gekommen? 11. Nein, ich ___ nicht genügend Zeit gehabt. 12. Ich ___ die ganze Zeit über in Deutschland und Frankreich gewesen.

E. *In the following sentences fill in the present perfect forms of* **sein** *or* **haben:**

1. Ich ___ meine Vorbereitungen für meine Deutschklasse beendet und ___ dann zu einer Vorlesung in europäischer Geschichte gegangen. 2. Ich ___ meiner Freundin begegnet, sie ___ aus der Bibliothek gekommen, und ich ___ sie nach Hause begleitet. 3. Unser Professor ___ heute keine Vorlesung gehalten, er ___ krank geworden und ___ zu Hause geblieben. 4. Annemarie und ich ___ einen Spaziergang gemacht, wir ___ durch den Stadtpark

gewandert und ___ über dieses und jenes gesprochen. 5. Ich ___ dann nach Hause gegangen, habe ein Kapitel einer deutschen Novelle gelesen, meine Schwester ___ Klavier gespielt, Vater ___ die Zeitung gelesen, Mutter ___ in der Küche das Abendessen bereitet, dann ___ wir gegessen, und nach dem Essen ___ wir alle in ein Kino gegangen.

F. *In the following reading selection classify the verbs as to* **sein** *and* **haben** *verbs.*

Marie hatte schon lange Jahre mit dem Blinden [Thomas] zusammen gelebt. Einmal hatte er krank in einem Dorfwirtshaus gelegen, dort sind sie einander zuerst begegnet, und mit der Zeit ist sie bei ihm geblieben. Sie sind zusammen durch Dörfer und Märkte gewandert. Marie hat das Essen am Feuer gekocht und hat für sich und den Blinden einen Schlafplatz für die Nacht gesucht. Abends spielte Thomas den Leuten zum Tanz auf. Oh, Marie ist eine gute Frau für Thomas gewesen, und Thomas hat sie geliebt. Er hat mit ihren Augen gesehen, und ihre Hand hat ihn geführt. Thomas hat nicht gewußt, daß Marie häßlich gewesen ist. Ein rotes Mal entstellte ihr Gesicht. Aber Gott hatte eine sanfte und gütige Seele in ihr erweckt und hatte ihr das Herz einer Heiligen gegeben. Ohne Liebe war Marie aufgewachsen, und sie ist so durstig nach Liebe gewesen wie Thomas nach Licht. Für Thomas ist Marie immer schön gewesen. Sie führte ihn auf guten Wegen, sie duldete seine Liebe und seinen Zorn, aber ihr Geheimnis hat sie streng gehütet.

— Karl Heinrich Waggerl, aus „Landstreicher"

10 WERDEN As Auxiliary of Future Tense

FIRST PERSON	SECOND PERSON	THIRD PERSON
ich **werde** essen	du **wirst** essen	er **wird** essen
wir **werden** essen	ihr **werdet** essen	sie **werden** essen
ich **werde** kommen	du **wirst** kommen	er **wird** kommen
wir **werden** kommen	ihr **werdet** kommen	sie **werden** kommen

The present tense of **werden**, followed by the infinitive of the verb, is used in forming the future tense.

A. *Supply the proper form of* **werden:**

1. Ich ___ um halb neun zur Schule gehen. 2. Wann ___ du zur Schule gehen? 3. ___ du morgen abend zu Hause sein? 4. Er ___ dem Lehrer einen Brief schreiben. 5. Warte auf mich, ich ___ gleich wieder zurück sein. 6. Wir ___ Mutter ein Geschenk zum Geburtstag kaufen. 7. ___ ihr noch einen Tag länger bleiben, oder ___ ihr heute schon zurückreisen? 8. Das ist gewiß, du ___ mich nie wieder sehen. 9. Wann ___ Sie mit Ihrer Arbeit fertig sein? 10. Ich weiß, daß sie kommen will, aber wann ___ sie kommen? 11. Ich ___ dich morgen früh abholen, und wir ___ zusammen zur Vorlesung gehen. 12. Wann glaubt ihr, daß euer neues Haus fertig sein ___?

B. *Rewrite the following sentences, using the future tense:*

1. Gehst du morgen zur Bibliothek? 2. Wann gehst du morgen zur Bibliothek? 3. Geht keiner von euch heute zur Bibliothek? 4. Warum geht keiner von euch heute zur Bibliothek? 5. Wann treffen wir uns morgen wieder? 6. Wo treffe ich dich morgen? 7. Kommt er heute, oder kommt er morgen? 8. Unser Lehrer erklärt immer zuerst die Beispiele, dann gibt er uns die grammatische Regel. 9. Vater reist nicht ohne unsere Mutter nach Deutschland. 10. Ich schreibe euch noch, wann ich von hier abreise und bei euch ankomme. 11. Ich lerne zuerst die deutsche Sprache verstehen, sprechen, lesen und schreiben und gehe dann nach Deutschland und studiere dort auf einer Technischen Hochschule. 12. Am 15. Juni beginnen die Ferien, ich bleibe aber nicht hier in der Stadt, sondern fahre mit meinen Eltern an die See oder ins Gebirge.

11 Principal Parts of a Verb

INFINITIVE	PAST	PRESENT PERFECT	3RD PERSON PRESENT
fragen	fragte	er hat gefragt	er fragt
reisen	reiste	er ist gereist	er reist
lesen	las	er hat gelesen	er liest
laufen	lief	er ist gelaufen	er läuft

The principal parts of a verb are those key-forms from which all other forms may be derived. They are: 1) *the infinitive,* 2) *the first (or third) person singular past,* 3) *the third person singular present perfect,* 4) *the third person singular present.*

A. *Give the principal parts of the following verbs:*

a. Weak verbs (auxiliary *haben*):

bauen	füllen	rechnen	grüßen	klagen
dienen	feiern	glauben	hoffen	lachen

b. Weak verbs (auxiliary *sein*):

eilen	wandern	rollen	reifen	stürzen

c. Strong verbs (auxiliary *haben*):

finden	liegen	rufen	sitzen	schneiden
gießen	schlagen	werfen	waschen	nehmen

d. Strong verbs (auxiliary *sein*):

fahren	fließen	fallen	springen	reiten
kommen	wachsen	fliegen	bleiben	sterben

B. *Rewrite the following sentences: 1) in the past tense, 2) in the present perfect tense:*

1.	*geben* Wieviel gibt er dir dafür?	*gab* Wieviel ___?	*(hat) gegeben* Wieviel ___?
2.	*bitten* Wir bitten um Hilfe.	*bat* Wir ___.	*(hat) gebeten* Wir ___.
3.	*sprechen* Er spricht fließend Deutsch.	*sprach* Er ___.	*(hat) gesprochen* Er ___.

4.	*sterben* Stirbt das Kind davon?	*starb* Starb ___?	*(ist) gestorben* Ist ___?
5.	*treffen* Ich treffe sie um vier Uhr.	*traf* Ich ___.	*(hat) getroffen* Ich ___.
6.	*springen* Wer springt höher?	*sprang* Wer ___?	*(ist) gesprungen* Wer ___?
7.	*trinken* Was trinkst du?	*trank* Was ___?	*(hat) getrunken* Was ___?
8.	*beißen* Ihr Hund beißt mich.	*biß* Ihr ___.	*(hat) gebissen* Ihr ___.
9.	*leiden* Sie leidet an Kopfschmerzen.	*litt* Sie ___.	*(hat) gelitten* Sie ___.
10.	*bleiben* Ich bleibe bei dir.	*blieb* Ich ___.	*(ist) geblieben* Ich ___.
11.	*fliegen* Wohin fliegt das Flugzeug?	*flog* Wohin ___?	*(ist) geflogen* Wohin ___?
12.	*gießen* Er gießt Wein ins Glas.	*goß* Er ___.	*(hat) gegossen* Er ___.

C. *Rewrite the following sentences 1) in the past tense; 2) in the present perfect tense:*

1. Ich fahre mit ihm jeden Morgen zur Universität. 2. Ich treffe ihn jeden Morgen auf meinem Weg zur Universität. 3. Er ärgert sich über diese Hausarbeit und macht sie nicht fertig. 4. Sie las das Buch nicht zu Ende und brachte es zur Bibliothek zurück. 5. Sie sprechen sehr viel, aber ich glaube Ihnen nicht alles. 6. Diese jungen Bäume blühen, aber sie tragen im Herbst keine Früchte. 7. Wir graben in unserm Garten und pflanzen in diesem Frühling Rosen und andere Blumen. 8. Karl springt über den Bach und fällt dabei ins Wasser.

ILLUSTRATIVE READING

Read the following and observe how the different tenses are used in German:

Elkes Vorahnung *war* in Erfüllung *gegangen;* eines Morgens *hatte* man ihren Vater, den Deichgrafen Tede Volkerts, tot in seinem Bette *gefunden.* In den letzten Monaten *hatte* er mehrfach Lebensüberdruß *geäußert* und auch seine Leibgerichte *hatten* ihm nicht mehr *geschmeckt.* — Nun *gab* es eine große Leiche im Dorf. Droben auf der Geest auf dem Begräbnisplatz um die Kirche *lag* die Grabstätte der Deichgrafen. Ein breiter blauer Grabstein, auf welchem das Bild des Todes *ausgehauen war, bezeichnete* die Stelle, wo Tede Volkerts *begraben werden sollte.* Schon *kamen* unten aus der Marsch die ersten Wagen des Leichenzuges *heran.* Auf dem vordersten Wagen *stand* der Sarg; zwei blanke Rappen aus dem deichgräflichen Stalle *zogen* ihn den sandigen Anberg zur Geest *hinauf.* Schweife und Mähnen der Pferde *wehten* in dem scharfen Frühjahrswinde. Der Gottesacker um die Kirche *war* bis an die Wälle mit Menschen *angefüllt;* sie alle *wollten* das Bergräbnis mit *ansehen.* — Im Hause unten in der Marsch *hatte* Elke das Leichenmahl *gerüstet.* Als sie alles *besorgt hatte,* ging sie durch den Stall vor die Hoftür; sie *traf* niemanden auf ihrem Wege, denn die Knechte und Mägde *waren* dem Leichenzuge *gefolgt.* Sie *blieb stehen* und *sah* drüben die letzten Wagen zur Kirche *hinauffahren.* Elke *faltete* die Hände; sie *senkten* wohl jetzt den Sarg in die Grube *hinab.* Dann *füllten sich* ihre Augen mit Tränen, ihre über der Brust gefalteten Hände *sanken* in den Schoß: „Vater unser, der du bist im Himmel!" *betete* sie voll Inbrunst. Als das Gebet des Herrn zu Ende *war, stand* sie noch lange unbeweglich, sie, die jetzige Herrin dieses großen Marschhofes.

Theodor Storm, „Der Schimmelreiter"

12 Verbs Compounded With an Inseparable Prefix

1. **be**gegnen	begegnete	ist begegnet	er begegnet
2. **ent**decken	entdeckte	hat entdeckt	er entdeckt
3. **er**zählen	erzählte	hat erzählt	er erzählt
4. **ge**hören	gehörte	hat gehört	er gehört
5. **ver**schwinden	verschwand	ist verschwunden	er verschwindet
6. **zer**brechen	zerbrach	hat (ist) zerbrochen	er zerbricht

Verbs compounded with an inseparable prefix (**be–**, **ent–**, **er–**, **ge–**, **ver–**, **zer–**) form the past participle without the prefix **ge–**.

A. *Give the principal parts of the following verbs:*

1. behalten	bezahlen	bedeuten	bekommen	befreien
2. entlassen	entfliehen	entgegnen	entlaufen	entziffern
3. erkennen	erwachen	erwarten	erfinden	erwidern
4. gehorchen	geschehen	gelingen	gehören	gefallen
5. verlieren	verdienen	vergessen	verstehen	verlassen
6. zerreißen	zerstören	zerspringen	zerschneiden	zerfallen

B. *Supply the past participle:*

1. Ich bin ihr auf der Straße (begegnen) und habe sie nach Hause (begleiten). 2. Er hat die schönsten Geschichten (erzählen) und hat immer neue (erfinden). 3. Erstens habe ich ihn schlecht (verstehen), und zweitens habe ich schnell (vergessen). 4. Der Hund hat mir (gehören), aber er hat mir nicht (gehorchen). 5. Sie haben die alte Burg (zerstören) und haben das alte Tor (zerbrechen). 6. Das Glas ist plötzlich in meiner Hand (zerspringen), und ich habe mir die Hand (zerschneiden).

C. *Rewrite the following sentences, using the present perfect tense:*

1. Wir verlassen die Stadt und ziehen nach New York. 2. Das Bild gefällt mir nicht, und es gehört mir auch nicht. 3. Seine Arbeit gelingt (**sein**-verb) ihm, und er verdient Geld damit. 4. Der Arzt besucht den Kranken und verschreibt ihm Medizin. 5. Er erzählte von seiner Reise durch Deutschland und beschrieb die Stadt Koblenz. 6. Ich behalte dieses Buch, und ich verkaufe es nicht. 7. Ich erwartete eine günstige Antwort von ihm, er aber entließ mich mit freundlichen Worten und entgegnete nichts auf meine Bitte.

13 Verbs Compounded With a Separable Prefix

Wir	**sehen**	uns einige große Städte	**an.**
Wir	**kamen**	gestern nach New York	**zurück.**
Wir	**ruhten**	uns von unserer Reise	**aus.**
Wir	**haben**	uns einige große Städte	**an**ge**sehen.**
Wir	**sind**	gestern nach New York	**zurück**ge**kommen.**
Wir	**haben**	uns von unserer Reise	**aus**ge**ruht.**

1. In simple tenses (the present and the past) the separable prefix of the compound verb goes to the end of the clause. 2. In the compound tenses (the present perfect, the past perfect, the future, and the future perfect) the separable prefix precedes the verb at the end of the clause and the prefix and verb are written as one word.

The most common separable prefixes are:

ab:	abbrechen, *break off* abrufen, *call away*
an:	anbinden, *tie (on)* ankommen, *arrive*
auf:	aufstehen, *get up* aufhören, *stop*
aus:	ausgehen, *go out* ausruhen, *rest*
ein:	einbilden, *imagine* einkaufen, *purchase*
entgegen:	entgegeneilen, *hasten to meet* entgegensehen, *look forward to*
fort:	fortsetzen, *continue* fortlaufen, *run away*
her:	herholen, *fetch* herstellen, *produce*

heraus:	herausbringen, *bring out* herausreißen, *tear out*
herein:	hereinkommen, *come in* hereinlassen, *let in*
hin:	hinpflanzen, *plant out* hinsetzen, *sit down*
hinaus:	hinausgehen, *walk out* hinauswerfen, *throw out*
hinein:	hineinreiten, *ride into* hineinfallen, *fall into*
mit:	mitbringen, *bring along* mitnehmen, *take along*
nach:	nachdenken, *reflect* nachfragen, *inquire*
nieder:	niederbrennen, *burn down* niedersteigen, *descend*
um:	umpflanzen, *transplant* umsehen, *look around*
unter:	untergehen, *sink* unterkommen, *find shelter*
vor:	vorbereiten, *prepare* vorbeugen, *prevent*
weg:	wegführen, *lead away* wegfahren, *drive away*
wieder:	wiederkehren, *return* wiederbringen, *bring back*
zu:	zubinden, *tie up* zumachen, *close*
zurück:	zurückkommen, *return* zurückgeben, *give back*
zusammen:	zusammenkommen, *come together* zusammenlegen, *lay together*

VERB: COMPOUNDED WITH A SEPARABLE PREFIX

A. *Rewrite the following sentences in German, using: 1) the past tense; 2) the present perfect tense; 3) the future tense:*

1. Ich (mitbringen) meinen Freund.	2. Sie (hinausgehen) schweigend.
Ich ___ meinen Freund ___.	Sie ___ schweigend ___.
Ich ___ meinen Freund ___.	Sie ___ schweigend ___.
Ich ___ meinen Freund ___.	Sie ___ schweigend ___.

3. Er (abnehmen) höflich seinen Hut. 4. Wir (fortsetzen) unsere Arbeit. 5. Wann (ankommen) der Zug in Berlin? 6. Wann (zurückreisen) Sie nach Frankfurt? 7. Warum (mitbringen) Sie nicht ihren Freund? 8. Wir (entgegensehen) seinem Besuch mit Freuden.

B. *In the following sentences the verb forms are given in the infinitive. Rewrite these sentences in German, using: 1) the present tense; 2) the present perfect tense:*

EXAMPLE: Karl (ausbleiben) lange und (mitbringen) seinen neuen Freund.
Karl bleibt lange aus und bringt seinen neuen Freund mit.
Karl ist lange ausgeblieben und hat seinen neuen Freund mitgebracht.

1. Ich (aufhören) mit meiner Arbeit und (zumachen) meine Bücher. 2. Ich (sich ausruhen) ein wenig und dann (fortsetzen) meine Arbeit. 3. Er (abfahren) von seinem Hause um acht Uhr und (ankommen) in der Schule um neun Uhr. 4. Die Leute (stehenbleiben) auf der Straße und (sich umsehen) nach uns. 5. Warum du nicht (hinübergehen) zu unserm Nachbar und dort (nachfragen)? 6. Er (sich einbilden) viel auf seine Klugheit. 7. Was (herstellen) diese Fabrik? 8. Ich nicht (hereinlassen) den Fremden.

C. *Rewrite the following sentences in German:*

1. He is leaving (*abreisen*) today. 2. When did you arrive (*ankommen*) yesterday? 3. He looked (*aussehen*) tired and sick. 4. Your watch is slow (*nachgehen*). 5. I will go out (*ausgehen*) tonight. 6. I will open (*aufmachen*) a window and close (*zumachen*) the door. 7. He often drives past (*vorbeifahren*) our house and never comes in (*hereinkommen*). 8. We get together quite often and prepare (*vorbereiten*) our lesson together. 9. When did he drive away (*wegfahren*) and when will he return (*zurückkommen*)? 10. Sit down (*sich hinsetzen*) and rest (*ausruhen*) a little.

ILLUSTRATIVE READING

D. *In the following reading selection find verbs compounded 1) with a separable prefix; 2) with an inseparable prefix; 3) give the infinitive form of these verb compounds and their English meaning:*

EXAMPLE: ging ___ hinab; hinabgehen, *to walk down*

An einem Spätherbstnachmittag ging ein alter, wohlgekleideter Mann langsam die Straße hinab. Er kehrte von einem Spaziergang nach Hause zurück. Seine Schnallenschuhe, die einer vorübergegangenen Mode angehörten, waren bestäubt. Mit seinen dunklen Augen, welche eigentümlich von seinen schneeweißen Haaren abstachen, sah er ruhig umher oder in die Stadt hinab, welche im Abendsonnenglanze vor ihm lag. Endlich stand er vor einem hohen Giebelhause still, sah noch einmal in die Stadt hinab und trat dann in die Hausdiele. Der Alte ging über die weite Hausdiele und trat durch die gegenüberliegende Tür in einen kleinen Flur, von wo aus eine enge Treppe zu den oberen Zimmern des Hinterhauses hinaufführte. Er stieg sie langsam hinauf, schloß oben eine Tür auf und trat in ein mäßig großes Zimmer. Vor einem Tisch mit grüner Decke, auf dem aufgeschlagene Bücher umherlagen, stand ein Lehnstuhl mit rotem Sammetkissen. Nachdem der Alte Hut und Stock in die Ecke gestellt hatte, setzte er sich in den Lehnstuhl und ruhte von seinem Spaziergang aus.

Theodor Storm, „Immensee"

14 Irregular Weak Verbs

I.

das Haus brennt	das Haus brannte	das Haus ist abgebrannt

The so-called irregular weak verbs have vowel changes in the past tense and the past participle like strong verbs and have endings like regular weak verbs. The last two in the following list also change the final consonants of the stem (as do their cognates in English).

brennen	brannte	gebrannt	brennt	*to burn*
kennen	kannte	gekannt	kennt	*to know (by acquaintance)*
nennen	nannte	genannt	nennt	*to name, call (by name)*
rennen	rannte	ist gerannt	rennt	*to run, race*
senden	sandte	gesandt	sendet	*to send*
wenden	wandte	gewandt	wendet	*to turn*
denken	dachte	gedacht	denkt	*to think*
bringen	brachte	gebracht	bringt	*to bring*

II.

Ich weiß, wer er ist	du weißt, wer er ist	er weiß, wer er ist
wir wissen, wer er ist	ihr wißt, wer er ist	sie wissen, wer er ist

Principal parts: wissen, wußte, gewußt, weiß

The present tense of **wissen** is irregular in the singular. Both **wissen** and **kennen** mean *to know;* **kennen** in the sense of *to be acquainted with* (Latin *cognoscere,* French *connaître,* Spanish *conocer*), **wissen** in the sense of *to have knowledge of a fact* (Latin *scire,* French *savoir,* Spanish *saber*).*

A. *Rewrite the following sentences in: 1) the past tense; 2) the present perfect tense:*

1. Die Sonne brennt heiß auf die Erde. 2. Er sendet seinem Sohne das gewünschte Geld. 3. Wer nennt mir seinen Namen? 4. Sie (*they*) denken an die schönen Tage in Deutschland. 5. Kennst du diesen Mann? 6. Ich bringe diese Bücher zur Bibliothek zurück.

* See pp. 194 and 239.

B. *Supply the proper form of* wissen *or* kennen *in the present tense:*

1. ___ du, wie spät es ist? 2. Nein, ich ___ es nicht. 3. ___ du dieses Mädchen? 4. Ja, ich ___ sie. 5. ___ du, wie sie heißt? 6. Nein, das ___ ich nicht. 7. ___ du diesen Mann? 8. Ja, ich ___ ihn. 9. ___ du, wo er wohnt? 10. Ja, das ___ ich auch. 11. ___ du, wie alt er ist? 12. Er ___ nicht, wie alt er ist.

C. *Rewrite the following sentences in German:*

1. The whole city was on fire. 2. Do you think of your trip to Germany? 3. Did you think he was here? 4. Do you know her son? 5. Do you know this city? 6. He didn't call me by my name. 7. What did you bring me? 8. I brought you a very interesting book. 9. Don't think of it anymore. 10. Do you think he is coming? 11. I know he is not coming. 12. I don't know that. 13. He didn't give his name. 14. I know him, and I also know that he is living in this city.

15 Impersonal Verbs

I.

es regnet — *it's raining*	wie spät ist es? — *what time is it?*
es brennt — *there is a fire*	es läutet — *the bell is ringing*
es blitzt — *it's lightening*	es freut mich — *I am glad*

In German, as in English, many verbs are used impersonally with the grammatical subject **es** (*it*).

Study and try to remember the following list of the most common impersonal German verbs and verb-phrases:

1. Es gelingt mir — *I succeed.*
   Es tut mir leid — *I am sorry.*
   Es scheint mir — *it seems to me.*
   Es geht mir gut — *I am fine.*
   Es gefällt mir — *I like it.*
   Es ärgert mich — *I am vexed.*

2. Es geschieht dir recht — *It serves you right.*
   Es klingt nicht gut — *It doesn't sound right.*
   Es brennt und raucht unten in der Stadt — *There's fire and smoke downtown.*
   Es wird bald regnen — *It will rain soon.*
   Regnet es draußen? — *Does it rain outside?*
   Nein, es regnet nicht, aber es ist kalt und es schneit — *No, it doesn't rain but it's cold and it snows.*
   Ist es spät? — *Is it late?*
   Nein, es ist noch nicht spät — *No, it's not late at all.*
   Wie gefällt es dir hier? — *How do you like it here?*
   Es gefällt mir hier sehr gut — *I like it here very much.*
   Wie geht es deinem Vater? — *How is your father?*
   Danke, es geht ihm gut — *Thanks, he is well.*

II.

Es gibt viele Sprachen in der Welt — *There are many languages in the world.*
Es gab heute keinen Regen — *There was no rain today.*
Es ist jemand an der Tür — *There is somebody at the door.*
Es war einmal ein König — *Once upon a time there was a king.*

Es gibt and **es gab; es ist** and **es war** (*there is, there are; there was, there were*) express generalizations concerning conditions or facts which may be continuously or universally true. These forms are always in the singular and are followed by nouns in the accusative.

NOTE: **es ist** requires a nominative; **es gibt** requires an accusative object; **es geht, es scheint, es gefällt,** *etc.*, requires a dative object.

Rewrite the following sentences in German:

1. How are you? Thanks, I am fine. 2. I am sorry, but I couldn't come. 3. He got hurt (*sich verletzen*), but it serves him right. 4. Is it still raining? No, it stopped. 5. Mother, what time is it? It is half past nine. 6. Did it snow yesterday or the day before yesterday? It snowed in the (*am*) forenoon and it rained in the afternoon. 7. I am sorry, but I don't like it here. 8. There were twenty students in my class. 9. There were seven strong men at (*an der*) work. 10. There was nothing to eat in the house. 11. There are many intelligent students in my class. 12. There are five schools in this city. 13. There is always much to do here in this school. 14. Are there high mountains in this country? 15. There are many stars in (*am*) the sky. 16. There is only one (*eine*) earth. 17. There is nothing new under the sun.

16 Reflexive Verbs

ich wasche **mich**	ich ziehe **mich** an	ich helfe **mir**
du wäscht **dich**	du ziehst **dich** an	du hilfst **dir**
er wäscht **sich**	er zieht **sich** an	er hilft **sich**
wir waschen **uns**	wir ziehen **uns** an	wir helfen **uns**
ihr wascht **euch**	ihr zieht **euch** an	ihr helft **euch**
sie waschen **sich**	sie ziehen **sich** an	sie helfen **sich**

1. In reflexive constructions the personal pronouns are added to the verb. For the first and second person in the singular and plural the dative or accusative cases of the pronoun are used, for the third person of both the singular and the plural **sich** is used.
2. Since the pronoun is the object of the verb, reflexive verbs are regarded as transitive and use **haben** as their auxiliary.
3. The pronoun stands always directly after the inflected element.

A list of the most common reflexive verbs

1. Verbs which can be used *only* reflexively:

a. with genitive:
1. Ich erbarme mich des Armen (*take pity on*).
2. sich der Stimme enthalten (*to refrain from voting*).
3. sich des Auftrags entledigen (*to execute one's commission*).
4. sich des Lebens freuen (*to enjoy*).
5. sich des Fehlers schämen (*to be ashamed*).

b. with prepositional phrase:
1. Ich freue mich über die Kinder (*be glad*).
2. sich auf den Namen besinnen (*to recollect, think of*).
3. sich nach Ruhe sehnen (*to long for*).
4. sich in der Hausnummer irren (*to err, be mistaken*).
5. sich um die Gäste kümmern (*to care about*).

c. with infinitive:
1. Ich freue mich zu erfahren (*pleased to hear*).
2. sich weigern zu kommen (*to refuse*).
3. sich getrauen zu tun (*to feel confident*).

2. Verbs which can be used *also* reflexively:

a. with pronoun as accusative:
1. Ich setze mich. 2. sich verstecken 3. sich hassen 4. sich waschen 5. sich schneiden 6. sich ärgern

b. with Genitive:
1. Ich bediene mich des Telefons (*make use of*).
2. sich seiner Kraft rühmen (*to boast of*).
3. sich alter Zeiten erinnern (*to remember*).
4. sich der Freundschaft versichern (*to make sure of*).
5. sich großen Ansehens erfreuen (*to enjoy*).

c. with prepositional phrase:
1. Ich verlasse mich auf deine Hilfe (*rely on*).
2. sich an die Hitze gewöhnen (*to get accustomed to*).
3. sich um die Arbeit bemühen (*to make an effort at*).
4. sich vor den Menschen fürchten (*to be afraid of*).
5. sich vor der Kälte schützen (*to protect o.s. against*).

3. Reflexive verbs *with dative pronoun:*

a. with pronoun as dative:
1. Ich schade mir 2. sich nützen 3. sich helfen 4. sich vertrauen 5. sich folgen 6. sich begegnen 7. sich erlauben 8. sich einbilden 9. sich vorstellen

b. with dative and accusative:
1. Ich erlaube mir diesen Luxus (*permit, can afford*).
2. sich eine Arbeit vornehmen (*to take up*).
3. sich ein Buch leihen (*to borrow*).
4. sich einen Namen merken (*to bear in mind*).
5. sich Zeit nehmen (*to take the time*).

c. with dative and infinitive:
1. Ich erlaube mir zu fragen (*take the liberty*).
2. Ich gestatte mir zu rauchen (*take the liberty*).
3. Ich nehme mir vor zu reisen (*intend*).
4. Ich gelobe mir zu helfen (*promise solemnly*).
5. Ich schwöre mir zu arbeiten (*swear, vow*).

d. with dative pronoun and the meaning "for oneself":
1. Ich bestelle mir einen Anzug (*order*).
2. sich einen Platz suchen (*to search for*).
3. sich eine Zigarette anzünden (*to light*).
4. sich einen neuen Hut kaufen (*to buy*).
5. sich ein Lied singen (*to sing*).

VERB: REFLEXIVE

A. *Conjugate the following sentences in: 1) the present tense; 2) the present perfect tense:*

1. Ich ärgere mich über ihn.	Ich ___ über ihn ___.
Du ___ ___ über ihn.	Du ___ über ihn ___.
Er ___ ___ über ihn.	Er ___ über ihn ___.
Wir ___ ___ über ihn.	Wir ___ über ihn ___.
Ihr ___ ___ über ihn.	Ihr ___ über ihn ___.
Sie ___ ___ über ihn.	Sie ___ über ihn ___.

2. Ich beeile mich, noch vor Mitternacht nach Hause zu kommen.

3. Ich freue mich auf seinen Besuch. 4. Ich nehme mir vor, von heute an besser zu arbeiten.

B. *Supply the reflexive pronouns:*

1. Die Leute waschen ___ morgens und abends. 2. Wir waschen ___ auch. 3. Herr Robertson verabredet ___ mit Herrn Müller. 4. Wir treffen ___ morgen um sieben Uhr vor dem Kino. 5. Vater kauft ___ immer jeden Abend eine Zeitung. 6. Heute kaufe ich ___ eine Zeitung, denn Vater hat ___ verspätet und hat ___ keine Zeitung gekauft. 7. Unterhaltet ihr ___ gut? 8. Wir unterhalten ___ sehr gut. 9. Wir müssen ___ jetzt verabschieden, denn wir wollen ___ nicht verspäten. 10. Karl schadet ___, denn er raucht zu viel. 11. Zieht ___ Mäntel an, daß ihr ___ nicht erkältet. 12. Karl setzte ___ an einen Tisch und bestellte ___ ein gutes Frühstück.

C. *Rewrite the following phrases and sentences in English:*

1. Sich satt essen; sich müde arbeiten; sich außer Atem rennen; 2. sich in den Schlaf weinen; sich warm laufen; sich zu Tode stürzen; 3. sich tot lachen; sich den Kopf zerbrechen; sich etwas vom Herzen schreiben. 4. Ich glaube, ich habe mich geirrt. 5. Ich erinnere mich nicht, diesen Mann je gesehen zu haben. 6. Er bemüht sich jetzt, besser zu arbeiten. 7. Das Kind fürchtet sich vor dem Hund. 8. Du wirst dich in diesem kalten Zimmer erkälten. 9. Viele Leute drängten sich in die Kirche. 10. Setzen Sie sich, bitte. 11. Schäme dich und betrage dich in Zukunft besser. 12. Wir freuen uns, daß du uns besuchen willst. 13. Erkundige dich nach seinem Namen. 14. Bemühen Sie sich nicht, ich helfe mir selber. 15. Ich habe mir diese Arbeit leichter vorgestellt. 16. Diese oberflächliche Arbeit nützt ihm nicht viel, im Gegenteil, er schadet sich nur damit.

D. *Rewrite the following sentences in German:*

1. He refused (*sich weigern*) to come and meet my father. 2. I am pleased (*sich freuen*) to hear that you are well again. 3. I couldn't think of (*sich erinnern*) the name, whether it was Karl or Fritz. 4. Mother had worked quite hard and was longing (*sich sehnen*) for a rest. 5. Please take a chair and sit down (*sich setzen*). 6. Be careful, don't cut yourself (*sich schneiden*)! 7. I got accustomed to (*sich gewöhnen*) the cold in Alaska. 8. I learned to protect myself (*sich schützen*) against the cold. 9. I bought (for myself) a new dress. 10. I took the liberty to ask her for her name and her age (*sich erlauben*).

E. *Use each of the following phrases in a complete German sentence:*

1. To sit down. 2. To be mistaken. 3. To be glad. 4. To remember. 5. To hurry. 6. To recover. 7. To long for. 8. To catch cold. 9. To intend to. 10. To be afraid of. 11. To be surprised. 12. To get accustomed to.

17 Verbs With Genitive and With Dative

The verb takes a genitive object:

	GENITIVE	PREP. PHRASE OR ACCUSATIVE
gedenken:	des Freundes gedenken	an den Freund denken
achten:	der Gefahr nicht achten	auf die Gefahr nicht achten
spotten:	seiner Drohung spotten	über seine Drohung spotten
vergessen:	des Versprechens vergessen	das Versprechen vergessen

This construction (verb with genitive) is not very common. It is found in the classics and still occurs in stately writing. Most of these verbs admit, or even prefer, some other constructions: a prepositional phrase or the accusative.

A. *Express the following with a prepositional phrase or an accusative:*

1. Seiner Hilfe nicht bedürfen (*use acc.*). 2. Der bösen Krankheit genesen (*use prep.* **von**). 3. Der Kinder hüten (*use acc.*). 4. Der Gefahr lachen (*use prep.* **über**). 5. Der Ruhe pflegen (*use acc.*). 6. Meiner Pflichten nachkommen (*use acc.*). 7. Eines frühen Todes sterben (*use acc.*).

The verb takes a genitive which denotes that someone is *accused of, convicted of, admonished, deemed worthy of something:*

des Diebstahls **anklagen** (*to indict*)	eines Besseren **belehren** (*to set right*)
des Diebstahls **beschuldigen** (*to accuse*)	des Verbrechens **freisprechen** (*to acquit*)

B. *Express the following phrases in English:*

1. Sich seiner Hilfe versichern (*to make sure of*). 2. Sich seiner Unschuld überzeugen (*to convince o.s.*). 3. Sich des Auftrags entledigen (*to acquit o.s.*). 4. Ihn des Verbrechens überführen (*to convict*). 5. Ihn des Landes verjagen (*to drive out*). 6. Ihn der

Grausamkeit verklagen (*to accuse*). 7. Ihn seines Amtes entkleiden (*to divest*). 8. Sich des Kindes erbarmen (*to have pity*). 9. Sich guter Gesundheit erfreuen (*to enjoy*). 10. Sich seines Reichtums rühmen (*to boast*). 11. Sich seiner Armut schämen (*to be ashamed of*). 12. Sich besserer Zeiten vertrösten (*to hope for*).

The verb takes the dative as sole object:

der Mutter **ähneln** (*to resemble*)	der Krankheit **erliegen** (*to succumb*)
dem Nachbar **gehören** (*to belong*)	dem Stärkeren **weichen** (*to yield*)
dem Unglück **entgehen** (*to escape*)	den Leuten **mißfallen** (*to displease*)

C. *With the following phrases form a complete sentence, starting: Ich ——.*

EXAMPLE: Der Staat: dienen.
Ich diene dem Staat.

1. Der Staat: schaden; 2. der Kranke: helfen; 3. der Freund: glauben; 4. der Vater: gehorchen; 5. die Gefahr: trotzen; 6. der Rat: folgen; 7. der Arzt: danken; 8. der Lehrer: antworten; 9. der Nachbar: begegnen; 10. der Verein: angehören; 11. die Frage: ausweichen; 12. der Redner: zuhören.

18 Phrase-Compounds

INFINITIVE	ADJECTIVE OR NOUN	VERB	
hochachten	hoch	achten	*to esteem*
totschlagen	tot	schlagen	*to kill*
wahrnehmen	wahr	nehmen	*to perceive*
danksagen	der Dank	sagen	*to thank*
lobsingen	das Lob	singen	*to praise*

By the name phrase-compounds are designated those compounds in which the first part (the separable prefix) is an adjective or a noun.

A. *Give: 1) the present tense; 2) the past; 3) and the present perfect tense of the following compounds:*

INFINITIVE	PRESENT	PAST	PRESENT PERFECT
bloßstellen, *to expose*	er ___	er ___	er ___
festhalten, *to hold fast*	___	___	___
freisprechen, *to acquit*	___	___	___
losgehen, *to start off*	___	___	___
festnageln, *to nail on*	___	___	___
festnehmen, *to arrest*	___	___	___
fertigmachen, *to finish*	___	___	___
vollgießen, *to fill up*	___	___	___

B. *Supply the correct form of the compound verb:*

1. Ich habe die Kinder (großziehen, *to bring up*). 2. Ich bin auf dem Wege zu seinem Hause (fehlgehen, *to miss the way*). 3. Die Frau ihre Waren (feilbieten, *to have for sale*). 4. Er seinen Gegner (totschießen, *shoot to death*). 5. Man hat diesen Mann vor einem Jahre (totsagen, *to report as dead*). 6. Ich habe mich über ihn fast (totlachen, *to die with laughter*). 7. Er hat sich in seinem Beruf fast (totarbeiten, *to work to death*). 8. Wir haben den Sklaven (loskaufen, *to buy off*). 9. Sie (*use 3d pers. sing.*) den Tag ihrer Hochzeit (festsetzen, *to set the date*). 10. Unser Nachbar hat sein

Haus (fertigbauen, *to finish building*). 11. Ich meine Dissertation (fertigschreiben, *finish writing*). 12. Hast du deine Dissertation (fertigmachen, *to finish*)? 13. Er hat den Hund von seiner Kette (losmachen, *to untie*). Ich ihn wieder an seine Hütte (festbinden, *to tie*).

C. *Give the noun and the verb of the following compounds:*

	NOUN	VERB
preisgeben, *to give up*	___	___
hohnsprechen, *to defy*	___	___
brandschatzen, *to ravage*	___	___
lobhudeln, *to flatter*	___	___
lustwandeln, *walk for pleasure*	___	___
mutmaßen, *to surmise, guess*	___	___
wetterleuchten, *to lighten*	___	___

19 *Derivations of Verbs by a Suffix*

SUFFIX **–eln:**

husten — hüst**eln**	klingen — kling**eln**	spotten — spött**eln**
tanzen — tänz**eln**	tropfen — tröpf**eln**	kranken — kränk**eln**

The suffix **–eln** forms derivations of a verb, often with diminutive or derisive force.

A. *Give the basic verbs from which the following derivations originate:*

lächeln, *to smile*   grübeln, *to ponder*   drängeln, *to push*
säuseln, *to rustle*   zischeln, *to whisper*   streicheln, *to stroke, caress*
sticheln, *to prick*   liebeln, *to flirt*

B. *Give the nouns from which the following derivations originate:*

siegeln, *to seal*   tafeln, *to dine*   tadeln, *to find fault*
siedeln, *to settle*   paddeln, *to paddle*   mäkeln, *to find fault*
schwänzeln, *to fawn*   züngeln, *lick (flames)*   behandeln, *to handle*
zirkeln, *to circle*   verzetteln, *to waste*   zerstückeln, *to cut up*
verstümmeln, *mutilate*   schaukeln, *to rock*

SUFFIX **–ieren:**

der Triumph — triumphieren, *to triumph*	die Zensur — zensieren, *to grade*
der Regent — regieren, *to rule*	das Zitat — zitieren, *to quote*
das Telefon — telefonieren, *to telephone*	die Musik — musizieren, *to play music*

In general, the suffix **–ieren** is attached only to foreign roots* and is always accented. Verbs in **-ieren** are weak verbs and do not take the prefix **ge-** to form the perfect participle.

* In a few cases the root of the verb is German: **buchstabieren,** *to spell;* **stolzieren,** *to strut.* The present tendency is to discard those verbs for which there are good German equivalents, like: **gründen** or **einrichten** for **etablieren; sich ärgern** for **vexieren,** *etc.*

A. *Give the nouns from which the following verbs with the suffix* **-ieren** *are derived:*

systematisieren, *to systematize*	symbolisieren, *to symbolize*
tabularisieren, *to tabulate*	sympatisieren, *to sympathize*
studieren, *to study*	ventilieren, *to ventilate*
sortieren, *to assort, sift*	suggerieren, *to influence by suggestion*
telefonieren, *to telephone*	sondieren, *to probe, sound out*
summieren, *to sum up*	tapezieren, *to paper (a room)*
sinnieren, *to ponder, brood*	konzentrieren, *to concentrate*
zirkulieren, *to circulate*	spekulieren, *to speculate*
suspendieren, *to suspend*	reduzieren, *to reduce*
photographieren, *to photograph*	soufflieren, *to prompt*

B. *In the list below find the English meaning of the following German verbs of foreign roots:*

autorisieren	disziplinieren	exportieren	konfirmieren
etablieren	fabrizieren	garantieren	kombinieren
kultivieren	kommandieren	studieren	konfiszieren
kampieren	importieren	inspizieren	instruieren
prämieren	publizieren	registrieren	regulieren
renovieren	reagieren	rebellieren	reparieren
repetieren	repräsentieren	dirigieren	debattieren

To authorize, to discipline, to confirm, to export, to manufacture, to establish, to combine, to guarantee, to confiscate, to study, to command, to cultivate, to camp, to import, to instruct, to inspect, to regulate, to register, to award (a prize), to publish, to renovate, to react, to repair, to rebel, to repeat, to represent, to debate, to direct.

20 Derivations of Verbs by a Prefix

I. PREFIX be–:

a. FROM VERBS:

fragen — **be**fragen, *to question*	sehen — **be**sehen, *to look at*
graben — **be**graben, *to bury*	greifen — **be**greifen, *to understand*
denken — **be**denken, *to consider*	folgen — **be**folgen, *to obey*

Prefixed to a verbal root, the prefix **be–** has intensive or perfective force, denoting thoroughness of operation or the complete effort of the action upon an object.

A. *Give the verbs from which the following derivations originate and their meanings:*

beantworten, *to reply to*	bearbeiten, *to till, work*	bebauen, *to cultivate*
bedienen, *to serve*	bedrohen, *to threaten*	bedrücken, *to oppress*
befahren, *to travel*	befragen, *to question*	behalten, *to keep*
beherrschen, *to govern*	bekämpfen, *to fight*	bekommen, *to receive*
belauschen, *to spy on*	belachen, *to laugh at*	beladen, *to burden*
beleuchten, *to light up*	bemerken, *to notice*	berechnen, *to calculate*
beschreiben, *to describe*	besuchen, *to visit*	bestehlen, *to steal from*

Note that verbs-plus-a-prefix are derived both from nouns and simple verbs (see also **B.** below).

b. FROM NOUNS:

der Einfluß — **be**einflussen, *to influence*	der Freund — **be**freunden, *to befriend*
der Geist — **be**geistern, *to inspire*	das Volk — **be**völkern, *to populate*
das Ende — **be**enden, *to finish*	die Furcht — **be**fürchten, *to suspect*

Prefixed to a noun, the prefix **be–** forms verbs that mean *to provide with, bestow, convert into* that which is denoted by the stem.

B. *Give the nouns from which the following derivations originate and their meanings:*

benutzen, *to make use of*	behaupten, *to maintain*	beschuldigen, *to accuse*
begrüßen, *to welcome*	beraten, *to advise*	bewundern, *to admire*
bewerten, *to evaluate*	beschließen, *to decide*	bezwecken, *to aim at*
bemühen, *to trouble*	begrenzen, *to limit*	befürchten, *to suspect*
begründen, *to prove*	begnadigen, *to pardon*	behüten, *to guard*
beneiden, *to envy*	belohnen, *to reward*	

c. FROM ADJECTIVES:

selig — **be**seligen, *to bless*	fähig — **be**fähigen, *to qualify*
frei — **be**freien, *to set free*	reich — **be**reichern, *to enrich*
feucht — **be**feuchten, *to moisten*	lustig — **be**lustigen, *to amuse*

Prefixed to an adjective, the prefix **be–** forms verbs that mean to invest with or put in operation, the quality denoted by the stem.

C. *In the following sentences substitute for the indicated nouns, adjectives, verbs the correct derivation given below:*

EXAMPLE: Schnee bildet eine *Decke* auf der Erde.
Schnee bedeckt die Erde.

1. Das Mittelländische Meer bildet eine *Grenze* Italiens.
2. Etwas Essen und ein Schluck Wasser gaben ihm neues *Leben.*
3. Er gab dem ehrlichen Finder einen *Lohn.*
4. Die Regierung gab den Bauern *Waffen.*
5. Seine Studien machen ihn *fähig* für diese gute Stellung.
6. Man macht die Briefmarke *feucht,* ehe man sie aufklebt.
7. Er eroberte das Land und machte die Gefangenen *frei.*
8. Der Mann *weinte* über seinen Verlust.
9. *Achten* Sie mehr auf Ihre Aussprache!
10. Er *schreibt* über die Landschaft seiner Heimat.
11. Die Ärzte *kämpfen* gegen diese Krankheit.
12. Mutter *gießt* Wasser auf ihre Blumen im Garten.

begrenzen	beleben	belohnen	befeuchten
befähigen	beweinen	bewaffnen	beachten
bekämpfen	beschreiben	begießen	befreien

D. *Give the adjectives from which the following derivations are derived and their meanings:*

betrüben, *to trouble*	beruhigen, *to pacify*	befestigen, *to fasten*
besänftigen, *to appease*	beschweren, *to burden*	bestärken, *to confirm*
beteuern, *to assert*	beunruhigen, *to disturb*	bewahren, *to keep, save*

II. PREFIX **er–**:

a. FROM VERBS:

blühen — **er**blühen, *to blossom*	wachen — **er**wachen, *to awaken*
stehen — **er**stehen, *to arise*	kennen — **er**kennen, *to recognize*
denken — **er**denken, *to invent*	jagen — **er**jagen, *to hunt down*

Prefixed to a verbal root, the prefix **er–** forms verbs denoting the beginning of an action, state or occurrence (**erwachen, erblühen**) or denoting attainment of a goal (**erdenken, erleben**).*

A. *Give the verbs from which the following derivations originate and their meanings:*

erbauen, *to erect*	erforschen, *to explore*
ergreifen, *to seize*	erfüllen, *to fulfil*
erhalten, *to receive*	erhoffen, *to hope for*
ermahnen, *to admonish*	ermorden, *to murder*
erregen, *to stir up*	ersuchen, *to beseech*
erzählen, *to relate*	erleben, *to live to see*
ertragen, *to endure*	erfinden, *to invent*
erschlagen, *to slay*	erreichen, *to reach*
erziehen, *to bring up*	erholen, *to recover*
erlernen, *to acquire*	erdulden, *to endure*
erfahren, *to learn, hear*	erlösen, *to deliver*
erbitten, *to beg for*	ernennen, *to nominate*

* Each of these prefixes **be-, er-, ver-, zer-, ent-** (or **emp-**), **ge-** had originally a definite meaning, and this original meaning is in some cases distinctly discernible: prefix **er-** meant *out* and **erdenken** *to think out.* But in most cases of these derivations the force of the prefix has blended so closely with that of the verb that it can now be discovered only by the help of historical study—just as in English we have lost all sense of a connection between *have* and *behave.*

b. FROM ADJECTIVES:

blaß — **er**blassen, *to grow pale*	krank — **er**kranken, *to fall sick*
hell — **er**hellen, *to illuminate*	mutig — **er**mutigen, *to encourage*
müde — **er**müden, *to fatigue*	offen — **er**öffnen, *to reveal*

Prefixed to an adjective, the prefix **er–** forms verbs denoting beginning of an action or state, or denoting attainment of a goal.

B. *Give the adjectives from which the following derivations are derived and their meanings:*

erneuern, *to renew*
erfrischen, *to refresh*
erledigen, *to settle*
erlahmen, *to grow weak*
erkalten, *to grow cold*
erleiden, *to suffer*
erleichtern, *to ease*
erweitern, *to expand*
erschweren, *to make harder*

C. *In the following sentences substitute for the indicated verbs and adjectives the correct derivation given below:*

1. Er wurde *blaß,* als er die Gefahr erkannte.
2. Der Mann wurde im Alter *blind.*
3. Der Wanderer wurde nach ein paar Stunden *müde.*
4. Die Bitten des Kindes machten mein Herz *weich.*
5. Das Feuer im Ofen *macht* das Zimmer *warm.*
6. Die Kräfte des Mannes wurden *lahm.*
7. In diesem kalten Wetter wurde ich plötzlich *krank.*
8. Der Südpolarfahrer *forschte* das arktische Gebiet *aus.*
9. Die Soldaten *stürmten* die Festung.
10. Der Mörder *schoß* den Mann *tot.*

erblassen, *to grow pale*
erblinden, *to grow blind*
erforschen, *to explore*
erlahmen, *to grow weak*
ermüden, *to get tired*
erschießen, *to kill by shooting*
erkranken, *to get sick*
erstürmen, *to take by storm*
erweichen, *to soften*
erwärmen, *to heat*

III. PREFIX **ver–**:

treiben — **ver**treiben, *to drive away*	sinken — **ver**sinken, *to sink away*
suchen — **ver**suchen, *to try out*	reisen — **ver**reisen, *to set out*
brennen — **ver**brennen, *to burn*	welken — **ver**welken, *to wither*

Prefixed to a verbal root, the prefix **ver–** forms verbs with the meaning *out, away,* to complete an operation.

A. *Give the verbs from which the following derivations originate and their meanings:*

verbieten, *to forbid*
verbrauchen, *to use up*
verdienen, *to earn*
verkaufen, *to sell*
verleugnen, *to deny*
verschließen, *to lock up*
verschaffen, *to procure*
versagen, *to refuse*
verbringen, *to pass time*
vergraben, *to bury*
vergleichen, *to compare*
verlangen, *to demand*
vermeiden, *to avoid*
versammeln, *to assemble*
verstecken, *to hide*
vertrauen, *to entrust*
vergeben, *to forgive*
verehren, *to venerate*
verlassen, *to leave*
vermieten, *to rent*
vernehmen, *to hear*
verschwinden, *to disappear*
verurteilen, *to condemn*
verschweigen, *to keep secret*

B. *In the following sentences substitute for the indicated verbs, nouns, adjectives the correct derivation given below:*

1. Schwarze Wolken am Himmel machten die Landschaft *dunkel.*
2. Der Kaufmann *schickte* seine Waren weit über Land.
3. Der Verwundete *blutete* und starb.
4. Der Kassierer *rechnete* falsch und gab mir zuviel Geld.
5. Der Arbeiter wurde bei einem Unfall zu einem *Krüppel.*
6. Der Schnee auf der Straße ist zu *Eis* geworden.
7. Zuviel Wasser macht den Kaffee *dünn.*
8. Der Lautsprecher am Radio macht den Ton *stark.*
9. Inflation macht den Wert des Geldes *geringer.*
10. Alkohol machte seine Krankheit *schlimmer.*
11. Der Krieg machte unser Land *wüst.*
12. Der Mann *hungerte.*

verdunkeln	verschicken	verrechnen	verkrüppeln
verbluten	vereisen	verringern	verschlimmern
verstärken	verdünnen	verhungern	verwüsten

IV. PREFIX zer–:

brechen — **zer**brechen, *to break to pieces* lesen — **zer**lesen, *to read to tatters* schneiden — **zer**schneiden, *to cut to pieces*

Prefixed to a verbal root, the prefix **zer–** forms verbs with the meaning *to pieces* or *in pieces*.

A. *Give the verbs from which the following derivations are derived and their meanings:*

zerfallen, *to fall in ruins*
zerbeißen, *to crunch to bits*
zerreißen, *to tear to pieces*
zerlegen, *to cut up, carve*
zerschlagen, *to smash to bits*
zerfließen, *to melt away*
zerdrücken, *to crush, squash*
zerspringen, *to burst into pieces*
zergliedern, *to dissect, analyze*
zerpflücken, *to pluck to pieces*
zerstören, *to destroy, ruin*
zerstreuen, *to scatter*

B. *In the following sentences substitute for the indicated nouns and verbs the correct derivation given below:*

1. Der Blitz schlug den Baum in *Splitter.*
2. Die Explosion schlug die Fenster in *Trümmer.*
3. Die Mutter schnitt das Fleisch in kleine *Stücke.*
4. Das Eis *floß* in der warmen Sonne auseinander.
5. Der Dieb *schlug* die Fensterscheiben entzwei und kam ins Haus.
6. Der Müller *mahlte* das Korn zu Mehl.
7. Das Glas *springt* im heißen Wasser in kleine Stücke.
8. Die Kinder spielten im Garten und *traten* die Blumen entzwei.
9. Das Kind *schneidet* sein Bilderbuch entzwei.
10. Der Chemiker *reibt* ein Stück Kohle zu Pulver.

zersplittern
zerstückeln
zerspringen
zertrümmern
zerfließen
zerschneiden
zertreten
zerschlagen
zermahlen
zerreiben

V. PREFIX **ent–**:

fliehen — **ent**fliehen, *to escape*	lassen — **ent**lassen, *to dismiss*
decken — **ent**decken, *to discover*	rennen — **ent**rinnen, *to run away*
finden — **emp**finden, *to perceive*	fangen — **emp**fangen, *to receive*

Prefixed to a verbal root, the prefix **ent–** (which sometimes takes the form **emp–**) forms verbs which imply separation, sometimes origin, i.e., expressing a change of state or motion.

A. *Give the verbs from which the following derivations are derived and their meanings:*

enteilen, *to hasten away*
entfallen, *to fall out of*
entfernen, *to remove, get away*
entführen, *to abduct, kidnap*
entkommen, *to slip away, escape*
entsagen, *to renounce, resign*
entscheiden, *to decide*
enttäuschen, *to disillusion*
enterben, *to disinherit*
entfalten, *to unfold, develop*
enthalten, *to hold, contain*
enthüllen, *to unveil, disclose*
entreißen, *to tear away*
entschädigen, *to compensate*
entströmen, *to gush forth*
entziehen, *to deprive of*

B. *In the following sentences substitute for the indicated verbs and nouns the correct derivation given below:*

1. Diese gute Nachricht nimmt eine *Last* von meinem Herzen.
2. Der Henker schlägt dem Mörder das *Haupt* ab.
3. Sie nehmen heute die *Hülle* von dem Denkmal.
4. Der Dieb *lief* dem Polizisten *weg.*
5. Ich *komme* von meinen Verfolgern *weg* über die Grenze.
6. Er nahm das Kind und *führte* es *fort.*
7. Der Herbstwind *reißt* das Laub von den Bäumen.
8. Sie *faltete* die Decke auseinander und legte sie über das Bett.

entlasten	enthüllen	entlaufen	enthaupten
entkommen	entführen	entfalten	entreißen

VI. PREFIX ge–:

bieten — **gebieten,** *to command*	denken — **gedenken,** *to remember*
hören — **gehören,** *to belong*	loben — **geloben,** *to promise*

Prefixed to a verbal root, the prefix **ge–** forms numerous derivations in which the meaning of the prefix has blended so closely with that of the verb that it can not easily be recognized anymore and can be discovered only by the help of historical study.

In the following insert one of the **ge**-*derivations given below and complete the sentence:*

1. Wie ___ Ihnen diese Bilder moderner Meister?
2. Wozu ___ man diese kleine komplizierte Maschine?
3. Er fährt mit seinem Auto immer zu schnell und ___ die andern Autofahrer.
4. Nach dem Konzert ___ ich Marie nach Hause.
5. Mutter ist von ihrer Krankheit schnell ___.
6. Wie sehen Sie aus! Was ist Ihnen ___?
7. ___ Sie, daß ich mich zu Ihnen setze?
8. Das Wetter ist schön, und ich ___ meine Ferien.
9. Er sagt, er ___ sich leicht an fremde Städte und an eine neue Umgebung.
10. Die Tür öffnete sich, er trat ins Zimmer und ___ sich zu uns.
11. Wem ___ diese vielen Bücher?
12. Ich fürchte, diese Arbeit ___ mir nicht.

gefallen	gebrauchen	geleiten	genesen
gefährden	gestatten	geschehen	gelingen
gehören	gesellen	gewöhnen	genießen

VII. PREFIX **miß–:**

brauchen — **miß**brauchen, *to misuse*	verstehen — **miß**verstehen, *to misunderstand*
fallen — **miß**fallen, *to displease*	deuten — **miß**deuten, *to misinterpret*
leiten — **miß**leiten, *to mislead*	trauen — **miß**trauen, *to mistrust*

Prefixed to a verbal root, the prefix **miß–** forms derivations with the meaning of *false, wrong, bad.*

A. *Give the verbs from which the following derivations originate and their meanings in English:*

mißhandeln, *to abuse*	mißlingen, *to fail*
mißglücken, *not to succeed*	mißachten, *to disregard*
mißtrauen, *to mistrust*	mißgönnen, *to begrudge*
mißbilligen, *to disapprove*	mißraten, *to turn out badly*
mißgestalten, *to disfigure*	mißtönen, *to be out of tune*
mißbelieben, *to dislike*	mißstimmen, *to put out of temper*

B. *In the following sentences substitute for the indicated verbs one of the derivations given in exercise A:*

1. Trotz aller meiner Mühe ist mir diese Arbeit *nicht geraten.*
2. Er sprach, als *gönne* er mir meinen Erfolg und meine gute Stellung *nicht.*
3. Er *achtete nicht* auf meinen Rat und vernachlässigte seine Studien.
4. Er arbeitet fleißig, aber er fürchtet, die Arbeit wird ihm *nicht gelingen.*
5. Mein Vater *billigte* die frühe Heirat meiner Schwester *nicht.*
6. Er selber ist ein ehrlicher Mann, aber ich *traue* seinen Freunden *nicht.*
7. Er ist ein tüchtiger Bauer, aber er *behandelt* seine Tiere oft *schlecht.*

8. Bedenke! Dein Betragen und dein Reden kann man leicht *falsch deuten.*

9. Er ist sonst ein durchaus ehrlicher Mensch, aber sein Betragen in diesem Falle hat mir *nicht gefallen.*

10. Sie ist ein schönes und fein gebildetes Mädchen, aber *nicht beliebt* bei ihren Mitstudenten.

ILLUSTRATIVE READING

C. *Give the verbs from which the derivations, used in the following reading selection, are derived and their meaning:*

Es war ein Sonntag im Jahre 1248. In der Kirche befanden sich alle Einwohner der Stadt Hameln. So vernahmen sie vor den heiligen Klängen der Messe nicht den andern Klang, der ihnen so großes Leid bereiten sollte. Der grüne Jäger, dem sie seinen Lohn versagt hatten, den sie mißhandelt hatten, und den sie aus der Stadt verjagt hatten, zog wieder durch die Straßen der Stadt. Alle Kinder schlossen sich ihm an und folgten ihm nach, wie einst die Mäuse und Ratten ihm gefolgt waren. Hundert und dreißig Kinder entführte er den Eltern. Ohne zu ermüden, immerfort seine wildlustige Melodie spielend, zog er mit den Kindern zur Stadt hinaus und erreichte den Koppelberg. Der Berg öffnete sich, und in den Berg hinein zog der Pfeifer mit den Kindern von Hameln. Niemals hat man wieder etwas von ihnen gehört, und nur die Sage erzählt von dem Pfeifer und den Kindern von Hameln.

Wilhelm Raabe, „Die Hamelschen Kinder"

21 The Imperative

I.

INFINITIVE	**du**-FORM	**ihr**-FORM	**Sie**-FORM
gehen	**gehe!** *or* **geh!**	**geht!**	**gehen Sie!**
singen	**singe!** *or* **sing!**	**singt!**	**singen Sie!**
bleiben	**bleibe!** *or* **bleib!**	**bleibt!**	**bleiben Sie!**

The imperative denotes a command. In German, as in English, there is an imperative only for the second person singular and the second person plural. The endings of the imperatives are:

1. For the singular of the familiar address (the **du**-form) **–e**; for the plural of the familiar address (the **ihr**-form) **–t**; for the conventional address (the **Sie**-form) **–en.**
2. The ending **–e** of the **du**-form is often omitted: **geh! sing!** *
3. The conventional address (**Sie**-form) always adds the pronoun **Sie.**

A. *Give the three imperative forms of the following verbs:*

schreiben	fliegen	trinken	besuchen
laufen	schließen	rufen	verstehen
gehen	finden	schweigen	zerreißen

II.

INFINITIVE	**du**-FORM	**ihr**-FORM	**Sie**-FORM
helfen	**hilf!**	**helft!**	**helfen Sie!**
nehmen	**nimm!**	**nehmt!**	**nehmen Sie!**
sehen	**sieh!**	**seht!**	**sehen Sie!**

Strong verbs which change the stem-vowel form **–e–** to **–i–** or **–ie–** in the second and third person singular of the present tense have the same change in the second singular (the **du**-form) of the imperative and never add the ending **–e.** †

* Verbs with a stem ending in a vowel as **sä-en, knie[e]n, schrei-en** always retain the **-e: säe! knie[e]! schreie!**

† The verb **werden,** though forming **du wirst** and **er wird,** has the imperative **werde!** The imperatives of the verb **sein** are: **sei! seid! seien Sie!**
of the verb **haben** are: **habe! habt! haben Sie!**
of the verb **lassen** are: **laß! laßt! lassen Sie!**

B. *Give the three imperative forms of the following verbs:*

sprechen	essen	schelten
treffen	vergessen	lesen
brechen	werfen	geben

III.

fahren	**fahre!**	**fahrt!**	**fahren Sie!**
tragen	**trage!**	**tragt!**	**tragen Sie!**
fallen	**falle!**	**fallt!**	**fallen Sie!**

Strong verbs which change the stem-vowel from **–a–** to **–ä–** or from **–au–** to **–aü–** in the second and third person singular, do not have this change in the imperative: **ich fahre, du fährst, er fährt.**

C. *Give the three imperative forms of the following verbs:*

graben	klopfen	fangen	halten
raten	waschen	braten	schlafen
schlagen	blasen	lassen	laufen

D. *Rewrite in German in the second person singular a)* **du**-*form; b)* **Sie**-*form:*

1. Listen! (*hören*)
2. Choose! (*wählen*)
3. Go now! (*gehen*)
4. Help me! (*helfen*)
5. Try it! (*versuchen*)
6. Take it! (*nehmen*)
7. Tell me! (*sagen*)
8. Ask him! (*fragen*)
9. Sit down! (*sich setzen*)
10. Answer me! (*antworten*)

1. Don't wait! (*warten*)
2. Don't lie! (*lügen*)
3. Don't disturb! (*stören*)
4. Don't talk! (*sprechen*)
5. Don't despair! (*verzweifeln*)
6. Don't run! (*laufen*)
7. Don't fall! (*fallen*)
8. Don't believe it! (*glauben*)
9. Don't get startled! (*erschrecken*)
10. Don't say that! (*sagen*)

E. *Rewrite in German in the second person plural,* **ihr**-*form:*

1. Stay here! (*hier bleiben*)
2. Keep quiet! (*still sein*)
3. Stand still! (*still stehen*)
4. Come in! (*herein kommen*)
5. Get up! (*aufstehen*)

1. Go and see! (*gehen, sehen*)
2. Forget it! (*vergessen*)
3. Be ashamed! (*sich schämen* [*euch*])
4. Hurry up! (*sich beeilen* [*euch*])
5. Rejoice! (*sich freuen* [*euch*])

F. *Rewrite in the second person singular (***du***-form) and in the second person plural (***ihr***-form) the following sentences:*

1. Bringen Sie mir bitte das Buch! 2. Trinken Sie oft am Tag ein Glas Wasser! 3. Kommen Sie heute abend zu mir! 4. Rauchen Sie nicht zu viel! 5. Helfen Sie ihren Freunden! 6. Fangen Sie jetzt mit ihrer Arbeit an! 7. Laden Sie bitte auch Herrn Schmidt ein! 8. Setzen Sie sich bitte! 9. Freuen Sie sich nicht zu früh! 10. Bleiben Sie bitte noch ein wenig bei uns! 11. Grüßen Sie Ihre Mutter von mir! 12. Schreiben Sie mir einmal einen Brief! 13. Entschuldigen Sie sich bei ihm! 14. Zählen Sie bitte Ihr Geld. 15. Fahren Sie mit Ihrem Auto etwas langsamer!

22 The Infinitive

I.

Darf man hier **rauchen?**	*Is smoking allowed here?*
Ich muß heute abend **arbeiten.**	*I have to work today.*
Er soll reich **sein.**	*He is said to be rich.*

An infinitive depending upon a modal auxiliary is never preceded by **zu.***

A. *Restate in German:*

1. May I go now? 2. I don't want to play. 3. I can't see you. 4. He wants to buy it. 5. May (**dürfen**) I have it? 6. You may play now. 7. He didn't like (**mögen**) to come. 8. I don't like to work. 9. I can read and write. 10. You are supposed (**sollen**) to come.

II.

Warum tun Sie das nicht?	*Why don't you do that?*
Ich darf (es) nicht.	*I am not allowed to do it.*
Ich kann (es) nicht.	*I can't do it.*
Ich mag (es) nicht.	*I don't like to do it.*
Wohin gehen Sie?	*Where are you going to?*
Ich muß nach Hause.	*I have to go home.*
Ich will zur Schule.	*I want to go to school.*

When clearly understood, the dependent infinitive may be omitted in German.

B. *Restate in German, omitting the infinitive:*

1. Why do you do that?
   I have to do it.
   I am supposed to do it.
   I want to do it.

2. Why don't you smoke?
   I don't like to smoke.
   I may not smoke.
   Do I have to smoke?

3. Why don't you play?
   Why should I play?
   I am not allowed to play.
   I don't want to play.

* In the English paraphrases, *to* is usually required:
Er wollte das Buch behalten. — *He wanted* to *keep the book.*
Ich mußte nach Hause gehen. — *I had* to *go home.*

III.

Ich **werde** nach New York **ziehen.**	*will move*
Wir **werden** es dir nicht **sagen.**	*will not tell*
Sie **wird** uns morgen **besuchen.**	*will visit*

The infinitive of a verb is used to form the future tense. In each case it is added to the present tense of **werden.**

C. *Restate in the future tense:*

1. Ich lerne meine Aufgabe. 2. Ich bringe dir morgen das Geld. 3. Wir treffen uns heute abend im Theater. 4. Wir beginnen morgen mit einer neuen Aufgabe. 5. Von jetzt an helfe ich dir immer mit deiner Schularbeit. 6. Ich fürchte, diese Arbeit gelingt mir nicht.

IV.

Anstatt zu arbeiten, ging er hinaus und spielte.
Ohne ein Wort **zu sagen,** verließ er das Zimmer.
Um Zeit **zu gewinnen,** mußt du schneller arbeiten.

Only three prepositions (**statt – anstatt, ohne, um**) can be followed by an infinitive with **zu.**

D. *Study the following sentences and restate them in English:*

1. Um uns nicht zu erkälten, zogen wir unsere Mäntel an. 2. Um Geld zu seinem Studium zu verdienen, arbeitete der Student in seinen Ferien. 3. Anstatt nach Europa zu reisen, reiste Karl in diesem Sommer nach Südamerika. 4. Statt uns einen Brief zu schreiben, schickte er uns ein kurzes Telegramm. 5. Ohne uns etwas zu sagen, reiste er plötzlich ab. 6. Ohne einen von uns mitzunehmen, ging er allein ins Theater.

V.

Wir hatten kein **Brot zu essen.**
Ich habe keine **Zeit zu verlieren.**
Das ist nicht **leicht zu verstehen.**
Das ist **schwer zu machen.**

The infinitive with **zu** can follow a noun or an adjective.

E. *Restate in English:*

1. Es gab auf dieser Insel viele mir unbekannte Früchte zu essen. 2. Wir hatten niemals frisches Wasser zu trinken. 3. Ich versuchte ein kleines Geschenk für meine Schwester zu kaufen. 4. Diese Aufgabe ist gründlich zu studieren. 5. Der Berg war schwer zu besteigen. 6. Er verstand, mit beschränkten Mitteln glücklich und zufrieden zu leben.

VI.

Alles hierbleiben!	*Everybody stay here!*
Den Hut abnehmen!	*Take off your hat!*
Rechts fahren!	*Pass to the right!*

The infinitive is sometimes used to give a sharp command.*

F. *Read and observe the command and its English equivalent:*

1. Alles einsteigen! *All aboard!* 2. Aufsitzen! *Mount! Take horse!* 3. Aufstehen! *Get up!*

* The following very common German verbs take Ablaut in the 2nd person singular:

befehlen	essen	lesen	stehlen	unterbrechen
brechen	fressen	nehmen	sterben	verderben
empfehlen	geben	sehen	treffen	vergessen
erschrecken	helfen	sprechen	treten	vernehmen

Iß	nicht so schnell! (*not:* esse)	**Sieh**	einmal her! (*not:* sehe)
Gib	mir das Buch! (*not:* gebe)	**Sprich**	lauter! (*not:* spreche)
Hilf	mir! (*not:* helfe)	**Tritt**	leise ins Zimmer! (*not:* trete)
Nimm	dich in acht! (*not:* nehme)	**Vergiß**	es nicht! (*not:* vergesse)
Lies	die Geschichte! (*not:* lese)	**Zerbrich**	sie nicht! (*not:* zerbreche)

23 Modal Auxiliaries

Modal auxiliaries in both English and German express the ideas of permission, possibility, obligation, etc.: *may, can, must, shall, should, could.* In English these verb forms are very defective; *may* and *can* form past tenses *might* and *could,* but even these do not ordinarily indicate past time. In German, however, full conjugation in all six tenses has developed, forms which in English can be expressed only by a paraphrase.

a. Meaning of the Modals:

1) **dürfen** expresses permission or right, whether granted or refused, and is translated by *to be allowed to, may, must not.*

Darf ich gehen?	*May I go?*
Es darf niemand herein.	*Nobody is permitted to enter.*
Ich durfte nicht ausgehen.	*I was not permitted to go out.*
Das dürfen Sie nicht sagen.	*You must not say that.*

2) **können** expresses ability or possibility and is translated by *can, be able to, may, know how to.*

Er kann lesen.	*He can read (knows how).*
Können Sie Deutsch?	*Do you know German?*
Er hat nicht schreiben können.	*He couldn't write (didn't know how).*
Ich habe es nicht tun können.	*I couldn't do it.*
Sie können mir glauben.	*You may believe me.*

3) **mögen** expresses inclination or liking, or concedes a possibility, and is translated by *like, care to, may, can.*

Ich mag ihn nicht.	*I don't like him.*
Ich mochte ihn nicht.	*I didn't like him.*
Das mag wahr sein.	*That may be true.*
Er mag nicht kommen.	*He does not care to come.*
Wo mag er das gehört haben?	*Where can he have heard it?*

4) **müssen** expresses compulsion or necessity and is translated by *must, have to, to be obliged to.*

Ich muß gehen.	*I must go.*
Er muß kommen.	*He has to come.*
Ich mußte ihm danken.	*I was obliged (had to) thank him.*
Ich habe ihm helfen müssen.	*I had to help him.*
Ich habe es tun müssen.	*I had to do it.*

5) **sollen** expresses obligation imposed by an outside agency, such as a command, or an assertion, and is translated by *shall, to be expected to, to be said to.*

Er soll gehen.	*He shall go; he is to go.*
Du solltest diese Arbeit machen.	*You were (expected) to do this work.*
Er soll krank sein.	*He is said to be sick.*
Was soll ich tun?	*What shall I do?*
Du sollst nicht töten.	*Thou shalt not kill.*

6) **wollen** expresses intention or determination and is translated by *will, wish, shall, intend to, to be about to, to claim.*

Ich will nicht.	*I don't want to; I won't.*
Was will er?	*What does he want?*
Er wollte gehen.	*He intended to go.*
Wollen wir jetzt gehen?	*Shall we go now?*
Er will das gesehen haben.	*He claims to have seen that.*

b. Principal Parts of Modals:

INFINITIVE	PAST	PAST PARTICIPLE*	3RD PERSON PRESENT
dürfen	durfte	gedurft *or* dürfen	darf
können	konnte	gekonnt *or* können	kann
mögen	mochte	gemocht *or* mögen	mag
müssen	mußte	gemußt *or* müssen	muß
sollen	sollte	gesollt *or* sollen	soll
wollen	wollte	gewollt *or* wollen	will

A. *Rewrite the following sentences in English:*

1. Es tut uns leid, aber wir können euch heute abend nicht besuchen, wir haben eine andere Verabredung. 2. Ich muß mich beeilen, denn ich darf meinen Vater nicht warten lassen und muß pünktlich zu Hause sein. 3. Sie teilt mir in diesem Brief mit, sie mag mich nicht und will mich nicht mehr sehen. 4. Wir müssen der Familie Schmidt den versprochenen Besuch machen und sollten es bald tun. 5. Wir möchten gern noch länger bleiben, aber wir können nicht, denn wir sollen um zehn Uhr zu Hause sein. 6. Wir haben uns nach dem Mann erkundigt, konnten aber nichts über ihn erfahren.

* For the explanation of these two forms of the past participle see pp. 61 and 65.

B. *Rewrite the following sentences in German:*

1. May we go now? (*dürfen*) 2. We are not allowed to speak here. (*dürfen*) 3. We cannot come today. (*können*) 4. We are not able to read your poor handwriting. (*können*) 5. We do not like the man. (*mögen*) 6. We don't like this story. (*mögen*) 7. We have to work today. (*müssen*) 8. We must all die sometime. (*müssen*) 9. What are we to do tomorrow? (*sollen*) 10. We are not to kill. (*sollen*) 11. We intend to start today with our work. (*wollen*) 12. We don't want to go home. (*wollen*)

c. *Conjugation of Modals:*

INFINITIVE	**dürfen**	**können**	**mögen**
PRESENT	ich **darf** *I may* du **darfst** er **darf** wir dürfen ihr dürft sie dürfen	**kann** *I can* **kannst** **kann** können könnt können	**mag** *I like to* **magst** **mag** mögen mögt mögen
PAST	ich durfte *I was allowed to*	konnte *I was able to*	mochte *I liked to*
PRESENT PERFECT	ich habe gedurft	gekonnt	gemocht
PAST PERFECT	ich hatte gedurft	gekonnt	gemocht
FUTURE	ich werde dürfen	können	mögen
FUTURE PERFECT	ich werde gedurft haben	gekonnt haben	gemocht haben

1. Modal auxiliaries are irregular in the present tense singular. The present tense singular endings are those of the past of a strong verb: **ich warf, du warfst, er warf; ich darf, du darfst, er darf.**
2. The umlaut of **dürfen, können, mögen,** and **müssen** disappears in the past tense and in the regular weak form of the past participle.
3. In all other tenses than the present the inflectional forms of the modal auxiliaries are identical with those of regular weak verbs.

For complete conjugation see page 254.

d. Past Participle of Modals:

Er hat das Haus gewollt.	*He wanted the house.*
Er hat nach Hause gemußt.	*He had to go home.*
Ich habe es nicht gemocht.	*I didn't like it.*

The regular past participle with the prefix **ge–** is used when no dependent infinitive is expressed in the sentence.

Er hat das Haus kaufen wollen.	*He wanted to buy the house.*
Er hat nach Hause gehen müssen.	*He had to go home.*
Ich habe es nicht lesen mögen.	*I didn't care to read it.*

When a dependent infinitive is expressed in the sentence, a past participle without **ge–** is used which is in form identical with the infinitive. This phrase consisting of the dependent infinitive and the participle without **ge–** of the modal auxiliary is commonly called the **double infinitive** and must always stand last in a sentence.

e. Modals with a Perfect Infinitive:

Er kann mich gesehen haben.	*It is possible that he has seen me.*
Er wollte mich gesehen haben.	*He claimed to have seen me.*
Er soll es gesagt haben.	*He is said to have said so.*
Er will es gewußt haben.	*He claims to have known it.*

Occasionally the present or the past tense of a modal auxiliary is used with a perfect infinitive.

A. *Restate the following sentences in English:*

1. Was wollte der Mann? 2. Ich muß diese Arbeit fertig machen. 3. Ich kann sie nicht allein tun. 4. Jemand muß mir helfen. 5. Was sollte ich tun? 6. Ich wußte nicht, was ich tun sollte. 7. Können Sie mir die Erlaubnis geben? 8. Dürfen Sie mir die Erlaubnis geben? 9. Wollen Sie mir die Erlaubnis geben? 10. Sie müssen mir die Erlaubnis geben. 11. Ich mag heute nicht arbeiten. 12. Ich darf heute nicht arbeiten. 13. Ich will heute nicht arbeiten. 14. Ich soll heute nicht arbeiten.

B. *Restate the following sentences in German:*

1. He cannot read. 2. He could not read. 3. I do not like this book. 4. We have to go home. 5. They do not want to stay. 6. What do you want? 7. I wanted to buy your house. 8. He did not want to sell. 9. What can I do for you? 10. May we go now (*dürfen*)? 11. I may not read this book (*sollen*). 12. What could I do for him (*können*)? 13. Must you go already? Yes, I have to. 14. May I go with you? Yes, if you want to.

f. Additional Exercises in the Use of German Modal Auxiliaries:

Read the following and 1) observe how the modal auxiliaries are used in German; 2) express the meaning of the sentence in English:

Dürfen 1. Darf (*use: may*) ich eintreten? Ja, Sie dürfen. 2. Darf ich fragen, wie spät es ist? 3. Wie alt sind Sie, wenn ich fragen darf? 4. Der Mann dürfte (*use: might be*) ungefähr sechzig Jahre alt sein. 5. Es dürfte nicht (*use: might not be*) leicht sein, den richtigen Mann für diese Arbeit zu finden. 6. Es könnte (*use: might be*) wahr sein, der Gefangene dürfte (*use: might have been*) geflohen sein. 7. Wir dürfen (*use: are not permitted*) hier nicht rauchen. 8. Niemand von uns durfte (*use: was permitted*) die heilige Stadt betreten. 9. Die Kinder durften (*use: were allowed*) im Garten aber nicht im Hause spielen. 10. Kinder, ihr dürft (*use: may*) im Garten spielen, aber ihr dürft (*use: must*) keine Blumen ausreißen!

Können 1. Können Sie mir sagen, ob Herr Berger zu Hause ist? 2. Von meinem Fenster aus kann ich das Dorf und die Kirche liegen sehen. 3. Der Stein war so schwer, daß selbst drei Männer ihn nicht heben konnten. 4. Ich fürchte, daß ich diese Arbeit nicht in einem Tage fertig machen kann (*use: not be able*). 5. Er sagte, daß er trotz alles Suchens sein Buch nicht hat finden können (*use: had not been able*). 6. Mein Bruder kann sehr gut Deutsch und Spanisch sprechen, er kann aber weder Französisch noch Russisch. 7. Das Kind starb, ehe der Vater einen Arzt holen konnte (*use: was able to*). 8. Sprechen Sie bitte etwas lauter, ich kann Sie nicht verstehen.

Mögen 1. Ich mag dieses Bild nicht (*use: don't like*). 2. Die Schüler mochten (*use: didn't like*) die Geschichte nicht. 3. Die Geschichte mag (*use: might be*) wahr sein, aber ich glaube sie nicht recht. 4. Sie mochte darüber nicht (*use: didn't like to*) sprechen. 5. Ich möchte (*use: should like to*) den Mann gern kennenlernen. 6. Ich möchte (*use: should like to*) dich gern für einen Augenblick sprechen. 7. Ich mag ihn heute nicht sehen (*use: don't wish to*). 8. Er sagte, daß er New York niemals gemocht hat (*use: had liked*), die Stadt sei zu groß. 9. Komme was mag (*use: may*), diese Freundlichkeit von Ihnen werde ich niemals vergessen. 10. Von allen deutschen Städten haben wir Würzburg am besten gemocht (*use: we liked best*).

Müssen 1. Du mußt dich (*use: have to*) bis morgen früh um acht Uhr entscheiden und mir eine Antwort geben. 2. Sie muß in ihrer Jugend ein sehr schönes Mädchen gewesen sein (*use: must have been*). 3. Der Doktor sagt, daß der Kranke für ein paar Tage im Bett bleiben muß (*use: has to stay*). 4. Er schreibt, daß er seine Pläne hat ändern müssen (*use: was obliged to*). 5. Wenn dieser Lärm in diesem Hause nicht aufhört, werde ich ausziehen müssen (*use: shall be forced to*). 6. Sie sagt, daß sie um neun Uhr zu Hause sein muß (*use: has to be*). 7. Warum hast du so lange warten müssen (*use: have to*)?

Sollen 1. Der Doktor sagt, du sollst (*use: should*) noch eine Woche länger im Bett bleiben. 2. Sagen Sie dem Manne, er soll morgen wiederkommen. 3. Wie soll ich wissen (*use: am I to know*), ob der Mann die Wahrheit spricht? 4. Meine Schwester sollte (*was supposed to*) heute von New York ankommen, aber sie hat den Zug verpaßt. 5. Soll ich (*use: shall I*) dir helfen? 6. Ihr Jungen solltet (*use: ought to*) bessere Bücher lesen. 7. Wenn alles gut geht, sollten wir (*use: we ought to*) in zwei Stunden die Stadt erreichen. 8. Alle seine Freunde und Verwandten sollen (*use: it is said*) gestorben sein. 9. Er soll einmal (*use: it is said*) ein reicher Mann gewesen sein. 10. Jeder Soldat soll (*use: is to*) Lebensmittel für drei Tage mit sich tragen.

Wollen 1. Frage ihn, was er will. 2. Ich habe augenblicklich vergessen, was ich dir sagen wollte. 3. Du darfst (*use: may*) gehen, wenn du gehen willst (*use: wish to*). 4. Ich will morgen um sechs Uhr statt um sieben Uhr aufstehen. 5. Wollen Sie (*use: would you*) bitte ihren Namen in dieses Buch eintragen! 6. Wenn er mich sprechen will (*use: wishes to see me*), muß er sofort kommen, später will ich in meiner Arbeit nicht mehr gestört werden. 7. Sie will (*use: wishes to*) immer jünger aussehen, als sie in Wirklichkeit ist. 8. Ich wollte gerade (*use: was about to*) zur Kirche gehen, als es zu regnen anfing. 9. Er wollte gerade (*use: was about to*) nach Deutschland abreisen, als seine Mutter plötzlich starb, und er hier bleiben mußte (*use: had to stay*). 10. Wir wollten gerade (*use: were at the point to*) zu Bett gehen, als noch spät abends Freunde zu uns kamen.

24 Double Infinitive Constructions

WITHOUT DEPENDENT INFINITIVE	WITH DEPENDENT INFINITIVE
Ich **kann** die Aufgabe.	Ich **kann** die Aufgabe **lesen.**
Ich **konnte** die Aufgabe.	Ich **konnte** die Aufgabe **lesen.**
Ich **habe** die Aufgabe **gekonnt.**	Ich **habe** die Aufgabe **lesen können.**
Ich **hatte** die Aufgabe **gekonnt.**	Ich **hatte** die Aufgabe **lesen können.**
Ich **werde** die Aufgabe **können.**	Ich **werde** die Aufgabe **lesen können.**
Ich **werde** die Aufgabe **gekonnt haben.**	Ich **werde** die Aufgabe **haben lesen können.**

1. When no dependent infinitive is expressed in the sentence, the regular past participle with the prefix **ge–** is used (**gekonnt**). 2. When, however, a dependent infinitive is expressed (**lesen**), a past participle without **ge–** is used. This past participle without **ge–** is, in form, identical with the infinitive of the modal auxiliary (**können**). (See section on word order, p. 220)

A. *Restate the following sentences in German, using a) the present perfect tense; b) the future tense:*

1. Er will mein Geld.
   Er hat ____.
   Er wird ____.

2. Er will mein Geld stehlen.
   Er hat ____.
   Er wird ____.

3. Ich kann ein Lied.
   Ich habe ____.
   Ich werde ____.

4. Ich kann ein Lied singen.
   Ich habe ____.
   Ich werde ____.

5. Sie mag diese Geschichte nicht.
   Sie hat ____.
   Sie wird ____.

6. Sie mag diese Geschichte nicht lesen.
   Sie hat ____.
   Sie wird ____.

WITH VERBS LIKE: **sehen, hören, helfen, lassen**

Ich habe ihn **kommen sehen.**	*I saw him come.*
Ich habe sie **singen hören.**	*I heard her sing.*
Er hat mir die Aufgabe **machen helfen.**	*He helped me with the assignment.*
Ich habe ihn **fragen lassen.**	*I had him asked (questioned).*
Ich habe ihn **rufen lassen.**	*I had him summoned.*
Wir haben den Arzt **kommen lassen.**	*We sent for the doctor.*

The same double infinitive construction is optional with verbs like **hören, sehen, helfen,** while always necessary with **lassen:**

B. *Express the meaning of the following sentences in English:*

1. Albert hat seine Arbeit nicht machen können und hat daher nicht zur Schule gehen wollen. 2. Ich habe dich schon öfter besuchen wollen, habe dich aber niemals zu Hause treffen können. 3. Wir haben nicht länger bleiben dürfen und haben früh nach Hause gehen müssen. 4. Zuerst hat der Mann nicht antworten wollen, aber auf die Frage des Richters hat er antworten müssen. 5. Darf ich heute abend ausgehen? Nein, Karl, du hast gestern abend ausgehen dürfen, aber heute abend wirst du zu Hause bleiben müssen. 6. Ich habe diese Arbeit schon gestern machen sollen, habe sie aber nicht machen mögen, weil sie mir zu viel Zeit wegnimmt. 7. Das Kind hat hier vor dem Hause gespielt, dann habe ich es die Straße hinablaufen sehen. 8. Sie ist eine gute Sängerin, ich habe sie oft singen hören. 9. Der Lehrer hat die Klasse eine lange Arbeit schreiben lassen. 10. Unser Nachbar hat seinen Sohn Medizin studieren lassen.

C. *Rewrite the following sentences in German, using the present perfect tense:*

1. He did not like to speak German, because he could not speak it well. 2. I was not allowed to go out and had to stay home the whole evening. 3. He had his book printed in Germany (*lassen*). 4. I have so often heard you talk about that (*hören*). 5. I did not want to lend him the money, but I had to do it. 6. I had to wait for you; couldn't you come earlier? 7. I have never seen him smoke (*sehen*). 8. We have never heard him sing so well (*hören*). 9. I have had him come (*lassen*). 10. He left his book (lie) in the classroom (*lassen*).

25 *The Passive Voice*

	Der Student **liest** das Gedicht.
	Der Student **las** das Gedicht.
ACTIVE	Der Student **hat** das Gedicht **gelesen.**
VOICE	Der Student **hatte** das Gedicht **gelesen.**
	Der Student **wird** das Gedicht **lesen.**
	Der Student **wird** das Gedicht **gelesen haben.**
	Das Gedicht **wird** von dem Studenten **gelesen.**
	Das Gedicht **wurde** von dem Studenten **gelesen.**
PASSIVE	Das Gedicht **ist** von dem Studenten **gelesen worden.**
VOICE	Das Gedicht **war** von dem Studenten **gelesen worden.**
	Das Gedicht **wird** von dem Studenten **gelesen werden.**
	Das Gedicht **wird** von dem Studenten **gelesen worden sein.**

1. The passive voice is formed by combining the auxiliary **werden** with the past participle of the verb. 2. In the perfect tenses of the passive voice (present perfect, past perfect, future perfect) the prefix **ge–** of the past participle of **werden** is dropped, the form **worden** being used. 3. Since **werden** is the auxiliary of the passive voice, the auxiliary of the perfect tenses of this voice must be **sein.**

A. *Change to the passive voice:**

Active: Karl lernt seine Aufgabe. (lernt)
Passive: Die Aufgabe ____. (wird gelernt)

Active: Vater liest die Zeitung. (liest)
Passive: Die Zeitung ____. (wird gelesen)

* In changing a sentence from active to passive voice, note that: 1) The auxiliary **werden** retains the tense of the active voice, 2) the direct object of the active voice (*seine Aufgabe*) becomes the subject of the passive (*die Aufgabe*), 3) the subject of the active voice (*Karl*) becomes in the passive the agent or the agency (*von Karl*) governed by the preposition **von** or **durch,** English "by".

EXAMPLES:

Die Rechnung ist *von* mir bezahlt worden.
Die Kinder werden *von* ihren Eltern bestraft werden.
Er wurde *durch* diese Medizin geheilt.
Er ist *durch* Gift getötet worden.
Wir sind *durch* List besiegt worden.

Active:	Mutter schreibt einen Brief.	(schreibt)
Passive:	Ein Brief ____.	(wird geschrieben)
Active:	Anna trank ein Glas Milch.	(trank)
Passive:	Ein Glas Milch ____.	(wurde getrunken)
Active:	Karl brachte dieses Buch nach Hause.	(brachte)
Passive:	Dieses Buch ____.	(wurde gebracht)
Active:	Anna hat ihre Aufgabe gemacht.	(hat gemacht)
Passive:	Die Aufgabe ____.	(ist gemacht worden)
Active:	Vater hatte unser Haus zu billig verkauft.	(hatte verkauft)
Passive:	Unser Haus ____.	(war verkauft worden)
Active:	Vater wird ein neues Haus kaufen.	(wird kaufen)
Passive:	Ein neues Haus ____.	(wird gekauft werden)

The indefinite pronoun **man** *is often used as a substitute for a passive construction.*

INSTEAD OF:	IS OFTEN FOUND:
Das Geld ist ihm geliehen worden. *The money has been lent to him.*	**Man** hat ihm das Geld geliehen.
Er ist noch nicht vergessen worden. *He has not yet been forgotten.*	**Man** hat ihn noch nicht vergessen.
Es war mir erzählt worden.	**Man** hatte es mir erzählt.

The passive is not as frequent in German as in English. Especially the perfect and future tenses are felt as cumbersome. Instead of the passive voice the active with the indefinite pronoun **man** is very common.

B. *Change to the active voice:*

1. Diese billigen Bücher werden viel von den Leuten gekauft. 2. Diese lange Geschichte wird nicht von uns gelesen werden. 3. Auch diese andere Geschichte wurde nicht von uns gelesen. 4. Ich bin niemals von ihm in meiner Arbeit gestört worden. 5. Dieses Wort wird von niemand so ausgesprochen. 6. Seine Ankunft ist durch das schlechte Wetter verspätet worden. 7. Er ist als berühmter Maler viel geehrt und gefeiert worden (*use:* Man).

8. Hohe Preise werden für seine Bilder gezahlt (*use:* Man). 9. Mit der Arbeit wird heute begonnen (*use:* Man). 10. Der Mann is begraben worden (*use:* Man). 11. Das Kind ist gut erzogen worden (*use:* Man). 12. Das Geld wurde plötzlich zurückverlangt (*use:* Man).

The Passive with Modal Auxiliaries

ACTIVE	PASSIVE
Ich **kann** die Rechnung **bezahlen.** *I can pay the bill.*	Die Rechnung **kann bezahlt werden.** *The bill can be paid.*
Man **mußte** den Mann **bestrafen.** *They had to punish the man.*	Der Mann **mußte bestraft werden.** *The man had to be punished.*
Wir **konnten** sie nicht **sehen.** *We could not see her.*	Sie **konnte** von uns nicht **gesehen werden.** *She could not be seen by us.*
Wir **sollten** den Brief **schreiben.** *We were supposed to write the letter.*	Der Brief **sollte** von uns **geschrieben werden.** *The letter was supposed to be written by us.*

The use of the passive infinitive as complementary to a modal auxiliary gives the expression a passive sense.

The Apparent Passive

APPARENT PASSIVE	REAL PASSIVE
Das Haus **ist** gebaut (ist fertig). *The house is built.*	Das Haus **wird** gebaut. *The house is being built.*
Die Rechnung **ist** bezahlt. *The bill is paid.*	Die Rechnung **wird** bezahlt. *The bill is being paid.*
Die Fenster **waren** geschlossen. *The windows were closed.*	Die Fenster **wurden** geschlossen. *The windows were (just) being closed.*

At times a form of the auxiliary **sein** stands with a past participle in which appears to be a passive construction. But the real passive is always conjugated with **werden,** never with **sein** and always indicates action, never a condition or state. This participle used with **sein** may be called an apparent passive, though it is not a passive at all.

C. *Restate the following sentences in German in the passive voice:*

1. Er sammelt Gedichte und Lieder. 2. Mutter hat den Brief geschrieben. 3. Vater wird die Rechnung bezahlen. 4. Ein Unfall hat ihn getötet. 5. Ein Brand zerstörte das alte Haus. 6. Mein Vater wird viele teure Bücher in Deutschland kaufen. 7. Die Schulkinder hatten das Lied gesungen. 8. Ich werde dich morgen abend besuchen. 9. Wir hatten das Ziel unserer Reise erreicht. 10. Sie nannten das Kind nach seinem Vater.

D. *Rewrite the following sentences in German:*

1. This book is very much read by the students. 2. He is loved by his father. 3. The money was paid by my father. 4. He was loved by all his friends. 5. Large houses are being built in our street. 6. The biggest house has been built by Mr. Schwarz. 7. Trees will be planted and in a few years the street will become very pretty. 8. The old trees are being cut down and young ones planted. 9. The houses are being painted white. 10. The thief was arrested. 11. He will be punished by the judge. 12. The man was killed by falling stones.

ILLUSTRATIVE READING

E. *Read the following, study the use of the passive voice in German, and re-write the reading piece in English:*

Die Kunst des Buchdrucks ist um die Mitte des fünfzehnten Jahrhunderts in der Stadt Mainz von Johann Gutenberg erfunden worden. Bis zu Gutenbergs Zeit kannte man nur geschriebene Bücher, Handschriften genannt. Diese Handschriften wurden gewöhnlich von den Mönchen in den Klöstern geschrieben. Sie schrieben die Originale, die sie in ihren Klosterbibliotheken aufbewahrten, ab und verzierten diese Handschriften mit großen schönen Initialen und schönen farbigen Bildern. Diese geschriebenen Bücher wurden dann von den Mönchen und Klöstern für hohe Preise verkauft. — Gutenberg kam auf den Gedanken, die einzelnen Buchstaben des Alphabets in die Enden kleiner hölzerner Stäbchen einzuschneiden. Diese Stäbchen wurden dann zu Wörtern und zu Sätzen zusammengesetzt. Dann wurden sie mit Farbe bestrichen und auf Papier abgedruckt. Die Stäbchen wurden dann auseinandergenommen und wieder zu neuen Wörtern zusammengesetzt. So wurde Zeile für Zeile und Seite für Seite eines Buches von Gutenberg gesetzt und gedruckt. Im Jahre 1450 begann Gutenberg mit dem Druck der lateinischen Bibel.

26 THE SUBJUNCTIVE MOOD

The subjunctive is now rarely used in English. Even in sentences like:

If it were not so cold, we . . .
If I were you, . . .

the subjunctive form *were* is felt as somewhat formal. The subjunctive has been replaced in large part by the indicative or by word phrases formed with the modal auxiliaries *may, might, could, should, would:*

Would you have time . . .
We might be home again at . . .
If it had rained . . .
I should suggest that . . .
Had I known that, I would have . . .

In German similar tendencies are apparent, but they have not advanced so far and subjunctive forms still often occur in everyday speech and are found even more frequently in literature. While the indicative is the mood of fact or reality, the subjunctive indicates a subjective attitude on the part of the speaker or writer. It expresses:

1. DESIRE: Das möchte ich gern tun.
   I should (would) like to do that.

2. WISH: Wäre ich nur gesund!
   If only I were well!

3. POSSIBILITY: Das dürfte wahr sein.
   It might be true.

4. UNCERTAINTY: Ja, ich hätte wohl Zeit.
   Yes, I think I would have time.

5. DOUBT: Das wäre nicht unmöglich.
   That wouldn't be impossible.

6. SOMETHING "CONTRARY TO FACT": Wenn Vater hier gewesen wäre, . . .
   If father had been here, . . .

Forms of the Subjunctive

THE AUXILIARIES **haben, sein, werden**

	PRESENT	
ich hab**e**	ich sei	ich werd**e**
du hab**est**	du sei**est**	du werd**est**
er hab**e**	er sei	er werd**e**
wir hab**en**	wir sei**en**	wir werd**en**
ihr hab**et**	ihr sei**et**	ihr werd**et**
sie hab**en**	sie sei**en**	sie werd**en**
	PAST	
ich hätt**e**	ich wär**e**	ich würd**e**
du hätt**est**	du wär**est**	du würd**est**
er hätt**e**	er wär**e**	er würd**e**
wir hätt**en**	wir wär**en**	wir würd**en**
ihr hätt**et**	ihr wär**et**	ihr würd**et**
sie hätt**en**	sie wär**en**	sie würd**en**
	PRESENT PERFECT	
ich hab**e** gehabt	ich sei gewesen	ich sei geworden
du hab**est** gehabt	du sei**est** gewesen	du sei**est** geworden
	PAST PERFECT	
ich hätt**e** gehabt	ich wär**e** gewesen	ich wär**e** geworden
du hätt**est** gehabt	du wär**est** gewesen	du wär**est** geworden
	FUTURE	
ich werd**e** haben	ich werd**e** sein	ich werd**e** werden
du werd**est** haben	du werd**est** sein	du werd**est** werden
	FUTURE PERFECT	
ich werd**e** gehabt haben	ich werd**e** gewesen sein	ich werd**e** geworden sein
du werd**est** gehabt haben	du werd**est** gewesen sein	du werd**est** geworden sein

1. The personal endings for the simple tenses of the subjunctive, present tense and past tense, are: **–e, –est, –e, –en, –et, –en.** 2. Compound tenses of the subjunctive differ from those of the indicative only in that the subjunctive forms of **haben** and **sein** take the place of the indicative forms.

WEAK VERB **kaufen**	STRONG VERBS **singen**	**gehen**
PRESENT	PRESENT	
ich kauf**e**	ich sing**e**	ich geh**e**
du kauf**est**	du sing**est**	du geh**est**
er kauf**e**	er sing**e**	er geh**e**
wir kauf**en**	wir sing**en**	wir geh**en**
ihr kauf**et**	ihr sing**et**	ihr geh**et**
sie kauf**en**	sie sing**en**	sie geh**en**
PAST	PAST	
ich kauft**e**	ich säng**e**	ich ging**e**
du kauft**est**	du säng**est**	du ging**est**
er kauft**e**	er säng**e**	er ging**e**
wir kauft**en**	wir säng**en**	wir ging**en**
ihr kauft**et**	ihr säng**et**	ihr ging**et**
sie kauft**en**	sie säng**en**	sie ging**en**
PRESENT PERFECT	PRESENT PERFECT	
ich hab**e** gekauft	ich hab**e** gesungen	ich sei gegangen
du hab**est** gekauft	du hab**est** gesungen	du sei**est** gegangen
PAST PERFECT	PAST PERFECT	
ich hätt**e** gekauft	ich hätt**e** gesungen	ich wär**e** gegangen
du hätt**est** gekauft	du hätt**est** gesungen	du wär**est** gegangen
FUTURE	FUTURE	
ich werd**e** kaufen	ich werd**e** singen	ich werd**e** gehen
du werd**est** kaufen	du werd**est** singen	du werd**est** gehen
FUTURE PERFECT	FUTURE PERFECT	
ich werd**e** gekauft haben	ich werd**e** gesungen haben	ich werd**e** gegangen sein
du werd**est** gekauft haben	du werd**est** gesungen haben	du werd**est** gegangen sein

3. The past subjunctive of weak verbs is always identical with the past indicative. 4. Strong verbs always change the stem vowel in the past tense of the subjunctive, while weak verbs never modify the vowel.

Forms of the Conditional

THE AUXILIARIES **haben, sein, werden**

	PRESENT	
ich würd**e** haben, *I should have*	ich würd**e** sein, *I should be*	ich würd**e** werden, *I should become*
du würd**est** haben	du würd**est** sein	du würd**est** werden
er würd**e** haben	er würd**e** sein	er würd**e** werden
wir würd**en** haben	wir würd**en** sein	wir würd**en** werden
ihr würd**et** haben	ihr würd**et** sein	ihr würd**et** werden
sie würd**en** haben	sie würd**en** sein	sie würd**en** werden
	PAST	
ich würd**e** gehabt haben, *I should have had*	ich würd**e** gewesen sein, *I should have been*	ich würd**e** geworden sein, *I should have become*
du würd**est** gehabt haben	du würd**est** gewesen sein	du würd**est** geworden sein
er würd**e** gehabt haben	er würd**e** gewesen sein	er würd**e** geworden sein
wir würd**en** gehabt haben	wir würd**en** gewesen sein	wir würd**en** geworden sein
ihr würd**et** gehabt haben	ihr würd**et** gewesen sein	ihr würd**et** geworden sein
sie würd**en** gehabt haben	sie würd**en** gewesen sein	sie würd**en** geworden sein

The conditional has only two tenses: the present and the past.

A. *Rewrite in English:*

1. Wenn ich müde wäre, würde ich zu Hause bleiben. 2. Wenn ich krank wäre, würde ich zum Arzt gehen. 3. Wenn er hungrig wäre, würde er essen. 4. Wenn er etwas lauter spräche, würden wir ihn besser verstehen. 5. Wenn ich das Buch fände, würde ich es dir geben. 6. Ich würde dieses große Haus mit dem schönen Garten gerne kaufen, wenn ich das Geld hätte. 7. Du würdest mehr lernen, wenn du mehr arbeitetest. 8. Ich würde einen Spaziergang machen, wenn das Wetter besser wäre. 9. Ich würde das Buch gerne lesen, wenn ich es nur bekommen könnte. 10. Wir würden den Mann besuchen, wenn wir ihn nur etwas besser kennen würden. 11. Wenn Vater mir nur das Auto kaufen würde! 12. Wenn er nur meinem Rate folgen würde! 13. Würde es hier nur nicht so kalt sein! 14. Würde es nur bald etwas wärmer werden!

WEAK VERB **kaufen**	STRONG VERBS **singen**	 **gehen**
	PRESENT	
Ich würd**e** kaufen, *I should buy*	ich würd**e** singen, *I should sing*	ich würd**e** gehen, *I should go*
du würd**est** kaufen	du würd**est** singen	du würd**est** gehen
er würd**e** kaufen	er würd**e** singen	er würd**e** gehen
wir würd**en** kaufen	wir würd**en** singen	wir würd**en** gehen
ihr würd**et** kaufen	ihr würd**et** singen	ihr würd**et** gehen
sie würd**en** kaufen	sie würd**en** singen	sie würd**en** gehen
	PAST	
ich würd**e** gekauft haben, *I should have bought*	ich würd**e** gesungen haben, *I should have sung*	ich würd**e** gegangen sein, *I should have gone*
du würd**est** gekauft haben	du würd**est** gesungen haben	du würd**est** gegangen sein
er würd**e** gekauft haben	er würd**e** gesungen haben	er würd**e** gegangen sein
wir würd**en** gekauft haben	wir würd**en** gesungen haben	wir würd**en** gegangen sein
ihr würd**et** gekauft haben	ihr würd**et** gesungen haben	ihr würd**et** gegangen sein
sie würd**en** gekauft haben	sie würd**en** gesungen haben	sie würd**en** gegangen sein

B. *Rewrite in English:*

1. Wenn ihm das Haus gefallen hätte, würde er es sicher gekauft haben. 2. Wenn du zu Hause gewesen wärest, würden wir dich besucht haben. 3. Wenn er dir hätte helfen können, würde er es auch sicher getan haben. 4. Wenn er hätte kommen können, würde er auch sicher gekommen sein. 5. Wenn ich an deiner Stelle gewesen wäre, würde ich seinem Rate gefolgt sein. 6. Ich würde ins Theater gegangen sein, wenn ich Geld gehabt hätte. 7. Ich würde das Buch sicher gefunden haben, wenn es hier gelegen hätte. 8. Er würde uns sicher besucht haben, wenn er in der Stadt gewesen wäre. 9. Ich würde den Brief beantwortet haben, wenn ich es nicht vergessen hätte. 10. Ich würde nicht so viele Fehler in meiner Arbeit gemacht haben, wenn ich nicht so müde gewesen wäre. 11. Das Unglück würde nicht geschehen sein, wenn er etwas langsamer gefahren wäre. 12. Die Frau würde nicht gestorben sein, wenn sie etwas früher zu einem Arzt gegangen wäre.

Subjunctive and Conditional in Unreal Conditions: Present Time†*

CONDITION	CONCLUSION
Wenn ich Zeit **hätte,**	(so) **käme** ich. ‡ (so) **würde** ich kommen.
Wenn ich Geld **hätte,**	(so) **liehe** ich es dir. (so) **würde** ich es dir leihen.
Wenn ich krank **wäre,**	(so) **bliebe** ich zu Hause. (so) **würde** ich zu Hause bleiben.

The position of the clauses reversed

Ich **käme,** Ich **würde** kommen,	wenn ich Zeit **hätte.**
Ich **liehe** es dir, Ich **würde** es dir leihen,	wenn ich Geld **hätte.**
Ich **bliebe** zu Hause, Ich **würde** zu Hause bleiben,	wenn ich krank **wäre.**

The condition expressed by inversion

Hätte ich Zeit,	so **käme** ich. so **würde** ich kommen.
Hätte ich Geld,	so **liehe** ich es dir. so **würde** ich es dir leihen.
Wäre ich krank,	so **bliebe** ich zu Hause. so **würde** ich zu Hause bleiben.

To express unreal condition **in present time** German uses: 1) the past subjunctive in both clauses: the condition and the conclusion; or 2) substitutes in the conclusion the present conditional for the past subjunctive.

* The subjunctive is used, if the speaker wishes to represent something not as a fact or as certain, but as possible, conditional, desirable, or as said or believed by another person.

† A sentence like "I should come if I had time; **ich käme, wenn ich Zeit hätte**" is called an unreal condition in the present time, because it expresses what would now be if something were now different from actual conditions. The subordinate clause with "if" is called the condition, while the main clause is called the conclusion.

‡ For the position of **ich** after the main verb see page 228.

A. *Change to unreal condition, present time, expressing the conclusion in two ways:*

EXAMPLE: Er ist klug, er tut das nicht.
Wenn er klug wäre, täte er das nicht.
Wenn er klug wäre, würde er das nicht tun.

1. Ich habe Zeit, ich gehe mit euch mit.
Wenn ich Zeit ___, ___ ich mit euch mit.
Wenn ich Zeit ___, ___ ich mit euch ___.
2. Es geht dir besser, du siehst besser aus. 3. Du bist hungrig, du ißt. 4. Es regnet, ich darf nicht ausgehen. 5. Er spricht die Wahrheit, ich glaube ihm. 6. Ich bin krank, ich gehe zum Arzt. 7. Der Richter fragt mich, ich muß die Wahrheit sagen. 8. Er weiß es, er teilt es mir mit.

B. *Substitute in the conclusion of the following sentences the present conditional for the past subjunctive:*

EXAMPLE: Wenn dieses alte Auto mir gehörte, verkaufte ich es.
Wenn dieses alte Auto mir gehörte, würde ich es verkaufen.

1. Wenn ich an deiner Stelle wäre, täte ich das nicht.
Wenn ich an deiner Stelle wäre, ___ ich das nicht ___.
2. Wenn ich das Buch hätte, gäbe ich es dir. 3. Wenn ich nicht soviel Arbeit hätte, ginge ich mit euch mit. 4. Wir verständen ihn besser, wenn er deutlicher spräche. 5. Ich schriebe ihm, wenn ich seine Adresse hätte. 6. Wenn ich mehr Zeit hätte, bliebe ich gerne noch länger. 7. Es wäre besser, wenn du gleich kämest. 8. Wenn er morgen käme, wäre es noch Zeit.

C. *Rewrite in German, expressing the conclusion in two ways:*

EXAMPLE: If he were my friend, he would not say this of me.
Wenn er mein Freund wäre, sagte er das nicht von mir.
Wenn er mein Freund wäre, würde er das nicht von mir sagen.

1. If you had a million dollars, what would you do with it? 2. If he came tomorrow I would be very glad. 3. If it were not so late, I would stay longer. 4. If he worked more, he would learn more. 5. I would sleep better, if the nights were cooler. 6. He would certainly visit us, if he were in town.

Subjunctive and Conditional in Unreal Conditions: Past Time*

CONDITION	CONCLUSION
Wenn ich Zeit gehabt **hätte,**	(so) **wäre** ich gekommen. (so) **würde** ich gekommen sein.
Wenn ich Geld gehabt **hätte,**	(so) **hätte** ich es dir geliehen. (so) **würde** ich es dir geliehen haben.
Wenn ich krank gewesen **wäre,**	(so) **wäre** ich zu Hause geblieben. (so) **würde** ich zu Hause geblieben sein.

The position of the clauses reversed:

Ich **wäre** gekommen, Ich **würde** gekommen sein,	wenn ich Zeit gehabt **hätte.**
Ich **hätte** es dir geliehen, Ich **würde** es dir geliehen haben,	wenn ich Geld gehabt **hätte.**
Ich **wäre** zu Hause geblieben, Ich **würde** zu Hause geblieben sein,	wenn ich krank gewesen **wäre.**

The condition expressed by inversion:

Hätte ich Zeit gehabt,	so **wäre** ich gekommen. so **würde** ich gekommen sein.
Hätte ich Geld gehabt,	so **hätte** ich es dir geliehen. so **würde** ich es dir geliehen haben.
Wäre ich krank gewesen,	so **wäre** ich zu Hause geblieben. so **würde** ich zu Hause geblieben sein.

To express unreal condition **in past time** German uses: 1) the past perfect subjunctive in both clauses (the condition and the conclusion), or 2) substitutes the past conditional for the past subjunctive in the conclusion.

* A sentence like "I should have come if I had had time; **ich wäre gekommen, wenn ich Zeit gehabt hätte**" is called an unreal condition in the past time, because it expresses what would have been, if conditions had been different.

A. *Restate the following sentences in German as unreal conditions, past time, expressing the conclusion in two ways:*

EXAMPLE: Ich war müde, ich ging schlafen.
Wenn ich müde gewesen wäre, (so) wäre ich schlafen gegangen.
Wenn ich müde gewesen wäre, (so) würde ich schlafen gegangen sein.

1. Er hatte Geld, er lieh es dir.
Wenn er Geld ___, (so) ___ er es dir ___.
Wenn er Geld ___, (so) ___ er es dir ___.
2. Wir waren krank, wir blieben zu Hause. 3. Sie schickte mir ihr Bild, ich habe mich gefreut. 4. Das Haus hat mir gefallen, ich habe es gekauft. 5. Ich brauchte das Buch, ich habe es gekauft. 6. Er durfte nicht kommen, er schrieb mir. 7. Er wollte reisen, sein Vater gab ihm das Geld dazu.

B. *Express the conclusion of the following sentences in German in two ways:*

EXAMPLE: Wenn du hier gewesen wärest, (we would have played cards).
Wenn du hier gewesen wärest, (so) hätten wir Karten gespielt.
Wenn du hier gewesen wärest, (so) würden wir Karten gespielt haben.

1. Wenn er mehr gearbeitet hätte, (he would have learned more). 2. Wenn wir diese Bücher gebraucht hätten, (we would have bought them). 3. Wenn du gestern abend gekommen wärest, (I could have helped you with your homework). 4. Wenn wir eine Minute später gekommen wären, (we would have missed the train). 5. Hätte ich nur gewußt, daß gestern sein Geburtstag war, (I would have sent him some flowers and would have visited him). 6. Hätten Sie das Haus gesehen, (you certainly would have bought it). 7. Wenn Sie den Brief hätten lesen wollen, (you should have said so).

C. *Rewrite in German, expressing the conclusion in two ways:*

EXAMPLE: If I had been in your place, I would not have done that.
Wenn ich an deiner Stelle gewesen wäre, hätte ich das nicht getan.
Wenn ich an deiner Stelle gewesen wäre, würde ich das nicht getan haben.

1. If you had not been so lazy, you would have learned more. 2. If I had recognized him, I certainly would have spoken to him. 3. If I had seen him, I certainly would have recognized him. 4. If he had stayed home, he would not have become ill. 5. If you would only hurry, we could still catch **(erreichen)** the train. 6. If you had not reminded me of it **(daran),** I would have forgotten it. 7. He could have helped me, if he had only wanted to.

Subjunctive in Clauses Introduced by ALS OB, ALS WENN

CONDITION	CONCLUSION
Sie sieht aus,	**als ob** sie krank **wäre.** als **wäre** sie krank.
Sie sieht aus,	**als ob** sie krank gewesen **wäre.** **als wäre** sie krank gewesen.
Sie tat,	**als ob** sie mich nicht verstanden **hätte.** **als hätte** sie mich nicht verstanden.

The subjunctive is used in clauses introduced by **als ob** or **als wenn.** If **ob** or **wenn** is omitted, this omission is indicated by placing the finite verb immediately after **als** (inverted word order).

A. *Restate the following sentences in German, supplying the correct forms of the verbs indicated:*

EXAMPLE: Es schien, als ob er nicht (kommen).
Es schien, als ob er nicht käme.

1. Sie tat, als ob ihr die ganze Welt (gehören). 2. Sie tat, als ob sie böse (sein). 3. Das Kind weinte, als ob ihm das Herz (brechen). 4. Es sieht aus, als wenn wir jetzt besseres Wetter (bekommen). 5. Gestern schien es, als wenn der Regen niemals aufhören (werden). 6. Die Frau sieht aus, als wenn sie viel gelitten (haben). 7. Er geht die Straße hinab, als ob er krank oder lahm (sein).

B. *Restate each of the following sentences with* **ob** *or* **wenn** *omitted:*

1. Die Kinder taten, als ob sie mich nicht verstanden hätten. 2. Er schrieb und sprach, als ob er niemals in eine Schule gegangen wäre. 3. Er sieht aus, als wenn er viel krank gewesen wäre und viel gelitten hätte. 4. Er spricht, als wenn er niemals einen Pfennig verdient und viel Unglück gehabt hätte. 5. Es schien, als ob es regnen würde, und als ob wir schlechtes Wetter bekommen würden.

C. *Rewrite in German, expressing the conclusion in two ways:*

1. She acted as if she had never seen me before. 2. It looked this morning as if it would rain all day. 3. Receive him as if he were your friend. 4. My students looked as if they were tired. 5. My room looked as if somebody had been in there. 6. He spoke of him as if they had been good friends for a long time.

Subjunctive in Clauses Expressing a Wish, Desire, or Polite Request

	PRESENT	
1.	Lang **lebe** der König!	*Long live the king!*
2.	Dein Reich **komme!**	*Thy kingdom come.*
3.	Gott **gebe** es!	*May God grant it.*
4.	**Möge** dir das neue Jahr nichts als Glück und Freude bringen!	*May the new year bring you nothing but joy and happiness.*
	PAST	
5.	**Hörte** es doch auf zu regnen!	
6.	Wenn es nur zu regnen **aufhörte!**	
7.	O, daß es nur zu regnen **aufhörte!**	*I wish it would stop raining.*
8.	**Möchte** es doch nur zu regnen aufhören!	
	PAST PERFECT	
9.	**Wäre** Vater nur hier **gewesen!**	
10.	Wenn Vater nur hier **gewesen wäre!**	*If father had only been here.*
11.	O, daß Vater nur hier **gewesen wäre!**	

1. Chiefly in formal stereotyped phrases, the present subjunctive is used to express a wish conceived as capable of realization (Examples 1-3). Similar to the English use of *may,* the present subjunctive of **mögen** with a dependent infinitive may be used with like meaning (Example 4). 2. The past subjunctive, usually accompanied by a particle such as **doch** or **nur,** is used to express a wish not realized at the present time (Examples 5-8). 3. The past perfect subjunctive, usually accompanied by **doch** or **nur,** is used to express a wish not realized at a time in the past when its realization would have been desirable (Examples 9-11).

Rewrite the following sentences in English:

1. Gott segne dich! 2. Gott behüte dich! 3. Es lebe die Freiheit! 4. Möge es ihm gelingen! 5. Möge Ihnen das neue Jahr viel Glück bringen! 6. Hättest du nur geschwiegen! 7. Spräche er nur deutlicher! 8. O, daß wir ihn sehen könnten! 9. Wenn er nur die Wahrheit spräche! 10. Möchte er nur gesund nach Hause kommen! 11. Wenn er mir nur geschrieben hätte! 12. Hätte ich das nur früher gewußt! 13. O, daß wir seinem Rat gefolgt wären! *Polite request:* 14. Dürfte ich um die Butter bitten? 15. Hätten Sie einen Augenblick Zeit für mich?

*Subjunctive in Indirect Discourse**

	MAIN CLAUSE	OBJECT CLAUSE
1.	Er sagte,	daß er zu Hause **bleibe** *or* **bliebe.**
2.	Er schrieb,	daß er nach Hause kommen **werde** *or* **würde.**
3.	Ich glaubte,	daß er zu Hause **sei** *or* **wäre.**
4.	Ich dachte,	daß du das Haus gekauft **habest** *or* **hättest.**
5.	Er dachte,	daß wir das Haus gekauft **hätten.**
6.	Er glaubte,	daß ich nach New York **führe.**
7.	Er sagte,	er **bleibe** (*or* **bliebe**) zu Hause.
8.	Er schrieb,	er **komme** (*or* **käme**) nach Hause.
9.	Er fragte,	ob sie nach Hause **gehe** *or* **ginge.**
10.	Er fragte,	wann Vater zu Hause **sei** *or* **wäre.**
11.	Er fragte,	wo ich gestern gewesen **sei** *or* **wäre.**

In indirect discourse: 1. If the verb in the main clause is in a tense of past time, subjunctive forms are always used in the object clause, generally retaining the same tense that was or would have been used in direct discourse (Examples 1-4.) † 2. If the present subjunctive form is identical with the indicative form, the past subjunctive must be used (Examples 5-6). 3. If the conjunction **daß** is omitted in the object clause, the object clause takes normal word order (Examples 7-8). 4. Object clauses, dependent on verbs of asking are called indirect questions. They are introduced either by **ob** (*if, whether*) or by an interrogative that functions as a subordinating conjunction, such as **wann, wo, wie,** etc. (Examples 9-11).

A. *Restate the following sentences (in German) in indirect discourse, beginning each sentence: 1) Er sagte, daß . . .; 2) Er sagte, . . .*

EXAMPLE: Er zieht im nächsten Semester nach New York.
Er sagte, daß er im nächsten Semester nach New York zöge.
Er sagte, er zöge im nächsten Semester nach New York.

1. Er ist heute den ganzen Tag zu Hause und arbeitet. 2. Er weiß nicht, was er dir auf deinen Brief antworten soll. 3. Diese Arbeit

* The report of a spoken or written statement, thought, or question in an object clause after a verb of saying, thinking, asking, believing, fearing in the main clause is called indirect discourse. The speaker is merely reporting the statement contained in the object clause without assuming any responsibility for the truth of it. Direct: **Karl sagte mir gestern: „Ich habe deinen Vater in New York getroffen."** Indirect: **Karl sagte mir gestern, er habe meinen Vater in New York getroffen.**

† However, a past tense in the direct discourse must be put into the present perfect or past perfect in the indirect discourse.

fällt mir sehr schwer, und ich kann sie nur mit großer Mühe fertig machen. 4. Ich gehe auf Reisen und komme erst im nächsten Jahre wieder. 5. Ich habe keinen roten Pfennig in der Tasche und kann daher die Rechnung nicht bezahlen. 6. Ich werde morgen wiederkommen und werde das Geld bringen. 7. Ich bin gestern krank gewesen und habe meine Arbeit nicht gemacht. 8. Das Wetter im Süden ist kalt gewesen, und ich bin daher nach vier Tagen wieder nach Hause gefahren.

B. *Restate the following sentences (in German) in indirect discourse: 1) with* **daß,** *2) without* **daß:**

EXAMPLE: „Meine Arbeit ist fertig", sagte der Student.
Der Student sagte, daß seine Arbeit fertig sei (or *wäre).*
Der Student sagte, seine Arbeit sei (or *wäre) fertig.*

1. „Ich habe fleißig gearbeitet, und meine Studien sind beendet", schrieb mir mein Sohn aus Bonn. 2. Die Zeitung berichtet: „Das Schiff, die Bremen, ist heute morgen in New York angekommen und hat dreitausend Reisende aus Deutschland gebracht." 3. Er erzählte: „Auf meiner letzten Reise ist mir in einem Hafen in Südamerika mein ganzes Geld gestohlen worden, ich bin für mehrere Tage ganz ohne Mittel gewesen, bis mir meine Bank in New York telegraphisch Geld geschickt hat." 4. Meine Mutter schrieb mir gestern aus München: „Dein Bruder Karl ist ein berühmter Künstler geworden, sein Name ist schon in ganz Europa bekannt, und er verkauft seine Bilder für hohe Preise."

C. *Rewrite the following sentences (in German) as indirect questions, starting each sentence: Man fragte, ob . . .*

EXAMPLE: Ich bin im Flugzeug direkt von New York nach Frankfurt geflogen.
Man fragte, ob ich direkt von New York nach Frankfurt geflogen sei.

1. Vater und Mutter sind gestern abend zu Hause gewesen. 2. Du bist krank, oder du bist krank gewesen. 3. Meine Freundin Elisabeth ist böse auf mich und hat seit mehreren Tagen nicht mehr geschrieben. 4. Ich habe das Auto gekauft und die ganze Kaufsumme sofort bezahlt. 5. Ein Unglück ist passiert, und wir sind verletzt worden.

D. *Rewrite the following questions (in German) as indirect questions, starting each sentence: Man fragte mich, . . .*

EXAMPLE: Wie lange wohnen Sie schon in dieser Stadt?
Man fragte mich, wie lange ich schon in dieser Stadt wohne.

1. Wie heißen Sie? 2. Wann sind Sie geboren? 3. Wo wohnen Sie? 4. Wie lange haben Sie nicht mehr gearbeitet? 5. Wo haben sie zuletzt gearbeitet? 6. Was tun Sie jetzt? 7. Wovon leben Sie jetzt? 8. Wo sind Sie gestern abend gewesen? 9. Warum sind Sie bei Ihrem Nachbar eingebrochen? 10. Warum haben Sie von dem Geld nur einen Dollar genommen und das andere Geld liegen lassen?

E. *Rewrite the following sentences in German:*

1. She told me that she had neither brothers nor sisters. 2. He said that he had no time for me and that he was writing a letter. 3. The old lady said that her husband had died twenty years ago and that she was now living with her daughter. 4. She asked whether I had seen her little sister. 5. I asked the student whether she was interested in music. 6. I asked him whether he had been in Germany or intended to go to Germany.

ILLUSTRATIVE READING

1. *Read the following reading selection and observe how the subjunctive is used in indirect discourse in German.*

2. *Rewrite this reading selection in direct discourse, starting: „Er ist mit seinem Bischof nach Konstanz gekommen und hat . . .*

3. *Rewrite this reading selection in direct discourse, first person, starting: „Ich bin mit meinem Bischof nach Konstanz gekommen und habe . . .*

Mein Begleiter, ein kräftiger Jüngling, erzählte mir diese einfache, aber keineswegs leichtverständliche Geschichte: Er sei mit seinem Bischof nach Konstanz gekommen und habe in der Umgegend als Zimmerer Arbeit gesucht. Diese habe er bei den Bauten des Nonnenklosters gefunden, und bei der Gelegenheit habe er die in der Nähe lebende Gertrud kennengelernt. Sie beide seien sich gut geworden und hätten ein Wohlgefallen aneinander gefunden. So hätten sie gern und oft zusammengesessen. „In allen Züchten und Ehren", sagte er, denn sie sei ein braves Mädchen gewesen. Da plötzlich sei sie von ihm zurückgetreten, ohne Abbruch der Liebe, und er habe vernommen, sie nehme den Schleier. Morgen werde sie im Kloster eingekleidet, und er wolle dieser Handlung beiwohnen, um mit eigenen Augen zu sehen, wie ein redliches und durchaus nicht launenhaftes Mädchen einen Mann, den sie doch liebte, ohne denkbaren Grund könne fahren lassen, um eine Nonne zu werden. Gertrud, die Natürliche und Lebenskräftige, tauge auch wenig zu einer Nonne, ja, aus ihren eigenen Äußerungen zu schließen habe sie auch nie Lust dazu gehabt und es hätte sie davor gegraut und gebangt.

Conrad Ferdinand Meyer, „Plautus im Nonnenkloster"

4. *Change in the following reading selection the indirect discourse passage to direct discourse, starting: Der Alte erzählte: „. . .*

In dem kleinen Dorfe, dem Ziel meiner Reise, angekommen, wurde ich von den beiden Alten aufs freundlichste empfangen. Ich brachte ihnen Grüße von ihren zwei Söhnen in Amerika, wie ich es den Söhnen versprochen hatte. Sie erzählten mir, daß ihr Leben in diesem kleinen Dorfe zwar etwas einsam aber doch glücklich gewesen wäre. Sie seien von keinen schweren Schicksalsschlägen oder Krankheiten betroffen worden[1] und hätten in ihrem Leben nie Not gelitten.[2] Vor vierzig Jahren wären sie beide als junger Mann und junge Frau in dieses Dorf gekommen, wohin er als Lehrer berufen worden wäre.[3] Treu und gewissenhaft hätte er alle diese Jahre hindurch als Lehrer hier gearbeitet. Er sei von seinen Schülern ebenso geliebt und verehrt worden wie von seinen eigenen Kindern, und noch fast täglich werde er von seinen früheren Schülern besucht. Er habe zwei Enkelkinder in seinem Hause, die von ihm unterrichet würden, da ihre Eltern als Missionare in Afrika tätig seien und ihre Kinder nicht hätten mitnehmen können.

Sie trugen mir Grüße an ihre beiden Söhne in Amerika auf,[4] die ich nach meiner Rückkehr zu bestellen nich vergessen habe.

[1] *never met (suffered) severe strokes of fate or sicknesses*
[2] *never were in need, suffered want*
[3] *had been called*
[4] *to send kind regards*

27 Indirect Discourse With Indicative

MAIN CLAUSE	OBJECT CLAUSE
Ich weiß,	daß er zu Hause **ist.**
Wir hoffen,	daß du das Geld **hast.**
Ich fürchte,	daß er nicht kommen **wird.**
Ich sage dir,	daß es unmöglich **ist.**
Er denkt,	daß alles verloren **ist.**
Er fragt,	ob Vater zu Hause **ist.**
Ich weiß bestimmt,	daß du Unrecht **hast.**
Ich sehe,	daß du sehr müde **bist.**
Es ist klar,	daß er heute nicht kommen **kann.**
Es ist nicht zu leugnen,	daß er ein großer Künstler **ist.**
Das beweist,	was du tun **kannst.**

In indirect discourse: 1. If the verb in the main clause is in the present tense, indicative forms are generally used in the object clause.* 2. Indicative forms are also used after verbs such as **wissen** (*to know*), **sehen** (*to see*), **beweisen** (*to prove*), and phrases such as **es ist klar** (*it is clear*), **es ist nicht zu leugnen** (*it cannot be denied*).†

A. *Rewrite the following sentences in English:*

1. Ich weiß, daß er in Deutschland gewesen ist. 2. Er hofft bestimmt, daß er die Stellung bekommen wird. 3. Ich fürchte, daß ich meine Arbeit nicht fertigmachen kann. 4. Sie schreibt, daß sie heute abend nicht singen kann. 5. Sie sagt, daß ihre Mutter nicht zu Hause ist. 6. Er fragt, ob du krank bist. 7. Ich hoffe, daß ihr alles versteht, was ihr lest. 8. Wir wissen nicht, ob er kommen kann oder nicht. 9. Das beweist, daß die Erde rund ist. 10. Er sieht jetzt ein, daß er ein Narr gewesen ist. 11. Es ist klar, daß ich bei diesem Wetter nicht ausgehen kann. 12. Es ist nicht zu leugnen, daß er versucht hat, mich zu betrügen. 13. Es ist nicht zu leugnen, daß wir in diesem Jahr einen sehr angenehmen Sommer gehabt haben. 14. Ich fürchte aber, daß wir einen sehr kalten Winter bekommen werden.

* The use of the present tense in the main clause, especially with verbs of knowing, asking, proving, etc., emphasizes, supports, or endorses the truth of what follows; consequently, the indicative, as the mood of fact, is used to express this certainty.

† It should be mentioned that in the writings of many modern German authors there is a definite tendency to replace the subjunctive in indirect discourse by the indicative.

B. *Rewrite in English:*

1. Er behauptet (*asserts*), es ist ohne sein Wissen geschehen.
2. Er versichert (*assures*), er hat den Mann die Straße hinablaufen sehen.
3. Der Zeuge sagt aus (*testifies*), er hat gesehen, wie dieser Mann durchs Fenster ins Haus einstieg.
4. Ich weiß nicht warum, aber diese Frau gibt vor (*pretends*), sie kennt mich nicht und hat mich nie gesehen.
5. Er leugnet (*denies*), daß er uns hat betrügen wollen.
6. Er versichert (*assures*), daß sein Leben ein glückliches gewesen ist.
7. Ich höre (*I am told*), er ist ein Mann, der mehr als eine Million besitzt.
8. Man sagt (*people say*), er liegt im Sterben.
9. Man erzählt (*there is a talk*), er ist keines natürlichen Todes gestorben.
10. Wir vermuten (*suspect*), Karl wird sich mit Marie verheiraten.
11. Erich bildet sich ein (*imagines, thinks*), daß Marie ihn liebt.
12. Ich zweifle nicht (*don't doubt*), daß Karl glücklich sein wird.

C. *Rewrite the following sentences in German:*

1. We all know and we don't doubt that you are right in your opinion.
2. I know definitely and I can assure you that he will be here tomorrow.
3. I tell you and you can believe me that this man is innocent.
4. That proves it and his mother asserts also that Karl is interested in his studies.
5. I tell you it is too warm in your room; open the windows.
6. The newspaper reports that it is very cold in the East and that they had a snowstorm yesterday.
7. It cannot be denied and nobody doubts it that he is a great artist.
8. He believes he is the most influential man in this town.
9. I don't doubt that Karl will be a successful businessman in a few years.
10. I suspect he is lying and is trying to deceive us.

THE NOUN

1 *Gender, Number, and Case of Nouns*

	MASCULINE	FEMININE	NEUTER
		SINGULAR	
Nominative	der Engel	die Straße	das Bild
Genitive	des Engel**s**	der Straße	des Bild**es**
Dative	dem Engel	der Straße	dem Bild
Accusative	den Engel	die Straße	das Bild
		PLURAL	
Nominative	die Engel	die Straße**n**	die Bild**er**
Genitive	der Engel	der Straße**n**	der Bild**er**
Dative	den Engel**n**	den Straße**n**	den Bild**ern**
Accusative	die Engel	die Straße**n**	die Bild**er**

A German noun has: 1) **gender:** *masculine, feminine, neuter;* 2) **number:** *singular, plural;* 3) **case:** *nominative, genitive, dative, accusative.*

A. *Following the model* **der Engel,** *decline the following nouns in the singular and plural:*
der Wagen, der Morgen, der Winter, der Lehrer, der Onkel

B. *Following the model* **die Straße,** *decline the following nouns in the singular and plural:*
die Schule, die Frage, die Blume, die Pflanze, die Katze

C. *Following the model* **das Bild,** *decline the following nouns in the singular and plural:*
das Feld, das Lied, das Kind, das Licht, das Brett

D. *Give gender, number and case of the nouns used in the following phrases:*

EXAMPLE: Die Bilder an den Wänden in diesem Zimmer.
Nom. Plural *Dat. Plural* *Dat. Singular*

1. Die Arbeiten meiner Schüler in den letzten Tagen. 2. Die Lehrer in den Schulen der Stadt. 3. Das Buch auf dem Tisch in meinem Zimmer. 4. Die Mutter des Kindes arbeitet im Hause. 5. Die Kinder sangen schöne Lieder. 6. Die Winter sind kalt in dieser Gegend, aber die Sommer sind warm und angenehm.

2 Strong Declension of Nouns

	MASCULINE	FEMININE	NEUTER
		SINGULAR	
N.	der Bruder	die Nacht	das Haus
G.	des Bruder**s**	der Nacht	des Haus**es**
D.	dem Bruder	der Nacht	dem Haus
A.	den Bruder	die Nacht	das Haus
		PLURAL	
N.	die Br**ü**der	die N**ä**cht**e**	die H**ä**us**er**
G.	der Br**ü**der	der N**ä**cht**e**	der H**ä**us**er**
D.	den Br**ü**der**n**	den N**ä**cht**en**	den H**ä**us**ern**
A.	die Br**ü**der	die N**ä**cht**e**	die H**ä**us**er**

Strong Declension. *Singular:* 1) feminine nouns remain unchanged; 2) masculine and neuter nouns add **–s** or **–es** to the nominative singular to form the genitive. *Plural:* masculine, feminine, and neuter nouns have either: 1) no ending, except **–n** in the dative; 2) the ending **–e**, plus **–n** in the dative; or 3) the ending **–er**, plus **–n** in the dative.

A. *Decline the following nouns, belonging to the strong declension, in both singular and plural (for vowel-changes and plural endings consult the vocabulary):*

1. der Vater, der Apfel, der Garten, die Mutter, das Mädchen.
2. der Baum, der Herbst, die Stadt, die Hand, das Jahr, das Haar.
3. der Mann, der Wald, das Land, das Dorf, das Glas.

B. *Rewrite in the plural:*

EXAMPLE: Der Lehrer fragt, und der Schüler antwortet auf die Frage.
Die Lehrer fragen, und die Schüler antworten auf die Fragen.

1. Auf dem Tisch liegen der Bleistift, das Messer, das Heft und das Buch. 2. Das Glas zersprang in meiner Hand. 3. Der Garten hinter dem Haus ist ein Gemüsegarten und ein Blumengarten. 4. Die Mutter arbeitet, und die Tochter spielt.

3 Weak Declension of Nouns

	MASCULINE		FEMININE	
	SINGULAR			
N.	der Knabe	der Mensch	die Frage	die Freundin
G.	des Knab**en**	des Mensch**en**	der Frage	der Freundin
D.	dem Knab**en**	dem Mensch**en**	der Frage	der Freundin
A.	den Knab**en**	den Mensch**en**	die Frage	die Freundin
	PLURAL			
N.	die Knab**en**	die Mensch**en**	die Frag**en**	die Freundin**nen**
G.	der Knab**en**	der Mensch**en**	der Frag**en**	der Freundin**nen**
D.	den Knab**en**	den Mensch**en**	den Frag**en**	den Freundin**nen**
A.	die Knab**en**	die Mensch**en**	die Frag**en**	die Freundin**nen**

Weak Declension. *Singular:* 1) feminine nouns remain unchanged; 2) masculine nouns add **–n** or **–en** to the nominative to form all other singular cases. *Plural:* masculine and feminine nouns add **–n** or **–en** to the nominative singular to form all plural cases.

A. *Decline the following nouns, belonging to the weak declension, in both singular and plural:*

1. der Löwe, der Junge, der Student, der Soldat, der Hirte, der Narr, der Geselle, der Geliebte, der Polizist, der Prophet.
2. die Decke, die Ecke, die Zeit, die Zahl, die Welt, die Frau, die Schlacht, die Lehrerin, die Königin, die Herrin.

B. *Rewrite in the plural:*

1. Ich sah die Frau in ihrem Garten arbeiten. Die Frau arbeitete sehr fleißig. 2. Es war keine Glocke an der Tür, aber die Tür war offen, ich habe sie geschlossen und ging die Treppe hinauf. 3. Ich hörte die Stimme der Lehrerin und des Jungen nebenan im Schulzimmer. 4. „Muß ich diese Geschichte lesen?" fragte der Junge. 5. Der Student verließ die Universität und wurde Soldat. 6. „Ich kann diese Frage nicht beantworten", sagte der Junge. 7. Die Schwester des Jungen konnte auch nicht helfen. 8. Die Freundin meiner Schwester ist auch Lehrerin, sie besuchte uns gestern.

4 Mixed Declension of Nouns

	MASCULINE			NEUTER
		SINGULAR		
N.	der Schmerz	der Nachbar	der Doktor	das Auge
G.	des Schmerz**es**	des Nachbar**s**	des Doktor**s**	des Auge**s**
D.	dem Schmerz	dem Nachbar	dem Doktor	dem Auge
A.	den Schmerz	den Nachbar	den Doktor	das Auge
		PLURAL		
N.	die Schmerz**en**	die Nachbar**n**	die Doktor**en**	die Auge**n**
G.	der Schmerz**en**	der Nachbar**n**	der Doktor**en**	der Auge**n**
D.	den Schmerz**en**	den Nachbar**n**	den Doktor**en**	den Auge**n**
A.	die Schmerz**en**	die Nachbar**n**	die Doktor**en**	die Auge**n**

A few masculine and neuter nouns are strong in the singular and weak in the plural.

A. *Decline the following nouns in both singular and plural:*

der Sonnenstrahl, der Bauer, der Staat, der See (*pl.* Se-en), das Ohr, das Ende, das Bett, der Professor, der Inspektor, der Senator, der Autor

B. *Rewrite the following phrases in the plural:*

1. Der Schmerz in meinem Auge. 2. Der Regent des Staates. 3. Der Strahl des Lichts. 4. Der Freund unseres Nachbars. 5. Der Bruder des Professors. 6. Der Doktor dieses Kranken. 7. Der Inspektor der Gasanstalt. 8. Das Ohr des Kindes. 9. Das Bett in meinem Zimmer. 10. Der Bauer mit dem Wagen. 11. Der See in diesem Lande. 12. Ist dieser See sehr groß? 13. Wie groß ist dieser Staat? 14. Am (an dem) Ende des Tages und des Jahres. 15. Der Bruder mit der Schwester. 16. Die Mutter mit ihrer Tochter. 17. Diese Frau ist meine Freundin. 18. Diese Frau ist Lehrerin, jenes Mädchen ist Studentin. 19. Der Schneider und die Schneiderin, der Koch und die Köchin, der Tänzer und die Tänzerin. 20. Dieser Mann ist Professor, jener Mann ist Doktor.

5 *Irregular Nouns*

	MASCULINE			NEUTER
		SINGULAR		
N.	der Name / der Namen	der Gedanke	der Herr	das Herz
G.	des Namens	des Gedanken**s**	des Herr**n**	des Herz**ens**
D.	dem Namen	dem Gedanke**n**	dem Herr**n**	dem Herz**en**
A.	den Namen	den Gedanke**n**	den Herr**n**	das Herz
		PLURAL		
N.	die Namen	die Gedanke**n**	die Herr**en**	die Herz**en**
G.	der Namen	der Gedanke**n**	der Herr**en**	der Herz**en**
D.	den Namen	den Gedanke**n**	den Herr**en**	den Herz**en**
A.	die Namen	die Gedanke**n**	die Herr**en**	die Herz**en**

A few masculine nouns have a nominative singular in both **–e** and **–en**; **der Name** or **der Namen, der Friede** or **der Frieden, der Glaube** or **der Glauben, der Same** or **der Samen, der Funke** or **der Funken, der Wille** or **der Willen.** They are declined strong with no endings in the plural. The neuter noun, **das Herz,** does not have the ending **–en** in the nominative and accusative singular.

A. *Decline the following nouns in both singular and plural:*
der Same, der Wille, der Funke.

B. *Decline the following nouns in singular (plural rarely used):*
der Glaube, der Friede.

C. *Change all the nouns in the following expressions from the singular to the plural:*
1. Die Arbeit des Schülers. 2. Der Lehrer des Kindes. 3. Das Haus des Nachbars. 4. Das Werk des Dichters. 5. Die Mutter des Mädchens. 6. Das Kind in dem Dorfe. 7. Der Weg durch den Wald. 8. Die Geschichte in dem Buche. 9. Der Brief an den Freund. 10. Am Ufer des Sees. 11. Der Name der Stadt. 12. Die Form des Glases. 13. Der Freund meiner Schwester. 14. Der Künstler malte das Bild. 15. Der Bauer fährt auf das Feld. 16. Die Mutter kommt mit ihrer Tochter. 17. Jener Herr ist mein Freund. 18. Der Schüler schreibt die Aufgabe.

6 Nouns Forming no Singular or no Plural

I.

die Leute, *people*	die Eltern, *parents*	die Trümmer, *ruins, pieces*
die Annalen, *annals*	die Kosten, *expenses*	die Gebrüder, *brothers**

Certain German nouns are used in plural only.

die Fasten, *Lent*
die Einkünfte, *income*
die Masern, *measles*
die Unkosten, *expenses*
die Ferien, *vacation*
(die) Ostern, *Easter*
die Geschwister, *brothers and sisters*
(die) Weihnachten, *Christmas*

A. *Express in English:*

1. Was werden die Leute sagen? 2. Aus Kindern werden Leute. 3. Sie hat freundliche und liebe Eltern. 4. Weihnachten hatten wir längere Ferien als Ostern. 5. Kennen Sie die Märchen der Gebrüder Grimm?

B. *Express in German:*

1. Pay cash and you will save all expenses. 2. He is traveling at (*auf*) my expenses. 3. Everything is going to (*in*) ruins in this war. 4. The ruins of an old castle. 5. Lent is approaching.

II.

das Eis, *ice*	der Schnee, *snow*	der Hagel, *hail*
der Rauch, *smoke*	das Gold, *gold*	der Sand, *sand*

Names of substances or materials are not used in the plural (except **die Kohle,** *coal,* which is generally used in the plural **die Kohlen**).

das Kupfer, *copper*
die Milch, *milk*
der Honig, *honey*
die Gerste, *barley*
das Blut, *blood*
die Seide, *silk*
das Mehl, *flour*
das Fleisch, *meat*
die Wolle, *wool*

BUT: das Wasser — die Wasser
das Bier — die Biere
das Holz — die Hölzer
der Kaffee — die Kaffees
das Salz — die Salze
der Wein — die Weine
das Horn — die Hörner
der Tee — die Tees

* Occurs mostly in the names of firms.

7 Principal Parts of Nouns

NOMINATIVE SINGULAR	GENITIVE SINGULAR	NOMINATIVE PLURAL
der Wagen	des Wagens	die Wagen
der Baum	des Baumes	die Bäume
das Blatt	des Blattes	die Blätter
die Taube	der Taube	die Tauben
der Knabe	des Knaben	die Knaben

The principal parts of a noun are those key-forms from which all other forms may be derived. They are: the nominative and genitive singular and the nominative plural.

A. *Give the principal parts of the following nouns (for plural endings and umlaut consult the vocabulary):*

der Vogel	der Schatz	der Wald	die Seite	der Gedanke
der Boden	die Stadt	das Feld	die Tür	der Nachbar
der Schlüssel	die Nacht	das Buch	die Straße	das Auge
die Tochter	das Gedicht	das Lied	die Pflicht	das Ende
das Mädchen	das Stück	das Volk	die Rose	das Herz
der Raum	der Mann	die Schule	der Knabe	

B. *Rewrite the following in German:*

1. The days of the week. 2. The months of the year. 3. Books for children. 4. The trees in the gardens. 5. The horses in the stables. 6. The villages in these valleys. 7. The mothers of these girls. 8. Castle on (*auf*) the mountains. 9. Questions and answers. 10. (My) Ladies and gentlemen. 11. The room had two beds. 12. These songs are folk songs. 13. A (*Das*) year has fifty-two weeks and one day. 14. I am not reading these stories. 15. Our neighbor has two daughters and three sons. 16. We have new tables and new chairs in our room. 17. I am writing these letters to (*an*) my mother and my sisters. 18. Little stones are lying on the banks of the river. 19. My hands and my feet are cold. 20. Men, women, and boys are working in (*auf*) the fields.

8 Compound Nouns

NOUN	NOUN	COMPOUND
Der Wald	die Blume	**die Waldblume**
Das Tier	der Arzt	**der Tierarzt**
Die Schule	das Buch	**das Schulbuch**

The last part of a compound noun determines its gender and declension. The main accent rests on the first compound part.

A. *Form compound nouns of the following pairs of nouns. Give the meaning of the nouns and their compounds:*

EXAMPLE: Die Augen; der Arzt. *Der Augenarzt* — Das Feld; die Arbeit. *Die Feldarbeit*

1. Der Brief; das Papier. 2. Das Haus; der Schlüssel. 3. Die Schule; das Mädchen. 4. Das Mädchen; die Schule. 5. Die Schule; das Geld. 6. Die Hand; das Buch. 7. Die Hand; der Schuh. 8. Der Winter; der Tag. 9. Das Haus; die Frau. 10. Der Apfel; der Baum. 11. Die Lieder; das Buch. 12. Die Bücher; der Freund. 13. Die Kinder; die Lieder. 14. Die Blumen; der Garten. 15. Die Geigen; der Spieler. 16. Die Tannen; der Wald.

B. *Give the meaning of the following compound nouns and of each of their component parts:*

der Sommerabend
die Hauskatze
die Abendstimmung
die Kellertreppe
der Obstbaum
das Volkslied
die Mittagshitze
der Geburtstag
die Jahreszeit
die Frühlingsblume
das Wirtshaus
das Bilderbuch
der Sonnenstrahl
die Tageszeitung
die Dorfstraße
das Waisenkind
der Unterrock
das Seeufer
der Todfeind
der Professorenstreit
die Kinderkleider
die Liedersammlung
die Straßenecke
der Hirtenknabe

9 Compound Nouns Changing to –leute in Plural

der Kauf**mann,** *merchant,* die Kauf**leute**
der Fuhr**mann,** *wagoner,* die Fuhr**leute**

der Land**mann,** *peasant,* die Land**leute**
der See**mann,** *sailor,* die See**leute**

Certain compound nouns of **–mann** in the singular, take **–leute** in plural.*

A. *Give the plural of the following compound nouns:*

der Edelmann, *nobleman*

der Hauptmann, *captain*

der Bauersmann, *peasant*

der Geschäftsmann, *businessman*

der Handelsmann, *tradesman*

der Handwerksmann, *artisan*

der Hofmann, *courtier*

der Landsmann, *compatriot*

der Dienstmann, *vassal*

B. *Express in English:*

1. Ehrenmänner tun, was recht ist. 2. Edelleute waren nicht immer Ehrenmänner. 3. Diese Fuhrleute bringen Waren für die Gebrüder Schwarz in die Stadt. 4. Gute Fuhrleute pflegen und schonen ihre Pferde. 5. Geschäftsleute und Handelsleute gründeten eine Handelsgesellschaft in unserer Stadt.

* BUT: der Ehemann, die Ehe**männer** — der Ersatzmann, die Ersatz**männer** — der Staatsmann, die Staats**männer** — der Ehrenmann, die Ehren**männer**

10 Derivations of Nouns by a Suffix

I. Masculine nouns, with Latin or Greek roots, formed with the suffix: (The accent is always on the suffix.)

1. **-ant:**	der Adjut**ant,** *aide-de-camp*	der Protest**ant,** *Protestant*
2. **-krat:**	der Aristo**krat,** *aristocrat*	der Auto**krat,** *autocrat*
3. **-log:**	der Philo**log**(e), *philologist*	der Theo**log**(e), *theologian*
4. **-soph:**	der Philo**soph,** *philosopher*	der Theo**soph,** *theosophist*
5. **-et:**	der Po**et,** *poet*	der Kom**et,** *comet*
6. **-ist:**	der Pian**ist,** *pianist*	der Prokur**ist,** *head clerk*
7. **-it:**	der Band**it,** *bandit*	der Jesu**it,** *Jesuit*
8. **-graph:**	der Geo**graph,** *geographer*	der Tele**graph,** *telegraph*
9. **-ast:**	der Enthusi**ast,** *enthusiast*	der Phant**ast,** *visionary*
10. **-ad(at):**	der Kamer**ad,** *comrade*	der Advok**at,** *advocate*
	der Kandid**at,** *candidate*	der Magistr**at,** *magistrate*

II. From the masculine nouns (the names of male persons), feminine nouns are formed by the suffix **-in,** plural **-innen:**

1. der Protestant: die Protestant**in,** die Protestant**innen**
2. der Aristokrat: die Aristokrat**in,** die Aristokrat**innen**

Change from the masculine form to the feminine form in the singular and plural:

EXAMPLE: Der Philosoph sprach gestern über die Philosophie Immanuel Kants.
Die Philosophin sprach über die Philosophie Immanuel Kants.
Die Philosophinnen sprachen über die Philosophie Immanuel Kants.

1. Der Philologe unserer Universität arbeitet an seinen philologischen Studien. 2. Der Kandidat kandidierte für das Amt des Präsidenten. 3. Der Photograph kam gestern und photographierte uns. 4. Der Physiologe machte seine physiologischen Beobachtungen. 5. Der Enthusiast begeisterte sich für diese neue Idee. 6. Der Geograph beendete seine geographischen Studien. 7. Der Autokrat herrscht autokratisch über sein Land. 8. Der Advokat verteidigte seinen Klienten vor Gericht. 9. Der Bandit nahm mir all mein Geld, gab mir aber dann einen Dollar zurück.

III. Feminine nouns formed with the suffix **–ei (–erei),** plural **–eien (–ereien):**

backen: die Bäck**erei,** *bakery*	spielen: die Spiel**erei,** *child's play*
heucheln: die Heuchel**ei,** *simulation*	malen: die Mal**erei,** *painting*

The suffix **–ei (–erei),** appended to a noun, forms feminine nouns denoting place, appended to a verb, forms nouns of action. The suffix **–ei** is always accented. It often implies contempt as in: **die Spielerei.**

Form feminine nouns denoting places and nouns denoting action from the following verbs and give their English meaning from the list given below:

drucken	fischen	weben	waschen (umlaut)	spinnen
reiten	streiten	betteln	schlagen (umlaut)	betrügen
schreiben	essen	schießen	kriechen	schwindeln

Printing, cheating, laundry, quarreling, weaving mill, begging, fighting (striking), spinning mill, cavalry, eating (feasting), writing (scribbling), shooting (aimless firing), fishery, crawling (fawning), swindling (cheating).

IV. Feminine and neuter nouns with the suffix **–nis,** plural **–nisse:**

wild: die Wild**nis,** *wilderness*	finster: die Finster**nis,** *darkness*
kennen: die Kennt**nis,** *knowledge*	erlauben: die Erlaub**nis,** *permission*
gleichen: das Gleich**nis,** *simile*	bilden: das Bild**nis,** *portrait*

The suffix **–nis** (cognate with English *–ness*) is attached to adjectives to denote concrete manifestation of the quality. Attached to a verbal root it denotes the action or its effect.

Give the verbs or adjectives from which the nouns with the ending **–nis** *in the following sentences are derived and their English meaning:*

1. Carl hat kein Verständnis (*understanding, appreciation*) für gute Musik. 2. Das Ergebnis (*result, outcome*) dieses Experiments ist besser als ich erwartete. 3. Marie zeigte uns gestern ihr Verlöbnis (*engagement*) mit Herrn Breitenbach an. 4. Herr Schmidt, schicken Sie mir bitte ein Verzeichnis (*list, catalogue*) Ihrer neuesten Bücher.

5. Körperliche Überanstrengung (*over-exertion*) und Überarbeit (*work in excess*) wurden ihm zum Verhängnis (*fate, destiny*): er starb in jungen Jahren. 6. Mangel (*lack*) an Geld war das große Hindernis (*hindrance, obstacle*) zu seinem Erfolg als Kaufmann. 7. Dieses Haus und ein wenig Geld waren das Vermächtnis (*legacy, bequest*), das ihm sein Vater als einzigem Erben hinterließ. 8. Er legte vor Gericht ein Geständnis (*confession*) seines Verbrechens ab. 9. Das Volk in jenen Staaten lebt unter großer Bedrängnis (*oppression*) ihrer Herren und Meister. 10. Er brauchte ein Gleichnis (*allegory, simile*) in seiner Rede gegen die Verderbnis (*corruption*) der Zeit.

V. Neuter nouns with the suffix **–tum,** plural **–tümer:**

der Bürger: das Bürger**tum,** *citizens*	der König: das König**tum,** *kingdom*
heilig: das Heilig**tum,** *sanctuary*	alt: das Alter**tum,** *antiquity*

The suffix **–tum,** applied to nouns, denotes estate, province, sphere; applied to adjectives, it denotes a concrete manifestation of the quality.*

Form neuter nouns by adding the suffix **–tum** *to the following nouns and give the English meaning of these derivations from the list given below:*

der Fürst(en)	der Herzog	der Herr(en)	der Held(en)
der Bauer(n)	der Besitz	der Priester	der Mönch(s)
der Künstler	der Christ(en)	der Heide(n)	der Protestant(en)

Principality, dukedom (duchy), nobility (persons of rank and power), heroism, peasantry, possession (property), clergy, monasticism, society of artists, Christianity, Protestantism, paganism.

VI. Masculine nouns with the suffix **–er:**

besuchen: der Besuche**r,** *visitor*	kaufen: der Käufe**r,** *purchaser*
lehren: der Lehre**r,** *teacher*	Berlin: der Berline**r,** *citizen of*

The suffix **–er** (cognate with English –er or –or) forms so-called "agent nouns" which denote: a) the agent: **der Käufer,** b) the instrument: **der Bohrer,** c) attached to a noun, it refers to a resident or to a functionary: **der Berliner, der Gärtner.**

* EXCEPTION: **der Irrtum,** error; **der Reichtum,** riches.

NOUN: DERIVATIONS BY A SUFFIX

Form masculine nouns in **–er** *from the following verbs and nouns and give their English meaning from the list given below:*

denken	fliegen	trinken	sprechen	verlieren
lehren	schlagen (umlaut)	retten	weben	Frankfurt
hören	tanzen (umlaut)	schreiben	Hamburg	
fahren	schlafen (umlaut)	das Schloß	arbeiten	

Thinker, weaver, rescuer, sleeper, drinker, worker (laborer), dancer, writer (clerk), speaker, loser, aviator (pilot), (tennis) racket, driver, (telephone) receiver, citizen of Hamburg, teacher, locksmith, citizen of Frankfurt.

VII. Feminine nouns formed with the suffix **–in:**

der Herr: die Herr**in,** die Herr**innen**
der Held: die Held**in,** die Held**innen**

der Amerikaner: die Amerikaner**in,** die Amerikaner**innen**
der Russe: die Russ**in,** die Russ**innen**

Some feminine nouns are derived from masculine nouns by the suffix –in, plural –innen.

Change the following masculine nouns to feminine nouns in the singular and plural:

der Amerikaner, *American*
der Gefährte, *companion*
der Fürst, *sovereign*
der Lehrer, *teacher*
der Tyrann, *tyrant*
der Narr (umlaut), *fool*
der Christ, *Christian*
der Schweizer, *Swiss*
der Chinese, *Chinese*
der Freund, *friend*
der Graf (umlaut), *count*
der Student, *student*
der Barbar, *barbarian*

der Tor (umlaut), *fool*
der Bote, *messenger*
der Preuße, *Prussian*
der Europäer, *European*
der Nachbar, *neighbor*
der König, *king*
der Professor, *professor*
der Agent, *agent*
der Schüler, *pupil*
der Sänger, *singer*
der Österreicher, *Austrian*
der Schriftsteller, *writer*
der Schauspieler, *actor*

VIII. Feminine nouns formed with the suffixes **–heit** and **–keit:**

frei: die Frei**heit,** *freedom*	schön: die Schön**heit,** *beauty*
schuldig: die Schuldig**keit,** *duty*	traurig: die Traurig**keit,** *sadness*
dankbar: die Dankbar**keit,** *gratitude*	langsam: die Langsam**keit,** *slowness*
der Mensch: die Mensch**heit,** *humanity*	der Christ: die Christen**heit,** *Christianity*

The suffixes **–heit** and **–keit (–igkeit)** form abstract nouns from adjectives (*Examples 1-3*) and form collectives from other nouns (*Example 4*).
Note: The suffix **–keit** is appended regularly to adjectives in **–ig, –bar,** and **–sam** (*Examples 2, 3 and 7*).

Form abstract feminine nouns from the following adjectives; give the English meaning of those nouns from the list given below:

blind	falsch	faul	gewiß	klug	schlecht	freundlich
dumm	sicher	frech	ehrlich	richtig	genau	gründlich
müde	möglich	gesund	krank	höflich	schnell	

Blindness, stupidity, impudence, laziness, falseness, correctness, sickness, politeness, swiftness, wickedness, possibility, prudence, honesty, certainty, exactness, thoroughness, friendliness, sadness, safety, health.

IX. Feminine nouns formed with the suffix **–ung,** plural **–ungen:**

warnen: die Warn**ung,** *warning*	fassen: die Fass**ung,** *form, version*
meinen: die Mein**ung,** *opinion*	verbinden: die Verbind**ung,** *union*

The suffix **–ung** (cognate with English *–ing*) forms from verbal roots nouns that denote action or its effect.

A. *Form feminine nouns from the following verbs and find the English meaning of those nouns in the list given below:*

bilden	erfahren	rechnen	regieren	bedienen
bezahlen	erinnern	erzählen	achten	belohnen
teilen	versuchen	erholen	landen	vorlesen

Education, experience, bill, service, government, payment, narration, reward, respect, recollection, recovery, temptation, sharing, lecture, landing.

B. *Give the verbs from which the following nouns are derived and their English meaning:*

die Heilung	die Übung	die Erkältung	die Verbesserung
die Vorlesung	die Einladung	die Wanderung	die Entschädigung
die Empfehlung	die Verlobung	die Öffnung	die Wiederholung
die Änderung	die Begrüßung	die Sitzung	die Vermählung

To heal (cure), to practice (exercise), to catch cold, to correct (improve), to read aloud (lecture), to become engaged, to invite, to wander (travel), to compensate, to recommend, to open, to alter (change), to repeat, to sit (meet), to marry, to greet (welcome).

C. *Give the plural from the following nouns:*

die Übung	die Wiederholung	die Erfahrung	die Regierung
die Vorlesung	die Änderung	die Rechnung	die Erzählung

X. Feminine nouns with the suffix **–schaft,** plural **–schaften:**

der Feind: die Feind**schaft,** *enmity*
der Mann: die Mann**schaft,** *crew*
das Wissen: die Wissen**schaft,** *science*

der Geselle: die Gesell**schaft,** *society*
der Bote: die Bot**schaft,** *message*
das Land: die Land**schaft,** *landscape*

The suffix **–schaft** (cognate with English *–ship*) is attached to nouns to form abstract feminine nouns and collectives.

Form feminine nouns or collectives from the following nouns and give the English meaning from the list given below:

der Freund	der Handwerker	der Künstler	das Gefolge
der Bürger	der Student	der Erbe	der Kamerad
der Lehrer	der Kunde	der Bekannte	der Nachbar
der Herr	der Gefangene	der Feind	der Bruder
der Verwandte	der Arbeiter	der Priester	das Wandern

Friendship, relationship, acquaintanceship, comradeship (or *fellowship), brotherhood, neighborhood, priesthood, citizens, artisans, hostility, laboring men, inheritance, customers, society of teachers, society of students, society of artists, government* (or *master and mistress), followers* (or *vassals), traveling, captivity.*

11 *Derivations of Nouns by a Prefix*

I. The prefix **ge–:**

das Wasser: das **Ge**wässer, *waters*	der Strauch: das **Ge**sträuch, *shrubbery*
der Berg: das **Ge**birge, *mountains*	der Busch: das **Ge**büsch, *bushes*

The prefix **ge–**, prefixed to a noun-stem, a) forms collectives: **das Gewölk**, *mass of clouds;* **das Gerät**, *utensils;* **das Gestrüpp**, *brambles, briers;* **das Gewitter**, *thunderstorm.* b) expresses association: **der Gefährte**, *traveling companion;* **der Geselle**, *comrade, partner;* **der Gespiele**, *playmate;* **das Gesindel**, *rabble.*

reden: das **Ge**rede, *talk, gossip*	beten: das **Ge**bet, *prayer*
schenken: das **Ge**schenk, *present*	bauen: das **Ge**bäude, *building*

The prefix **ge–**, prefixed to a verbal root, forms nouns which denote the action itself or its concrete effect: a) **das Geräusch**, *noise;* **das Geschick**, *fate, destiny.* b) **das Gedicht**, *poem;* **das Gemälde**, *painting;* **das Geschoß**, *projectile;* **das Gespann**, *team (of horses);* **das Gericht**, *court of justice.*

Express in English:

1. Dunkles Gewölk stand am Himmel. 2. Ihm fehlte das nötige Gerät zu dieser Arbeit. 3. Fußhohes Gestrüpp erschwerte das Weiterkommen. 4. Ein schweres Gewitter ging gestern über unsere Stadt. 5. Karl war ein guter Gefährte auf meiner Reise durch Deutschland. 6. Er war ein lustiger Geselle auf unserer Wanderung von Deutschland nach Italien. 7. Als Kinder waren wir Spielkameraden. 8. Kümmere dich nicht um das dumme Gerede der Leute. 9. Das stattliche Gebäude an der Ecke unserer Straße gehört unserm Nachbarn, Herrn Weißkopf. 10. Das Geräusch auf der Straße störte mich und ließ mich nicht schlafen. 11. Ein schweres Geschick traf diesen Mann, ihm starben seine Frau und seine beiden Kinder. 12. Karl ist sicher ein großer Künstler, seine Gemälde gewinnen immer den ersten Preis.

II. The prefix **un–**:

der Dank: der **Un**dank, *ingratitude*	das Glück: das **Un**glück, *misfortune*
die Ruhe: die **Un**ruhe, *restlessness*	das Recht: das **Un**recht, *injustice*

The prefix **un–** is freely prefixed to nouns to reverse their meaning or to denote something prodigious.

A. *Give the nouns from which the following derivations originate. Give also their meanings:*

der Unmensch, *monster*
die Unzahl, *countless number*
der Unfall, *accident*
der Unmut, *ill humor*
der Unwert, *worthlessness*
die Unehre, *dishonor*
die Unordnung, *disorder*
die Untreue, *faithlessness*
das Unding, *absurdity*
die Unmasse, *enormous quantity*
die Unschuld, *innocence*
der Unsinn, *nonsense*
der Unsegen, *adversity*
die Ungeduld, *impatience*
die Unsitte, *bad habit*
das Unkraut, *weed*
der Unfriede, *discord*
der Unstern, *unlucky star*
der Unglaube, *disbelief*
die Unkultur, *want of culture*
die Unzeit, *wrong time*
das Unwetter, *bad weather*

B. *Express in English:*

1. Unfriede brach zwischen den beiden Nachbarn aus. 2. Ein Unstern stand über allen seinen Bemühungen, und alle seine Arbeit brachte ihm nichts als Unsegen. 3. Mit Ungeduld erwartete er aus der Bibliothek eine Unzahl von Büchern für seine weiteren Studien. 4. Bei dem Unwetter gestern ereignete sich ein Automobilunfall auf der Straße nach Freiburg. 5. Die größte Unordnung herrschte in seinem Arbeitszimmer, aber das war eine Unsitte von ihm, nichts wieder an den rechten Platz zu stellen. 6. Seine Untätigkeit und seine Untreue machen ihm keine Ehre, es ist ein Unding, weiter mit ihm zu leben.

III. The prefix **ur–**:

der **Ur**bewohner, *original inhabitant*	der **Ur**großvater, *great-grandfather*
der **Ur**zweck, *original (chief) purpose*	die **Ur**sache, *original (first) cause*

The prefix **ur–**, prefixed to a noun, gives the noun the meaning of *primitive, original, very ancient.*

die Urgeschichte, *earliest history*	der Urzustand, *primitive state*
das Urvolk, *primitive people*	die Urheimat, *original home*
die Urschrift, *original text*	die Urform, *original form*
der Urheber, *originator*	das Urbild, *original (ideal)*
die Geburtsurkunde, *birth certificate*	die Uraufführung, *first performance*
der Urmensch, *(the) first man*	der Urwald, *forest primeval*

Express in English:

1. Die Urgeschichte dieses afrikanischen Urvolkes ist noch nicht geschrieben worden, da wir die Urheimat dieses Volkes nicht kennen. 2. Die Urschrift und die Urform dieses altdeutschen Epos ist verloren gegangen. 3. Wer war der Urheber und was war die Ursache dieses Streites zwischen den beiden Nachbarn? 4. Das Urbild für diesen Charakter fand der Dichter in einer spanischen Novelle. 5. Er konnte seine Staatsbürgerschaft nicht beweisen, denn seine Geburtsurkunde war verloren gegangen. 6. Gestern fand in New York die Uraufführung seiner Operette statt. 7. Ich bin der Urenkel meines Urgroßvaters. 8. Der Urmensch lebte in seinem Urzustande wahrscheinlich in den Urwäldern des Nordens.

IV. Masculine nouns with the prefix **erz–**:

der **Erz**bischof, *archbishop*	der **Erz**dieb, *arch thief*

The prefix **erz–**, prefixed to a noun, gives the noun the meaning of *chief, foremost.*

Express in English:

1. Das Erzbistum Mainz und das Erzherzogtum Österreich. 2. Der Erzkanzler und der Erzmarschal von England. 3. Der Erzengel Gabriel und der Erzvater Abraham. 4. Er ist ein Erzbösewicht und ein Erzheuchler. 5. Er ist ein Erzschelm, aber kein Dummkopf.

archbishopric	*patriarch*	*archvillain*
archangel	*archrascal*	*Grand Marshal*
archduchy	*Lord Chancellor*	*archhypocrite*

12 Nouns Adopted From Other Languages

I. Ending in **–e:**

die Adresse — die Adress**en,** *address* die Rasse — die Rass**en,** *race, breed* die Trompete — die Trompet**en,** *trumpet* die Kaserne — die Kasern**en,** *barracks*

Adopted nouns with the ending **–e** are feminine and in the plural take the ending **–en.** The stress is on the next to the last syllable.

die Kathedrale, *cathedral*
die Spirale, *spiral, coil*
die Reklame, *advertisement*
die Pistole, *pistol*
die Kanone, *cannon, gun*
die Zone, *zone*
die Satire, *satyr*
die Methode, *method*
die Ruine, *ruin*
die Masse, *great number*
die Mode, *fashion*
die Maschine, *machine, engine*
die Zitadelle, *citadel, fortress*
die Promenade, *promenade, walk*
die Zentrale, *center*
die Kassette, *cashbox, strongbox*
die Schokolade, *chocolate*
die Kabine, *cabin (in a ship)*
die Messe, *mass, communion*
die Tapete, *wallpaper*

A. *Express in English:*

1. Er nahm eine Pistole aus seiner Kassette. 2. Für die neue Mode wird viel Reklame gemacht. 3. Diese Ruine ist früher einmal eine Kathedrale gewesen. 4. Wir wohnen in der nördlich gemäßigten Zone. 5. Dieser Künstler hat seine eigene Methode des Malens entwickelt. 6. Wir gingen auf der Promenade zur Zitadelle der Stadt hinauf.

B. *Supply the proper nouns in the following sentences:*

1. Wir haben uns auf dem Schiff eine ____ bestellt. 2. Eine Tafel ____ lag auf seinem Schreibtisch. 3. Auf unserer Fahrt den Rhein entlang sahen wir auf beiden Seiten des Flusses viele ____. 4. Zitronen und Apfelsinen wachsen leider nicht in der nördlich kalten ____. 5. Am Tor der Zitadelle standen zwei alte ____ aus dem Bürgerkriege.

Kabine   Zone   Schokolade   Ruine   Kanone

II. Ending in **–sion** or **–tion:**

die Explo**sion** — die Explo**sionen**	die Depres**sion** — die Depres**sionen**
die Kommis**sion** — die Kommis**sionen**	die Profes**sion** — die Profes**sionen**
die Reforma**tion** — die Reforma**tionen**	die Exeku**tion** — die Exeku**tionen**
die Deputa**tion** — die Deputa**tionen**	die Revolu**tion** — die Revolu**tionen**

Adopted nouns ending in **–sion** or **–tion** are feminine nouns and take in plural the ending **–sionen** or **–tionen.**

A. *Read the following nouns in plural:*

die Revision — die Nation
die Portion — die Produktion
die Proportion — die Position
die Expedition — die Zivilisation
die Reparation — die Konjugation
die Division — die Proklamation
die Pension — die Impression
die Rotation — die Rezitation
die Reaktion — die Deputation
die Opposition — die Generation
die Reduktion — die Dekoration
die Delegation — die Konversation

B. *Express in English:*

1. Zwei Deputationen und eine Delegation sind gestern aus Europa in Washington eingetroffen. 2. Alexander von Humboldt unternahm vor mehr als hundert Jahren eine Expedition nach Südamerika und fand dort eine ziemlich hoch entwickelte Zivilisation vor. 3. Seine Familie ist die vierte Generation einer vor langer Zeit aus Deutschland nach hier eingewanderten Familie, und ich hatte mit ihnen eine angenehme, lange Konversation in deutscher Sprache. 4. Zwei starke Explosionen zerstörten den Hafen unserer Stadt. 5. Zwei Proklamationen, eine gegen die Partei der Reaktion und die andere gegen die Partei der Opposition, wurden vom Sprecher des Hauses verlesen.

III. Ending in **–tät:**

die Autori**tät** — Autori**täten,** *authorities*
die Fakul**tät** — Fakul**täten,** *faculties*
die Majes**tät** — Majes**täten,** *majesties*
die Quali**tät** — Quali**täten,** *qualities*

Adopted nouns ending in **–tät** are feminine nouns and take in plural the ending **–täten.**

A. *Read the following nouns in the plural:*

Realität, *reality* die Kapazität, *capacity* Individualität, *individuality*
Quantität, *quantity* Intensität, *intensity* die Universität, *university*

With no plurals are:
die Loyalität, *loyalty* Integrität, *integrity*
die Parität, *parity, equality* die Diät, *diet*

B. *Express in English:*

1. Die Qualität einer Arbeit ist wichtiger als die Quantität. 2. Kapazität für Arbeit fehlt ihm und ebenso Ausdauer und Intensität. 3. Er ist der älteste und an Erfahrung reichste unter uns und hat daher Priorität. 4. Es gibt ausgesprochene Individualitäten in dieser Gruppe von Studenten.

IV. Ending in **–ur:**

die Kult**ur** — Kultur**en,** *cultures*	die Nat**ur** — Natur**en,** *natures*
die Kreat**ur** — Kreatur**en,** *creatures*	die Fig**ur** — Figur**en,** *figures*

Adopted nouns ending in **–ur** are feminine nouns and take in plural the ending **–en.**

Express in English:

1. Ich bin noch mit den Korekturen dieser Arbeiten beschäftigt. 2. Die Partituren dieser Symphonien liegen in einem Museum in Wien. 3. Die Temperaturen schwanken zwischen unter und über Null (*zero*). 4. Er ist ein bekannter Karikaturenzeichner in Berlin. 5. Die Politur meines Pianos hat beim Transport stark gelitten.

die Korrektur, *correction* die Partitur, *full (music) score*
die Karikatur, *caricature* die Politur, *polish, finish*

V. Ending in **–enz (–anz):**

die Resid**enz** — Residenz**en,** *residences*
die Exist**enz** — Existenz**en,** *existences*

die Differ**enz** — Differenz**en,** *differences*
die Audi**enz** — Audienz**en,** *audiences*

Adopted nouns ending in –enz are feminine nouns and take in plural the ending –en.

A. *Read the following nouns in the plural:*

die Korrespondenz	die Distanz	die Intendanz
die Intelligenz	die Konferenz	die Tendenz
die Konkurrenz	die Kompetenz	die Essenz
die Dissonanz	die Konsequenz	die Eleganz
	die Assonanz	

B. *Express in English:*

1. Wir hatten in dieser Woche drei Konferenzen. 2. Es gibt große Differenzen in der Intelligenz der Menschen. 3. Bedenken Sie die Konsequenzen, die aus Ihrer Handlungsweise erwachsen. 4. Zu Anfang hatte er mit einer starken Konkurrenz zu kämpfen. 5. Die Distanzen von hier nach dem Osten und Westen sind sehr groß.

VI. Ending in **–ie:**

die Industr**ie** — Industr**ien,** *industry*
die Akadem**ie** — Akadem**ien,** *academy*

die Phantas**ie** — Phantas**ien,** *imagination*
die Ideolog**ie** — Ideolog**ien,** *ideology*

Adopted nouns ending in –ie are feminine nouns and take in plural the ending –ien.

A. *Read the following nouns in the plural:*

die Orthographie	die Zeremonie	die Apathie	die Elegie
die Photographie	die Garantie	die Galerie	die Energie
die Kategorie	die Batterie	die Parodie	die Kopie
die Symphonie	die Amnestie	die Kalorie	

B. *Express in English:*

1. Er zeigte mir Photographien von verschiedenen Kategorien der Pflanzen. 2. Mit vielen Zeremonien wurde die Königin gekrönt, und sie gewährte eine Amnestie für Staatsverbrecher. 3. Der Verkäufer behielt eine Kopie der Garantie meiner Automobilversicherung. 4. In den Galerien fanden wir die Photographien der Künstler, deren Symphonien bis auf den heutigen Tag viel gespielt werden.

VII. Ending in **–ium** or **–um:**

das Stud**ium** — die Stud**ien,** *studies*
das Muse**um** — die Muse**en,** *museum*

das Präludi**um** — die Präludi**en,** *preludes*
das Jubilä**um** — die Jubilä**en,** *jubilee*

Adopted nouns in **–ium** or **–um** are neuter nouns and take in the plural the ending **–ien** or **–en.***

A. *Read the following nouns in the singular and plural:*

das Moratorium — die Moratorien
das Kriterium — die Kriterien
das Gymnasium — die Gymnasien
das Quantum — die Quanten

das Evangelium — die Evangelien, *Gospel*
das Kollegium — die Kollegien, *board, staff*
das Ministerium — die Ministerien, *cabinet*
das Lyzeum — die Lyzeen, *secondary school*

B. *In the following sentences put the proper noun into the indicated spaces:*

1. Unser Pastor las Teile aus den ___ von Markus und Johannes vor. 2. Wir haben in unserer Stadt für unsere Mädchen zwei ___, für unsere Jungen aber nur ein ___. 3. Das Lehrer___ unseres ___ besteht aus zwölf Lehrern und vierzehn Lehrerinnen. 4. Beide europäische Staaten verlangen von unserm ___ in Washington eine Fristverlängerung, oder ein ___, zur Abzahlung ihrer Schulden.

* BUT NOTE: das Datum, die Daten; das Verbum, die Verben; das Pensum, die Pensen; das Praktikum, Praktika.

VIII. Ending in **–s:**

der Leutnant — die Leutnants	der Clown — die Clowns
das Etui — die Etuis	das Hotel — die Hotels

Nouns from other languages which have a plural in –s retain such plural in German.

A. *Give the plurals of the following nouns:*

der Streik	das Baby	der Klub	das Büro
das Genie	der Lord	das Piano	der Chef
der Park	das Sofa	der Scheck	das Café

B. *Change the following sentences to plural:*

1. Der Chef in diesem Restaurant ist ein wirkliches Genie in der Zubereitung von Speisen. 2. Das gute Beefsteak in dem Bahnhofsrestaurant war für mich eine angenehme Überraschung. 3. Der Streik der Arbeiter; der Kaffee im Café; das Baby und seine Mutter im Park; der Clown im Zirkus.

IX. Ending in **–ett, –ier, –il, –ment:**

das Skel**ett** — die Skelette	das Pap**ier** — die Papiere
das Experi**ment** — die Experimente	das Rept**il** — die Reptile

Adopted nouns with the ending **–ett, –ier, –il, –ment** take in the plural the ending **–e.**

A. *Read in the singular and plural:*

das Kabinett, *(pol.) cabinet*
das Quartier, *quarters*
das Revier, *district*
der Premier, *prime minister*
das Krokodil, *crocodile*
das Parlament, *parliament*
das Instrument, *instrument*
das Stilett, *stiletto*
das Visier, *visor*
der Kurier, *courier*
das Brevier, *breviary*
das Profil, *profile*
der Moment, *moment*
das Pergament, *parchment*
das Terzett, *(mus.) trio*
das Testament, *testament*
der Passagier, *passenger*
das Fossil, *fossil*
das Ventil, *valve*
das Fundament, *foundation*
das Kompliment, *complement*

B. *Express in English:*

1. Warten Sie, bitte, einen Moment. 2. Keine Komplimente, meine Herren! Bitte kommen Sie zur Sache! 3. Die Kabinette in Frankreich und England arbeiteten das Gesetz aus; es wurde von den beiden Parlamenten angenommen. 4. Die Fundamente der Häuser in der Stadt haben durch die vielen Erdbeben gelitten. 5. Mir fehlen ein paar Instrumente, ich kann diese beiden wichtigen Experimente nicht zu Ende bringen. 6. Unser Premier bezog mit seinem Kabinett neue Quartiere in der Stadt.

C. *Add a prefix to the following nouns and use the nouns to give them the English meaning shown in italics and use the nouns in a short German sentence:*

die Ordnung, *disorder*
die Schuld, *innocence*
der Engel, *archangel*
die Heimat, *original home*
die Geschichte, *earliest history*
die Aufführung, *first performance*
der Sinn, *nonsense*
der Glaube, *disbelief*
der Herzog, *archduke*
der Bischof, *archbishop*
der Wald, *forest primeval*
die Treue, *faithlessness*
die Zahl, *countless number*
der Bösewicht, *archvillain*

un–, ur–, erz–

D. *Derive nouns from the following verbs in* **–ieren** *and use them in short German sentences:*

experimentieren
instrumentieren
exportieren
kritisieren
musizieren
komplimentieren
kommandieren
spekulieren
reparieren
datieren
photographieren
phantasieren
konkurieren
existieren
telefonieren
garantieren
amnestieren
autorisieren
regieren
studieren

13 *The Accusative Case*

DIRECT OBJECT

Herr Braun fragt	**den Lehrer.**
Er liebt	**seinen Sohn.**
Der Student schreibt	**die Aufgabe.**
Er besucht	**seine Mutter.**
Der Lehrer schließt	**das Fenster.**
Er liest	**ein Gedicht.**

The accusative case is used as direct object of transitive verbs. It corresponds to the objective case in English.

A. *In the following sentences indicate: 1) each subject (S); 2) each direct object (O):*

1. Ich werde diese Rechnung nicht bezahlen. 2. Die Enkel besuchten ihren Großvater. 3. Wir haben diese Geschichte noch nicht gelesen. 4. Jenen Ring habe ich von meinem Freunde bekommen. 5. Haben Sie gestern auch den Lärm auf der Straße gehört? 6. Haben Sie auf Ihrer Deutschlandreise auch den Rhein gesehen? 7. Unsere geplante Reise haben wir aufgeben müssen. 8. Dieses Gedicht hat Goethe sicherlich nicht geschrieben. 9. Deine Hilfe kann ich jetzt nicht mehr gebrauchen. 10. Eine Zeitung hat er schon lange nicht mehr gelesen.

B. *Rewrite the following sentences in German and list the direct object in each:*

1. The children were visiting their parents. 2. He will close the door. 3. I shall read the story. 4. Did you see the boy? 5. Please write me a letter, Mr. Smith. 6. Yesterday she wrote her first poem. 7. We are taking the book and are reading our lesson. 8. I saw the teacher yesterday for the first time. 9. They had already sung the song twice. 10. Why don't you answer my question? 11. We don't like to read short stories.

C. *Note the double accusative object:*

1. Alle Welt nennt ihn einen Narren. 2. Den Monat Mai heißen wir den Frühlingsmonat. 3. Wer hat dich das gelehrt? 4. Die Klugheit lehrt mich Verschwiegenheit.

14 The Accusative After Certain Prepositions

	PREPOSITION	ACCUSATIVE
Die Kinder gingen	**durch**	den Wald.
Ich kaufe das Buch	**für**	einen Freund.
Er stellt den Stuhl	**gegen**	die Wand.
Er kommt zur Schule	**ohne**	seine Schularbeit.
Die Kinder laufen	**um**	das Haus.
Es ist	**wider**	die Regel.

The following prepositions always govern the accusative case: **durch,** *through;* **für,** *for;* **gegen,** *against, contrary to, in opposition to, toward;* **ohne,** *without;* **um,** *about, around;* **wider,** *contrary to, in opposition to, against.*

A. *Restate the following sentences in German, supplying the correct form of the missing definite and the indefinite articles:*

1. Die Kinder liefen durch ___ Haus, durch ___ Scheune, durch ___ Garten. 2. Er schrieb das Gedicht für ___ Lehrer, für ___ Freundin, für ___ Mädchen. 3. Er rannte sein Auto gegen ___ Baum, gegen ___ Hausecke, gegen ___ Zaun. 4. Sie kam zur Schule ohne ___ Buch, ohne ___ Füllfeder, ohne ___ Bleistift. 5. Wir fuhren um ___ Stadt, um ___ See, um ___ Berg. 6. Er handelte wider ___ Regel, wider ___ Verabredung, wider ___ Gesetz.

B. *Restate the following sentences in German, supplying the correct form of the missing endings:*

1. Ohne mein___ Hilfe ist er verloren. 2. Du kannst nicht gegen d___ Strom schwimmen. 3. Ich habe ein Geschenk für mein___ kleine Schwester gekauft. 4. Das ist wider unser___ Verabredung. 5. Was hast du gegen dies___ Kind? 6. Du kämpfst gegen ein___ stärkeren Gegner. 7. Kümmere dich nicht um d___ dumme Sache. 8. Er ging dreimal um d___ Auto herum. 9. Ohne d___ Richtung zu verlieren. 10. Ohne ein___ Pfennig in der Tasche. 11. Unser Weg führte um d___ Stadt herum. 12. Ich stieß gegen ein___ Stein und fiel hin. 13. Es geschah ohne mein___ Absicht. 14. Der Ball flog gegen sein___ Stirn. 15. Er zeigte ein Lächeln

um sein___ Mund. 16. Ein Land ohne ein___ einzigen Berg und ein___ einzigen See. 17. Für dein___ Fleiß und dein___ Treue wirst du belohnt. 18. Er verlor seine Stellung durch sein___ eigene Schuld.

C. *Rewrite the following phrases and sentences in German:*

1. Through the door; through the window; through the chimney. 2. For his father; for his mother; for his child. 3. Against the wall; against the table; against the window. 4. Around the field; around the garden; around the tree. 5. Without her hat; without her work; without her notebook. 6. Contrary to my will; contrary to the agreement; contrary to our plans. 7. We took the road through the forest. 8. I shall buy a gift for my mother. 9. That is contrary to the wishes of my parents. 10. He never does anything contrary to his conviction. 11. Many people were standing around the house. 12. I cannot read without my glasses. 13. One (*Man*) never sees him without an umbrella. 14. What have you against this man? 15. He came without his friend. 16. I am saving money for my son and my daughter. 17. What did you pay for this knife? 18. Did you come through the garden?

D. *Rewrite the following phrases in English:*

1. Durch (*throughout*) Europa. 2. Durch manches Jahr. 3. Durch (*by*) Fleiß und Aufmerksamkeit. 4. Das ist kein Buch für dich! 5. Der Sinn für (*of*) Recht und Unrecht. 6. Sie hielten mich (*took me*) für einen Spion. 7. Für ihr Alter ist sie sehr klein. 8. Es ist gegen (*contrary to*) alle Vernunft. 9. Er kam gegen (*at about*) sechs Uhr. 10. Der Krieg gegen (*against*) Spanien. 11. Er ging ohne (*without*) uns ins Theater. 12. Er ist gegenwärtig ohne (*without a*) Stellung. 13. Es war ums (*about the*) Jahr 1273. 14. Sie spielten um (*for*) Geld. 15. Auge um (*for an*) Auge, Zahn um Zahn. 16. Er schreit um (*for*) Hilfe.

15 *The Accusative in Phrases Answering "Wohin?"*

	PREPOSITION	ACCUSATIVE
Der Lehrer kommt	**in**	das Zimmer.
Er geht	**an**	den Tisch.
Er legt sein Buch	**auf**	den Tisch.
Er stellt den Stuhl	**hinter**	den Tisch.
Er tritt	**vor**	die Klasse.

In phrases in which motion towards a place is expressed, the accusative case follows the prepositions: **an,** *at, to, up against;* **auf,** *on, upon, for, to;* **hinter,** *behind;* **in,** *in, into;* **neben,** *beside;* **über,** *above, over, across, about;* **unter,** *under, among;* **vor,** *before, in front of;* **zwischen,** *between.* The accusative answers the German question **wohin?** *to what place? whither?*

A. *Restate the following sentences in German, supplying the correct forms of the missing definite article:*

1. Wir gehen an ___ See, an ___ Ufer, an ___ Grenze. 2. Der Vogel fliegt auf ___ Baum, auf ___ Dach, auf ___ Schornstein. 3. Er geht hinter ___ Tisch, läuft hinter ___ Haus, setzt sich hinter ___ Freund. 4. Die Kinder laufen in ___ Garten, fallen in ___ Wasser, stecken das Geld in ___ Tasche. 5. Ich setze mich neben ___ Fenster, stelle mich neben ___ Lehrer, stelle mich neben ___ Mutter. 6. Er hängt das Bild über ___ Tür, geht über ___ Feld, fährt über ___ See. 7. Das Kind setzt sich unter ___ Baum, legt den Brief unter ___ Buch, wirft das Papier unter ___ Tisch. 8. Er geht vor ___ Haus, geht vor ___ Tür, spannt die Pferde vor ___ Wagen. 9. Sie setzte sich zwischen ___ Vater und ___ Mutter. 10. Wenn der Mond zwischen — Sonne und ___ Erde tritt, haben wir eine Sonnenfinsternis.

B. *Restate the following sentences in German, supplying the correct forms of the missing endings:*

1. Er hängt das Bild an d___ Wand, über d___ Wandtafel. 2. Wir gehen in d___ Garten, hinter d___ Haus. 3. Im nächsten Jahr

ziehen wir in d___ Stadt. 4. Ich setze mich neben d___ kleinen Knaben. 5. Der Oberst führte sein Regiment in d___ Schlacht. 6. Wir bauen unser neues Haus rechts neben d___ Kirche. 7. Schreibe deinen Namen in d___ Buch. 8. Wir kamen an d___ Haus. 9. Gestern sind unsere Großeltern zu uns in d___ Stadt gekommen. 10. Stelle den Papierkorb unter d___ Tisch. 11. Heute ist ein Flugzeug über unser___ Stadt geflogen. 12. Er ist über das Feld in d___ Wald gelaufen. 13. Er stellt sich zwischen mein___ Bruder und mein___ Schwester. 14. Der Mann trat vor d___ große Haustür. 15. Er steckte das Geld in sein___ Tasche. 16. Wir setzten uns unter d___ Baum, in d___ Schatten. 17. Es ist kalt, setze dich an d___ Feuer. 18. Schreibe die Adresse auf d___ Umschlag. 19. Stecke den Brief in d___ Briefkasten. 20. Das Kind fiel in d___ Fluß.

C. *Rewrite the following sentences in German:*

1. He is going to the blackboard. 2. He puts (*legen*) his book on the table. 3. I sat down beside my father. 4. He swam across the river. 5. He ran under a tree. 6. I walked up to the window. 7. He wants to jump over the ditch. 8. Carry the newspaper into the house. 9. Take (*bringen*) this letter to (*auf*) the post office. 10. She went to (*auf*) the market. 11. I went up into my room. 12. I put my overcoat on a chair. 13. Put (*stellen*) the chair behind the door. 14. He sat down between my father and my brother. 15. We rowed over the lake. 16. She put (*stecken*) a ring on her finger.

D. *Rewrite the following sentences in English:*

1. Gehen Sie ans (*to the*) Fenster. 2. Er setzte sich auf (*on*) meinen Stuhl. 3. Er steckte einen Ring an (*put on*) ihren Finger. 4. Wir hofften und warteten auf (*for*) besseres Wetter. 5. Ich bin nur auf (*for a*) kurze Zeit hier. 6. Bitte, sagen Sie das auf (*in*) Deutsch. 7. Sie ist stolz auf (*proud of*) ihre Tochter. 8. Er sprang von der Brücke in (*into*) den Fluß und ertrank. 9. Er steckte die Hand in (*into*) die Tasche. 10. Ich setzte mich neben (*sat down beside*) sie. 11. Wir müssen über (*over*) diese Brücke gehen. 12. Er brachte Sorgen und Elend über (*over*) die Welt. 13. Er warf das Buch unter (*under*) den Tisch. 14. Sie trat vor (*before*) ihren Spiegel. 15. Der Spiegel hing an (*at*) der Wand, zwischen (*between*) zwei großen Fenstern ihres Zimmers.

16 The Dative Case as the Indirect Object

	INDIRECT OBJECT	DIRECT OBJECT
Der Schüler zeigt	**dem Lehrer**	seine Arbeit.
Er schreibt	**der Mutter**	einen Brief.
Er gibt	**dem Kind**	ein Geschenk.
Er zeigt	**mir**	seine Füllfeder.
Ich gebe	**dir**	mein Messer.
Er kauft	**ihm**	eine Uhr.

≡ The dative case is used to express the indirect object.*

A. *Restate the following sentences in German, supplying the correct forms of the missing endings:*

1. Karl gibt d___ Schwester ein___ Bleistift. 2. Er bringt d___ Lehrerin d___ Buch. 3. Wir zeigen unser___ Freundin d___ Stadt. 4. Karl sagt sein___ Vater ‚Gute Nacht'. 5. Der Lehrer gibt d___ Klasse kein___ Schularbeit. 6. Der Vater kauft sein___ Tochter ein___ Uhr. 7. Sage d___ Mann dein___ Namen! 8. Er gab sein___ Lehrer kein___ Antwort. 9. Ich habe d___ Kind dies___ Bilderbuch gekauft. 10. Der Lehrer erklärt sein___ Schülern d___ Aufgabe. 11. Sie gab d___ Bettlern d___ Geld. 12. Sie erzählt d___ Kindern ein Märchen.

B. *Restate the following sentences in German, expressing the direct object by a personal pronoun:*

1. Geben Sie mir das Geld! 2. Bringe deinem Vater die Zeitung! 3. Sag mir deinen Namen! 4. Ich habe ihr die Blumen geschickt. 5. Vater hat mir diese Uhr zum Geburtstag geschenkt. 6. Öffne jedem Armen deine Tür!

C. *Answer the following questions:*

1. Wem hilft die Tochter? 2. Wem dient der Beamte? 3. Wem gehorchen die Kinder? 4. Wem folgt der Hund? 5. Wem gehört das Buch? 6. Wem antwortet das Kind? 7. Wem nützt die Medizin? 8. Wem dankt der Kranke nach seiner Heilung?

1. *die Mutter*	3. *die Eltern*	5. *meine Schwester*	7. *der Kranke*
2. *der Staat*	4. *sein Herr*	6. *seine Lehrerin*	8. *sein Arzt*

* See section on word order, page 216.

17 *The Dative as Sole Object*

	VERB	OBJECT
Der Schüler	**antwortet**	**dem Lehrer.**
Der Sohn	**dankt**	**seiner Mutter.**
Der Lehrer	**hilft**	**dem Kind.**

The dative case is used as sole object after certain verbs, the most common of which are: **antworten,** *to answer;* **begegnen,** *to meet;* **danken,** *to thank;* **dienen,** *to serve;* **drohen,** *to threaten;* **folgen,** *to follow;* **gefallen,** *to like, please;* **gehorchen,** *to obey;* **gehören,** *to belong to;* **gelingen,** *to succeed;* **glauben,** *to believe;* **helfen,** *to help;* **sich nähern,** *to approach;* **schaden,** *to harm, hurt.*

A. *Rewrite the following sentences in German:*

1. I do not believe the man. 2. I help mother. 3. The dog does not obey his master. 4. This hat does not belong to me. 5. I do not succeed in my work. 6. I do not like this story. 7. We are approaching the village. 8. I met him yesterday on (*auf*) the street. 9. How did you like the book? 10. I thank you for your advice. 11. We followed him into the house. 12. I asked (*stellen*) him a question, but he did not answer me. 13. To whom does this money belong? 14. He has served his master faithfully. 15. He threatened him with blows. 16. That will harm your health.

B. *Rewrite the following sentences in German:*

1. I showed the man the picture. 2. I showed it to him. 3. I shall give the lady the book. 4. I shall give it to her. 5. I gave it to her son. 6. I told it to my brother. 7. Paul, give your brother the watch. 8. Show the teacher the lesson. 9. Paul sends his father a letter. 10. Please bring me my breakfast. 11. He showed us his house. 12. Who gave you the money? 13. I gave him the permission. 14. He gave the flowers to my mother. 15. He gave them to my mother. 16. I gave them to her.

18 *The Dative After Certain Prepositions*

	PREPOSITION	DATIVE
Die Kinder kommen	**aus**	**der Schule.**
Der Garten liegt	**bei**	**dem Haus.**
Er schreibt	**mit**	**einem Bleistift.**
Wir gehen	**zu**	**unserm Onkel.**

The following prepositions always govern the dative: **aus,** *from, out of;* **bei,** *by, at, near, at the home of;* **mit,** *with;* **nach,** *to, for, after, toward, according to;* **seit,** *since;* **von,** *of, from, about;* **zu,** *to, at.*

A. *Restate the following sentences in German, supplying the correct forms of the definite article:*

1. Karl liest aus ___ Buch; er kommt aus ___ Stadt; er holt Blumen aus ___ Garten. 2. Karl wohnt bei ___ Mutter; er ist bei ___ Herrn Schmidt; der Bleistift liegt bei ___ Büchern. 3. Karl sprach mit ___ Bauer; er sprach mit ___ Kindern; er schreibt mit ___ Füllfeder. 4. Karl fragt nach ___ Freund; er arbeitet nach ___ Schule; er kommt nach ___ Abendessen. 5. Karl hat seit ___ Zeit nicht geschrieben; er ist seit ___ letzten Kriege krank. 6. Karl erhielt Erlaubnis von ___ Vater; er wohnt nicht weit von ___ Kirche; er spricht von ___ Reise. 7. Karl geht zu ___ Arzt; er spricht zu ___ Schülerin; er kommt zu ___ Kaufmann.

B. *Restate the following sentences in German, supplying the correct forms of the missing endings:*

1. Sie reist mit ihr___ Mutter nach Deutschland. 2. Nach d___ Frühstück gehe ich an meine Arbeit. 3. Was willst du von mein___ Vater? 4. Man trinkt Milch aus ein___ Glas. 5. Seit d___ Kriege habe ich ihn nicht gesehen. 6. Er wohnt bei sein___ Eltern. 7. Das Kind hat mit d___ Ball gespielt. 8. Man ißt Suppe mit ein___ Löffel. 9. Er ist seit ein___ Woche krank. 10. Ich erhielt einen Brief von mein___ Freundin. 11. Nach d___ Regen schien die Sonne. 12. Wir gehen zu unser___ Onkel aufs Land.

C. *Rewrite the following sentences in German:*

1. He comes out of the house. 2. The school is (*stehen*) near the church. 3. We play after school. 4. I have not seen him since that day. 5. He is going to the doctor with his sister. 6. He is talking about his business. 7. Today I am going to my brother. 8. I see from (*aus*) your letter that you are happy. 9. He is carrying it out of the room. 10. After breakfast I'll take a walk. 11. I took him by the hand. 12. He rests after dinner. 13. He spoke of the flowers which he had sent. 14. I received a letter from my father. 15. We sent for the doctor. 16. She called him by his name.

D. *Rewrite the following phrases and sentences in English:*

1. Er kommt aus (*from*) Deutschland. 2. Es ist eine Zeile aus (*from a*) einem Gedicht. 3. Er kam aus (*from*) der Kirche. 4. Ich weiß das aus (*from*) Erfahrung. 5. Ein Märchen aus (*of*) alten Zeiten. 6. Ein Ganzes besteht aus (*consists of*) seinen Teilen. 7. Entschuldigen Sie, bitte, es geschah aus (*by*) Versehen. 8. Ich rufe ihn bei (*by*) seinem Namen. 9. Ich wohne bei (*with*) meinem Bruder. 10. Die Stadt Boulder ist bei (*near*) Denver. 11. Er arbeitete mit (*with*) großem Fleiß. 12. Er nahm es mir mit (*by*) Gewalt fort. 13. Er tat es mit (*on*) Absicht. 14. Ich reise von (*from*) Frankfurt nach (*to*) Berlin. 15. Er verlangte nach (*asked for*) einem Arzt. 16. Er fragte nach (*for*) dem Preis. 17. Das ist nicht nach (*not to*) meinem Geschmack. 18. Einer nach (*after*) dem andern. 19. Der erste Sonntag nach (*after*) Ostern. 20. Er ist von Geburt (*by birth*) Engländer. 21. Er wird von (*by*) allen Menschen gelobt. 22. Was denken Sie von (*of*) diesem Mann? 23. Die Entdeckung von (*of*) Amerika. 24. Er geht zu (*to*) seinem Nachbar. 25. Der Krieg ging zu (*drew to an*) Ende. 26. Vater ist nicht zu (*at*) Hause. 27. Dieser Garten gehört zu (*belongs to*) unserm Haus. 28. Wollen Sie Kaffee zum (*for*) Frühstück?

19 The Dative in Phrases Answering "Wo?"

	PREPOSITION	DATIVE
Das Bild hängt	**an**	**der Wand.**
Das Heft liegt	**auf**	**dem Tisch.**
Das Auto steht	**vor**	**dem Haus.**
Mein Freund sitzt	**neben**	**mir.**
Dein Vater steht	**hinter**	**dir.**

When the verb in the sentence denotes locality or position, the dative case follows the prepositions: **an, auf, hinter, in, neben, über, unter, vor, zwischen.** The dative answers the German question **wo?** *where?* *

A. *Restate the following sentences in German, supplying the correct forms of the definite article:*

1. Der Schüler steht an d___ Wandtafel, an d___ Fenster, an d___ Tür. 2. Die Zeitung liegt auf d___ Tisch, auf d___ Bank, auf d___ Fußboden. 3. Der Garten liegt hinter d___ Haus; die Bank steht hinter d___ Baum; der See liegt hinter d___ Wäldern. 4. Die Kinder sind in d___ Schule; Mutter arbeitet in d___ Küche; Vater ist in d___ Stadt. 5. Er ging links neben d___ Mädchen; er saß rechts neben d___ Lehrerin; er sang in d___ Kirche. 6. Nebel lag über d___ Feldern; der Mond stand über d___ Bäumen; Dunkel lag über d___ Erde. 7. Das Heft liegt unter d___ Buch; der Hund liegt unter d___ Stuhl; die Uhr hängt unter d___ Bild. 8. Er sitzt vor d___ Lampe; die Kinder spielten vor d___ Haus; er stand vor d___ Klasse. 9. Er sitzt zwischen d___ Herrn Schmidt und d___ Fräulein Braun; er fand den Brief zwischen d___ Blättern eines alten Buches.

B. *Restate the following sentences in German, supplying the correct forms of the missing endings:*

1. Das Wort steht an d___ Wandtafel. 2. Das Essen steht auf d___ Tisch. 3. Ich hörte ihn in sein___ Zimmer auf und ab gehen. 4. Es ist an dies___ Stelle gewesen, wo ich mein Messer verloren

* See page 118.

habe. 5. In dein___ Schularbeit sind fünf Fehler. 6. Er trägt seine Bücher unter sein___ linken Arm. 7. Schlechte Soldaten fliehen vor d___ Feind. 8. Er starb vor ein___ Jahr. 9. Ich wartete zwei Stunden auf d___ Bahnhof. 10. Er ist unter d___ Namen Krösus überall bekannt. 11. Unter dies___ Bedingung kann ich dir das Geld leihen. 12. Hier bin ich sicher vor d___ Gefahr. 13. Er sitzt an sein___ Tisch und arbeitet. 14. Der Hund liegt an d___ Kette. 15. Mutter war auf d___ Markt. 16. Er studiert auf d___ Universität.

C. *Rewrite the following sentences in German:*

1. Your fountain pen is lying on the table. 2. The children are playing behind the house. 3. Read the word on the blackboard. 4. What have you in your hand? 5. We are standing at the window. 6. They are sitting under a tree. 7. Does he sit at or on the table? 8. He has no respect for the law. 9. Mother is in her room. 10. After school I have to go home. 11. On that day we all stayed at home. 12. A fish was swimming in the brook. 13. An eagle was circling over the lake. 14. He was sitting beside me. 15. I was afraid of him. 16. He is sitting between her and me.

NOTE

Many prepositions form contractions with the dative and accusative of the definite article:

im	= **in dem**	: im Garten, im Dorf, im Frühling
ins	= **in das**	: ins Wasser, ins Konzert, ins Geschäft
am	= **an dem**	: am Arm, am Fluß, am Bach
ans	= **an das**	: ans Ufer, ans Wasser, ans Schiff
aufs	= **auf das**	: aufs Feld, aufs Land, aufs Dach
fürs	= **für das**	: fürs Geld, fürs Kind, fürs Haus
übers	= **über das**	: übers Haus, übers Feuer, übers Jahr
vom	= **von dem**	: vom Feld, vom Himmel, vom Vater
beim	= **bei dem**	: beim Arzt, beim Spiel, beim Essen
zum	= **zu dem**	: zum Herrn, zum Glück, zum Beispiel
zur	= **zu der**	: zur Stadt, zur Schule, zur Post

20 The Genitive Expressing Possession

	GENITIVE
Wir zogen in das Haus	**meines Großvaters.**
Wir bewunderten den Gesang	**der Künstlerin.**
Der 31. Dezember ist der letzte Tag	**des Jahres.**

The genitive case corresponds to the English possessive, or to the objective case preceded by *of*, which denotes possession in English.

A. *Restate the following sentences in German, supplying the correct forms of the missing endings:*

1. Das Ufer d___ See___; der Inhalt d___ Buch___; die Blätter d___ Pflanze; die Mutter d___ Kind___. 2. Der Rest sein___ Geld___; der Schein ein___ brennenden Kerze; die Tage ein___ langen Winter___; die Spitze ein___ hohen Berg___; die Häuser ein___ kleinen Stadt. 3. Das Ende dies___ interessanten Geschichte; der Tod jen___ alten Mann___; der Morgen dies___ schönen Tag___. 4. Die Arbeit dies___ fleißigen Student___; das Betragen jen___ sonderbaren Mensch___; das Regiment jen___ jungen Soldat___; die Stimme dies___ kleinen Knabe___.

B. *Form the Genitive:*

EXAMPLE: Das Buch gehört dem Lehrer; *das ist das Buch des Lehrers.*
Seine Mutter hatte einen Bruder; *das ist der Bruder seiner Mutter.*

1. Das Auto gehört meinem Onkel. 2. Die Zigarren gehören meinem Großvater. 3. Die Kinder haben eine Lehrerin. 4. Der Radioapparat gehört meinen Brüdern. 5. Unser Nachbar hat ein Geschäft am Marktplatz der Stadt. 6. Diese Häuser in unserer Straße haben Gärten.

C. *Rewrite the following sentences in German:*

1. The master of the house. 2. The parents of my mother. 3. The child's table. 4. In father's room. 5. Tomorrow is my sister's birthday. 6. The parents of those children are very poor. 7. The streets of our city are wide. 8. He wanted half (*die Hälfte*) of the money. 9. The king of the country had died.

21 The Genitive After Certain Prepositions

	PREPOSITION	GENITIVE
Das Haus lag	**diesseits**	**des Sees.**
Er wohnt	**außerhalb**	**der Stadt.**
Er besuchte seine Eltern	**während**	**der Ferien.**

The genitive case is used as the object of certain prepositions, the most common of which are: **außerhalb**, *outside of;* **innerhalb**, *inside of, within;* **oberhalb**, *above;* **unterhalb**, *below;* **diesseits**, *on this side of;* **jenseits**, *on the other side of;* **anstatt** or **statt**, *instead of;* **trotz**, *in spite of;* **während**, *during;* **wegen**, *because of, on account of.*

A. *Restate the following sentences in German, supplying the correct forms of the missing endings:*

1. Während d___ Sommer___ gehe ich zu meinem Großvater aufs Land. 2. Während d___ Tag___ ist er viel außerhalb sein___ Haus___ in seinem Garten. 3. Während d___ Vormittag___ bin ich in der Schule. 4. Trotz sein___ Alter___ arbeitet er jeden Tag im Garten. 5. Unser Dorf liegt jenseits d___ Wald___ an einem kleinen Bach. 6. Unser Haus steht innerhalb ein___ Garten___. 7. Wir können nicht kommen wegen d___ großen Kälte, wegen d___ vielen Arbeit, wegen d___ Krankheit der Mutter. 8. Sie kamen trotz d___ großen Hitze, trotz d___ starken Regen___, trotz d___ schweren Gewitter___. 9. Statt d___ Vater___ kam meine Schwester.

B. *Rewrite the following sentences in German:*

1. Do you live on this side or on the other side of the city? 2. I am living on the other side of the river, outside the city. 3. Within a week we shall be on the other side of the ocean. 4. On account of his sickness he has to live in the South. 5. During the winter we shall go often to the theater. 6. Are you going to school in spite of the rain? 7. Because of the snow we cannot go to school. 8. During the evenings father is always working. 9. Instead of our uncle our aunt will visit us. 10. Within an hour I shall have finished my homework. 11. During the summer we stay in the country. 12. On account of the bad weather he is not coming.

22 The Genitive Used Adverbially

Ich traf ihn	**eines Tages**	zufällig auf der Straße.
Ich ging	**eines Abends**	im Park spazieren.
Ich mache	**abends**	meine Schularbeiten.
Er war	**glücklicherweise**	nicht schwer verletzt.
Rauchen ist hier	**jedenfalls**	nicht gestattet.

1. The genitive case is used adverbially to express indefinite time and the time of usual or customary action: **eines Tages,** *one (some) day;* **morgens,** *in the morning, mornings;* **nachts,** *at night;* **sonntags,** *on Sunday;* **vormittags,** *during the forenoon;* **mittags,** *at noon;* etc. 2. The genitive of certain nouns, either alone or with an adjective, is also used to form adverbial expressions.

A. *Rewrite the following sentences in German:*

1. During the forenoon I am always in school. 2. During the afternoon I like to play football. 3. On Sunday I go to church. 4. She studies evenings. 5. One day he came up to my room. 6. I take a walk in the evening. 7. Some day he will be a famous man. 8. One evening he visited me. 9. Do you sleep well at night? 10. The representatives assembled at noon.

B. *Rewrite the following sentences in English:*

1. Ich ging geradewegs vom Theater nach Hause. 2. Allen Ernstes riet er mir, das Studium aufzugeben. 3. Er hörte die Nachricht und verließ schnellen Schrittes den Hörsaal. 4. Keinesfalls darfst du heute abend ausgehen. 5. Karl ist möglicherweise schon gestern abgereist.

geradewegs, *straightway*
allen Ernstes, *in all seriousness*
schnellen Schrittes, *with swift steps (hastily)*
keinesfalls, *by no means*
möglicherweise, *possibly*

23 The Partitive Genitive

ein Stück Brot, *a piece of bread*
ein Pfund Butter, *a pound of butter*
die Stadt Bonn, *the city of Bonn*

eine Flasche Wein, *a bottle of wine*
zwei Meter Tuch, *two meters of cloth*
die Insel Formosa, *the island of Formosa*

1. After nouns denoting quantity (measure, weight, number), the noun denoting what is measured or numbered, is added without any termination of case and without preposition.* 2. Names of countries, islands, towns, villages, etc., and also of the months are also connected with their generic names without any termination of case and preposition.

A. *Rewrite in German:*

1. A dozen eggs. 2. A regiment of soldiers. 3. Three pounds of sugar. 4. A glass of water. 5. An acre of land. 6. A cup of tea. 7. A carton of writing paper. 8. A kilogram of nails. 9. A barrel of herrings. 10. A liter of alcohol.

B. *Rewrite in German, using the preposition* **von:**

1. Eine Anzahl Kinder spielte auf der Straße. 2. Ein Haufen Bücher lag auf seinem Tisch. 3. Eine Menge Leute stand vor seinem Haus. 4. Eine Herde Schafe weidete auf der Wiese. 5. Eine Gruppe Freunde kam zu Besuch. 6. Eine Herde Gänse ging vor uns über die Straße.

C. *Rewrite in English, using the preposition* of:

1. Die Stadt Berlin. 2. Die Festung Metz. 3. Das Dorf Germelshausen. 4. Die Bundesrepublik Westdeutschland. 5. Die Insel Helgoland. 6. Die Stadt New Orleans. 7. Die Universitäten Bonn und Heidelberg. 8. Die Monate Juni und Juli.

* After nouns denoting indefinite number, the preposition **von** may also be used. The following group of numerical adjectives always have plural meaning:

alle, *all*	**viele,** *many*	**einige,** *some*
wenige, *a few*	**mehrere,** *several*	**manche,** *many a*

24 Declension of Proper Names and Titles

I.

N.	Ulrich	Ute	Schiller	Goethe
G.	Ulrichs	Utes	Schillers	Goethes
D.	(dem) Ulrich	(der) Ute	Schiller	Goethe
A.	(den) Ulrich	(die) Ute	Schiller	Goethe

N.	Gustav Adolf	Maria Theresia	Alexander von Humboldt
G.	Gustav Adolfs	Maria Theresias	Alexander von Humboldts

1. Proper names of persons, when not preceded by an article or a pronoun, form the genitive by adding the ending –s. 2. Combined names are treated as one word. 3. In the dative and accusative proper names remain unchanged.

EXAMPLES: Ulrichs Arbeiten. Utes Bruder. Schillers Dramen. Goethes Gedichte. Gustav Adolfs Armee. Maria Theresias Länder. Friedrich Schillers Werke. Alexander von Humboldts Reisen.

II.

N.	Luise	Friedericke	Marie	Luise Henriette
G.	Luises	Friederickes	Maries	Luise Henriettes

Feminine proper names ending in –e, formerly took in the genitive the ending –ens. Now they take just –s.

EXAMPLES: Auf dem Tisch fanden wir Luisens Briefe. Friederickens Kinder starben alle in jungen Jahren. Mariens Eltern waren mir wohl bekannt. Luise Henriettens Freundinnen waren immer willkommene Gäste in unserm Hause.

III.

N.	Franz	Max	Voß	Herkules
FORMERLY :	Franz**ens**	Max**ens**	Voss**ens**	Herkuless**ens**
G. NOW :	Franz'	Max'	Voß'	Herkules'
:	des Franz	des Max	des Voß	des Herkules
:	von Franz	von Max	von Voß	von Herkules

Masculine proper names ending in **–s, –ß, –sch, –z, –x** formerly took in genitive the ending **–ens**. Present-day usage, however, marks the genitive either by the help of an apostrophe, or of the article, or, if possible, uses the preposition **von** instead of the genitive.

EXAMPLES: Der Bruder des Max (Max' Bruder) ist älter als ich. Der Tod des Herkules (Herkules' Tod) ist mehrmals eingehend beschrieben worden. Die Arbeit des Franz (die Arbeit von Franz) ist die bessere Arbeit. Das Leben von Voß (das Leben des Voß, Voß' Leben) hat Franz in seiner Arbeit nicht berührt.

IV.

N.	der Friedrich	der arme Heinrich	dieser Karl	unsere Marie
G.	des Friedrich	des armen Heinrich	dieses Karl	unserer Marie
D.	dem Friedrich	dem armen Heinrich	diesem Karl	unserer Marie
A.	den Friedrich	den armen Heinrich	diesen Karl	unsere Marie

When preceded by an article or an adjective, proper names of persons remain uninflected throughout the singular.

EXAMPLES: Welchen Friedrich meinst du? Meinst du den Friedrich von Preußen? Dieser Friedrich war mit dem vorher genannten Karl von Schweden verwandt. „Der arme Heinrich" ist eine Dichtung von Hartmann von Aue. Hartmann von Aue hat „den armen Heinrich" geschrieben, und Werner der Gärtner den „Meyer Helmbrecht." Fritz brachte der Marie ein Geschenk, hatte aber keins für die Luise.

V.

N.	der Maler Friedrich Richter	der Dichter Eduard Mörike
G.	des Malers Friedrich Richter	des Dichters Eduard Mörike
D.	dem Maler Friedrich Richter	dem Dichter Eduard Mörike
A.	den Maler Friedrich Richter	den Dichter Eduard Mörike

When preceded by a noun (but not by a pronoun!) proper names generally take the article.

EXAMPLES:

die Königin Elisabeth	der Königin Elisabeth
der Graf Luckner	des Grafen Luckner
der Kaiser Karl	des Kaisers Karl
mein Freund Eduard	meines Freundes Eduard
unser Onkel Heinrich	unseres Onkels Heinrich
der Herr Leibniz	des Herrn Leibniz
die Frau Schnitzler	der Frau Schnitzler

VI.

N.	Kaiser Karl der Große	Königin Elisabeth	Professor Dr. Roth
G.	Kaiser Karls des Großen	Königin Elisabeths	Professor Dr. Roths
N.	General von Waldersee	Mutter Heiser	Fräulein Schmidt
G.	General von Waldersees	Mutter Heisers	Fräulein Schmidts

Titles, expressions of relations, as **Frau, Fräulein, Onkel,** etc., may precede a proper name without article or pronoun. In this case, the proper name is inflected, but the appositive noun remains uninflected.

EXCEPTION, **der Herr:** Der Herr Frank, des Herrn Frank, dem Herrn Frank, den Herrn Frank.

EXAMPLES: Königin Elisabeth von England, Königin Elisabeths Schloß in London. General Graf Terzky, General Graf Terzkys Verrat. Feldmarschall von Blücher, Feldmarschall von Blüchers Armee. Geheimrat Dr. Otto von Braun, Geheimrat Dr. Otto von Brauns Verdienste. Frau Mathilde aus Böhmen, Frau Mathildes Heimat in Böhmen. Fräulein Roth ist Lehrerin, die Arbeit Fräulein Roths wurde gelobt, ich ging heute mit Fräulein Roth zur Schule, ich hörte die gute Nachricht durch Fräulein Roth.

Use the following phrases in genitive case:

1. Der Tod ___ Thomas Mann. 2. Die Gedichte ___ Friedrich Schiller. 3. Fürst Bismarck ___ Verdienste. 4. „Inferno" ___ Alighieri Dante. 5. Die Höllenfahrt ___ Doktor Faust. 6. Die Regierung ___ Kaiser Wilhelm der Erste. 7. Die Länder ___ Kaiser Karl der Fünfte. 8. Die Reden ___ Marcus Tullius Cicero. 9. Die Weisheit ___ der Grieche Socrates. 10. Die Kenntnisse ___ Philipp Melanchthons. 11. Der Entdecker der Röntgen-Strahlen ___ Wilhelm Röntgen. 12. „Die Leiden ___ der junge Werther." 13. Die Waren ___ der Kaufmann Ernst Meyer. 14. Der Feuertod ___ Johannes Huß. 15. Publius Cornelius Tacitus ___ „Germania". 16. Wolfgang von Goethe ___ das Leben. 17. Die Politik ___ König Friedrich der Zweite von Preußen. 18. Die Armee ___ die Vereinten Nationen. 19. Die Verdienste ___ der amerikanische Staatsmann Thomas Jefferson. 20. Marie, Margarete, Elfriede, Franz, Hans, Fritz ___ Geburtstag. 21. Die Bewohner ___ die Stadt Chicago. 22. Die Umgebung ___ die Stadt Paris. 23. Die Straßen ___ New York. 24. Das Colosseum ___ das alte Rom. 25. Die Völker ___ das östliche Asien.

VII.

N.	der alte Nestor	der reiche Krösus	der mächtige Karl
G.	des alten Nestor	des reichen Krösus	des mächtigen Karl
N.	der heilige Petrus	meine liebe Marie	mein lieber Heinrich
G.	des heiligen Petrus	meiner lieben Marie	meines lieben Heinrich

When preceded by an adjective, proper names must also be preceded by the article or by a pronoun. BUT: **der allmächtige Gott – des allmächtigen Gottes.**

EXAMPLES: Die Griechen folgten dem Rat des alten Nestor. Der Reichtum und die Macht des reichen Krösus wurden viel beneidet. Der mächtige Karl regierte über Deutschland und Frankreich. Das Reich des mächtigen Karl reichte von Deutschland bis nach Spanien. Die heilige Elisabeth war Herzogin von Thüringen. Der Geburtstag unserer lieben Marie ist im Dezember. Gib dieses Buch seinem lieben Friedrich.

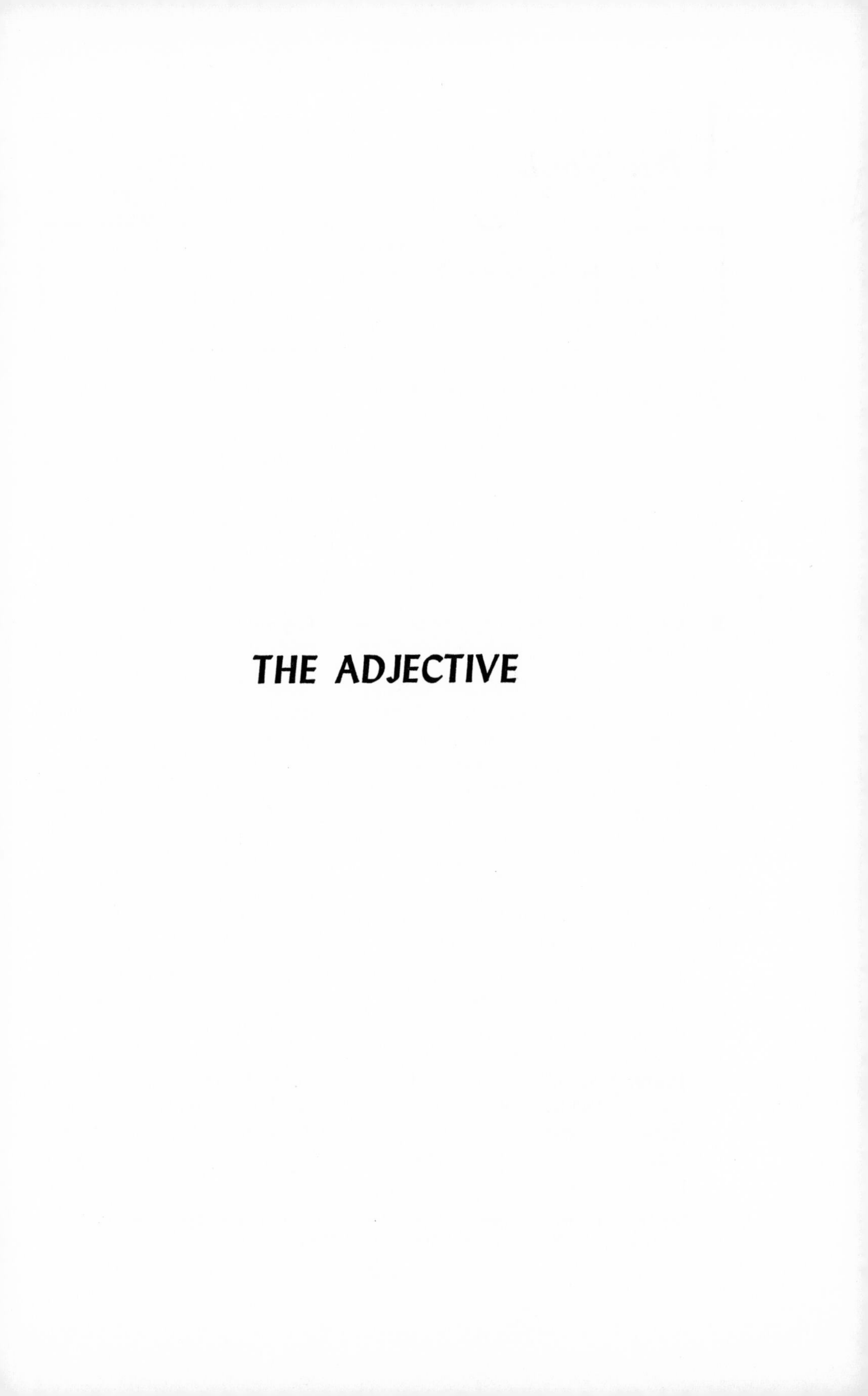

THE ADJECTIVE

1 Der-Words

	Dieser	Schüler ist fleißig.
Ich habe die Arbeit	**dieses**	Schülers.
Ich gebe	**diesem**	Schüler das Buch.
Ich frage	**diesen**	Schüler.

The der-words* are declined like the definite article and agree in gender, number, and case with the nouns they modify.

A. *Decline the following expressions in German, in both singular and plural:*

1. Dieser Baum; diese Blume; dieses Jahr. 2. Jener Satz; jene Pflanze; jenes Lied. 3. Welcher Arzt? welche Arbeit? welches Kind? 4. Mancher Soldat; manche Stadt; manches Jahr.

B. *Restate the following expressions in German, supplying the correct forms of the missing endings:*

1. Aus dies____ Dorf; aus dies____ Stadt; aus dies____ Glas. 2. Bei jen____ Arbeit; bei jen____ Herrn; bei jen____ Fest. 3. Mit jed____ Wort; mit jed____ Brief; mit jed____ Aufgabe. 4. Nach welch____ Stunde? seit jen____ Jahr; nach jed____ Besuch. 5. Von solch____ Art; aus jen____ Zeit; von welch____ Mann. 6. Durch dies____ Wald; durch jen____ Bach; für jed____ Kind. 7. Für solch____ Arbeit; gegen welch____ Baum? für manch____ Stunde. 8. Ohne jed____ Erfolg; um dies____ Feld; gegen manch____ Feind.

C. *Restate the following sentences in German, supplying the correct forms of the missing endings:*

1. Ich hänge das Bild an dies____ Wand. 2. Das Bild hängt an dies____ Wand. 3. Der Lehrer geht hinter jen____ Tisch. 4. Der Lehrer steht hinter jen____ Tisch. 5. Blumen wachsen in jed____ Garten. 6. Die Kinder laufen in jed____ Garten hinein. 7. Herr Braun sitzt neben jen____ Herrn. 8. Herr Braun setzt sich neben jen____ Herren. 9. Er hat manch____ Land, manch____ Stadt, manch____ Berg und manch____ Schloß gesehen. 10. Ich glaube dies____ Mann, danke jen____ Frau, helfe jed____ Kind, folge manch____ Rat.

* **Der,** *the;* **dieser,** *this;* **jener,** *that;* **jeder,** *each, every;* **mancher,** *many a,* (plur. *many*); **solcher,** *such, such a;* **welcher,** *which? what?*

2 Ein-Words

	Kein	Mensch kann das verstehen.
Das Leben	**keines**	Menschen ist hier sicher.
Er spricht mit	**keinem**	Menschen.
Wir trafen	**keinen**	Menschen auf der Straße.

The **ein**-words* are declined like the indefinite article and agree in gender, number, and case with the nouns they modify.

A. *Decline the following expressions in German, in both singular and plural:*

1. Kein Freund; keine Zeit; kein Lied. 2. Mein Gedanke; dein Weg; sein Garten. 3. Deine Aufgabe; ihre Tochter; mein Zimmer. 4. Unser Nachbar; euer Spiel; ihr Recht.

B. *Restate the following expressions in German, supplying the correct forms of the missing endings:*

1. Aus mein___ Garten; aus sein___ Tasche; aus ihr___ Glas. 2. Bei mein___ Freunden; bei unser___ Nachbarn; bei ihr___ Eltern. 3. Mit sein___ Bild; mit kein___ Dieb; mit kein___ Eisenbahn. 4. Nach mein___ Ferien; seit ihr___ Krankheit; trotz sein___ Fleiß___. 5. Von unser___ Brot; von sein___ Ernten; zu kein___ Doktor. 6. Durch sein___ Kraft; für ihr___ Kleider; ohne ihr___ Kinder. 7. Für ihr___ Felder; um ihr___ Finger; für sein___ Frau. 8. Gegen sein___ Ehre; wegen mein___ Krankheit; um unser___ Seen.

C. *Restate the following sentences in German, supplying the correct forms of the missing endings:*

1. Der Lehrer kommt in sein___ Klasse, steht hinter sein___ Tisch; setzt sich auf sein___ Stuhl. 2. Ich sitze in mein___ Arbeitszimmer, gehe in mein___ Garten, wohne in mein___ Haus. 3. Ich setze mich an dein___ Seite, stehe an dein___ Seite, bleibe an dein___ Seite. 4. Er schreibt einen Brief an sein___ Mutter, an sein___ Großvater, an sein___ Freunde. 5. Wir ziehen in euer___ Stadt, wohnen in euer___ Stadt, wohnen in euer___ Straße.

* **ein,** *a, an;* **kein,** *no, not any;* **mein,** *my;* **dein,** *your;* **sein,** *his;* **ihr,** *her;* **sein,** *its;* **unser,** *our;* **euer,** *your;* **ihr,** *their;* **Ihr,** *your.*

3 *Descriptive Adjectives as Predicate and as Adverbs*

Die Luft ist	frisch und rein.	
Der Winter war	lang und kalt.	
Der Sommer wird	heiß und trocken.	
Regentropfen,	groß und schwer,	fallen zur Erde.
Blumen,	rot und weiß,	blühen im Garten.
Wolken,	dunkel und schwer,	stehen am Himmel.
Es regnete	stark und viel.	
Der Wind wehte	kalt	durch die Bäume.
Es ist oft	außerordentlich	heiß hier.

Descriptive adjectives never take an ending: 1) when used as predicate adjectives with such verbs as **sein** and **werden**; 2) when they follow the noun which they describe; 3) when they are used as adverbs.

A. *Read the following sentences and observe the use of adjectives as predicate or as adverbs and restate in English:*

1. Eisen ist schwer, Blei ist schwerer als Eisen; welches Metall ist am schwersten? 2. Im Sommer sind die Tage länger als im Winter und die Nächte kürzer. 3. Die Sonne schien hell und warm in mein Zimmer. 4. Das Wetter ist angenehm, die Nächte sind kühl, und ich schlafe gut. 5. In der letzten Nacht hat es viel und stark geregnet. 6. Ich lief schnell nach Hause, er kam langsam nach. 7. Es war genau zehn Uhr. 8. Vater kam aufgeregt und zornig ins Zimmer. 9. Der Student war gut vorbereitet und antwortete klar und bestimmt. 10. Wir konnten ihn gut verstehen, denn er sprach laut und deutlich. 11. Großvater ist immer gut und freundlich zu mir gewesen. 12. Er gab den Armen gern und reichlich von allem, was er hatte. 13. Er fragte neugierig nach deinem Namen und nach deiner Adresse. 14. Er sah mich erstaunt und überrascht mit großen Augen an. 15. Die Aussicht von diesem Berge war herrlich und reichte weit über das Tal. 16. Der Kranke wurde schwächer und schwächer. 17. Es wurde dunkler und dunkler im Zimmer. 18. Unsere Aufgaben werden schwerer und schwerer. 19. Sie ist immer aufs beste gekleidet. 20. Dieses Kind sang das Lied am besten. 21. Die Lieder waren schön, und sie hat sie aufs schönste gesungen.

22. Unser Lehrer erklärt alles sehr sorgfältig und genau und ist immer aufs beste vorbereitet. 23. Die zehnte Aufgabe war am schwersten. 24. Sie spricht am meisten und am lautesten, er spricht am wenigsten. 25. Kinder, klein und groß, gingen die Straße hinab zur Schule. 26. Leute, alt und jung, gingen am Sonntag zur Kirche. 27. Mädchen, jung und schlank, standen vor den Türen. 28. Schnee, weich und schwer, bedeckte die Erde.

B. *Give the opposite of the following expressions:*

EXAMPLE: gesundes Kind — *krankes Kind*
laute Stimme — *leise Stimme*

armer Mann — *reicher Mann*
helle Kleider — *dunkle Kleider*

1. Tiefe Stimme; tiefes Wasser; tiefer Schlaf; böser Mensch; reine Wäsche. 2. Dichtes Haar; falsches Geld; falscher Mann; faules Ei; fauler Mensch. 3. Flaches Land; flacher Teller; wildes Pferd; kahle Bäume; feste Nahrung. 4. Stumpfes Messer; dunkles Zimmer; gesundes Klima; volles Glas; dummer Mensch. 5. Kurze Ferien; offene Tür; reifer Apfel; schnelle Fahrt; trüber Himmel.

Hoch, flach, leicht, gut, fleißig, frisch, ehrlich, echt, dünn, schmutzig, gebirgig, tief, zahm, flüssig, belaubt, scharf, hell, klug, leer, ungesund, lang, geschlossen, klar, langsam, unreif.

C. *Rewrite the following sentences in German:*

1. He was young and strong. 2. The house was damp and cold. 3. The road became steep and monotonous. 4. He is getting rich. 5. The man is diligent, he works well. 6. The streets of this city are narrow and dark. 7. Children, large and small, entered the room. 8. A man, tall and slender, worked in front of the house. 9. He had an army, large and powerful. 10. People, young and old, poor and rich, gathered in the streets. 11. This fountain pen writes well. 12. He went quickly into his house. 13. They lived happily together. 14. The sun shines brightly. 15. "What do you want?" he asked angrily.

4 Weak Declension of Attributives* Preceded by Ein-Words

	SINGULAR	
kein armer Mann	keine arme Frau	kein armes Kind
keines armen Mannes	keiner armen Frau	keines armen Kindes
keinem armen Mann	keiner armen Frau	keinem armen Kind
keinen armen Mann	keine arme Frau	kein armes Kind
	PLURAL	
keine armen Männer	keine armen Frauen	keine armen Kinder
keiner armen Männer	keiner armen Frauen	keiner armen Kinder
keinen armen Männern	keinen armen Frauen	keinen armen Kindern
keine armen Männer	keine armen Frauen	keine armen Kinder

Preceded by an **ein-word**,† attributive adjectives take the weak ending **–en**, except in five forms in the singular: the nominative masculine and neuter and the accusative neuter take the strong endings **–er**, **–es**, **–es**, respectively; the nominative and accusative feminine take the ending **–e**.

A. *Decline the following expressions in German, in both singular and plural:*

1. Kein groß___ Raum; keine rot___ Rose; kein schön___ Märchen.
2. Mein schwarz___ Pferd; sein lang___ Satz; dein bös___ Feind.
3. Sein jung___ Neffe; sein gut___ Recht; sein groß___ Reich.
4. Kein glücklich___ Mensch; unser freundlich___ Nachbar; sein blau___ Auge.

B. *Restate the following sentences in German, supplying the correct forms of the missing endings:*

1. Er hat ein___ gut___ Vater und ein___ gut___ Mutter. 2. Das war kein groß___ Verlust für mich. 3. Was haben Sie in Ihr___ recht___ Hand? 4. Er ist ein Schüler unser___ deutsch___ Klasse. 5. Er legt das Bild in sein blau___ Buch. 6. Er ist kein gut___ Schüler. 7. Haben Sie kein___ gut___ Schüler in Ihrer Klasse?

* A descriptive adjective preceding a noun, is called *an attributive adjective.*
† See: **ein**-words, page 137.

8. Es ist ein gut___, fleißig___ Mädchen. 9. Ich kaufe es für mein___ gut___ Mutter. 10. Sie kam ohne ihr___ neu___ Hut. 11. Während mein___ lang___ Ferien habe ich manch ein gut___ Buch gelesen. 12. Er ist bekannt wegen sein___ sorgfältig___ Arbeiten.

C. *In the following sentences supply the missing endings:**

1. Mit fest___, unbeugsam___ Willen verfolgte Karl sein Ziel. 2. Diese Messer sind aus d___ garantiert best___, deutsch___ Stahl gemacht. 3. Der Strohhut mein___ Schwester ist mit ein___ einfach___, blau___ Bande verziert. 4. Nach lang___, vergeblich___ Warten an ein___ windig___ und belebt___ Straßenecke gab ich das Warten auf und ging nach Hause. 5. In jed___ reißend___, schäumend___ Gebirgsfluß findet man dies___ groß___, zentnerschwer___ Felsblöcke. 6. Ein schmal___, eng___ Weg führte an dies___ steil___ und tief___ Abgrund entlang. 7. Der müd___ und ausgehungert___ Mann erquickte sich an ein___ Glase von unser___ gut___, französisch___ Rotwein und an ein___ kräftig___, nahrhaft___ Suppe. 8. Nach unser___ alt___, schön___, gewohnt___ Sitte feiern wir alle Jahre das Weihnachtsfest zusammen mit unser___ alt___, lieb___ Großeltern und unser___ fröhlich___ und immer erwartungsvoll___ Kindern.

D. *Rewrite the following sentences in German:*

1. A cold day. 2. A good book is a good friend. 3. Please, no long story. 4. He wrote a long and interesting letter. 5. I found and read an old and interesting book. 6. He had bought a new and expensive auto. 7. Have you seen my beautiful pictures? 8. He moved into a large, old house. 9. I like to read short German stories. 10. She is a guest in our house with her old mother and her two small children. 11. This morning I met our new teacher. 12. Are you writing with your new black fountain pen? 13. These fields belong to our hard-working, thrifty, rich neighbor. 14. I thanked my dear, old, and kind mother. 15. Our dear Mrs. Miller helped my little, young, bright, and industrious sister with her homework.

* Attributive adjectives, preceding a noun, have all the same case endings.

5 Weak Declension of Attributives Preceded by Der-Words

	SINGULAR	
der arm**e** Mann	diese arm**e** Frau	jenes arm**e** Kind
des arm**en** Mannes	dieser arm**en** Frau	jenes arm**en** Kindes
dem arm**en** Mann	dieser arm**en** Frau	jenem arm**en** Kind
den arm**en** Mann	diese arm**e** Frau	jenes arm**e** Kind
	PLURAL	
die arm**en** Männer	diese arm**en** Frauen	jene arm**en** Kinder
der arm**en** Männer	dieser arm**en** Frauen	jener arm**en** Kinder
den arm**en** Männern	diesen arm**en** Frauen	jenen arm**en** Kindern
die arm**en** Männer	diese arm**en** Frauen	jene arm**en** Kinder

Preceded by a **der**-word,* attributive adjectives take the weak ending **–en**, except in five forms in the singular: the nominative masculine, feminine, and neuter, and the accusative feminine and neuter, in which they take **–e**.

A. *Decline the following expressions in German, in both singular and plural:*

1. Das letzte Jahr; dieser kalte Winter; jene langweilige Stunde. 2. Mancher lange Tag; diese blaue Blume; jenes alte Haus. 3. Welcher gute Arzt? welches große Zimmer? welche neue Aufgabe? 4. Die große, weite Welt; dieser interessante, lehrreiche Vortrag; jenes große, mächtige Reich.

B. *Restate the following sentences in German, supplying the correct forms of the missing endings:*

1. Haben Sie diese deutsch___ Geschichte gelesen? 2. Wieviel kostet jenes neu___ Buch? 3. Wo war die Mutter dieses klein___ Mädchens? 4. Was hast du diesen arm___ Leuten gegeben? 5. Jeder fleißig___ Arbeiter hat ein Recht auf seinen Lohn. 6. Mancher

* See **der**-words, page 136.

tapfer___ Soldat ist gefallen. 7. Von welchem berühmt___ Manne sprichst du? 8. Der Hund gehört jenen klein___ Kindern. 9. Er wohnt in jenem klein___, alt___ Haus. 10. Wer hat diese neu___, schön___ Kirche gebaut?

C. *Rewrite the following sentences in German:*

1. The streets of this old city are very narrow. 2. The parents of these little children are in church. 3. I visited that old city. 4. I like this German book. 5. Who is living in that new house? 6. Two very old people are living there. 7. Write these short sentences on the board. 8. He is a famous writer and he can tell you many an interesting story. 9. What is the name of this beautiful old village? 10. Such beautiful and colorful flowers do not grow in our garden.

ILLUSTRATIVE READING

D. *In the following reading selection 1) observe the use of attributive adjectives when preceded by* **ein***-words or by* **der***-words; 2) rewrite this reading selection in English:*

Achtung! Frecher Diebstahl!

In der Nacht von Sonntag zum Montag ist in der Königstraße ein dunkelgrünes Auto verschwunden. Dieses Auto gehört einem bekannten Arzt in unserer Stadt. Der Wagen war auf der rechten Straßenseite geparkt. Fußgänger haben einen jungen Mann beobachtet, der sich an dem Wagen zu schaffen machte. Dieser junge Mann ist des frechen Diebstahls verdächtig. Der verdächtige Mann ist etwa sechs Fuß groß, er hat einen kleinen schwarzen Schurrbart und trägt eine Brille mit dunklen Rändern. Er hatte eine graue, karierte Jacke und eine dunkelbraune Hose an. Auf dem Kopf trug er einen hellgrauen, weichen Hut. Der Wagen ist ein neuer Opel, er hat eine dunkelgrüne Karosserie mit grauem Verdeck. In dem Wagen befindet sich eine hellbraune Aktentasche und eine große schwarze Handtasche, wie Ärzte sie bei sich zu haben pflegen. Nachrichten über die verdächtige Person und über den gestohlenen Wagen sind an die Polizei zu richten.

6 Strong Declension of Attributives

	SINGULAR	
heiß**er** Kaffee	süß**e** Milch	kalt**es** Wasser
heiß**en** Kaffees	süß**er** Milch	kalt**en** Wassers
heiß**em** Kaffee	süß**er** Milch	kalt**em** Wasser
heiß**en** Kaffee	süß**e** Milch	kalt**es** Wasser
	PLURAL	
gut**e** Männer	gut**e** Frauen	gut**e** Kinder
gut**er** Männer	gut**er** Frauen	gut**er** Kinder
gut**en** Männern	gut**en** Frauen	gut**en** Kindern
gut**e** Männer	gut**e** Frauen	gut**e** Kinder

If no limiting adjective (**der**-word or **ein**-word) precedes the attributive adjective, the attributive adjective assumes the function and the full declensional endings of the **der**-words, except in the genitive singular, masculine and neuter, where the **–en** ending has supplanted the original **–es.** This is called the strong declension of the adjective.

A. *In the following reading selection study the strong declension of attributive adjectives as to number and case:*

Treue Hilfe ehrt den Freund. Der Lohn treuer Hilfe ist die Dankbarkeit. Mit treuer Hilfe seiner Freunde konnte er ein neues und besseres Leben beginnen. Treue Hilfe erhofft der Arme vergeblich von seinen untreuen Freunden.

Blühende Rosen schmücken den Garten. Der Duft blühender Rosen erfüllte den Garten. Blühende Rosen band der Gärtner zu einem Strauß zusammen.

Frisches Wasser erquickt den Durstigen. Ein Trunk frischen Wassers erquickt den Durstigen. Mit frischem Wasser erfrischt sich der Durstige. Frisches Wasser schöpft der Durstige aus der Quelle.

Rasende Automobile sind der Schrecken der Fußgänger. Der Anblick rasender Automobile erschreckt den Fußgänger. Von rasenden Automobilen sind schon viele Fußgänger verletzt worden. Rasende Automobile muß die Polizei anhalten und die Fahrer bestrafen.

B. *Restate the following sentences in German, supplying the correct forms of the missing endings:*

1. Der Winter bringt uns kurz___ Tage und lang___ Nächte. 2. Schwer___, schwarz___ Wolken stehen am Himmel. 3. Scharf___ Winde wehen über schneebedeckt___ Felder. 4. Wir denken an warm___ Tage, grün___ Wälder und bunt___ Blumen. 5. Aber bald werden wir wieder sonnig___, freundlich___ Wetter haben. 6. Er erzählt von schlecht___ Zeiten, arm___ Leuten und hungrig___ Kindern. 7. Er saß mit ernst___ Gesicht, gefaltet___ Händen, in tief___ Gedanken in seinem Lehnstuhl. 8. Es ist ein Kind reich___ Leute, von gut___ Familie, aus gut___ Haus. 9. Ein Mädchen mit blond___ Haar, klar___ blau___ Augen und von schlank___ Gestalt öffnete die Tür. 10. Wir erreichten die Stadt bei dunkl___ Nacht, bei schlecht___ Wetter, bei heftig___ Regen. 11. Gut___ Essen, alt___ Wein, schwarz___ Kaffe und für die Kinder süß___ Milch, reif___ Obst, weiß___ Brot und frisch___ Butter stellte der Wirt auf den Tisch.

C. *Rewrite the following sentences in German:*

1. Young and old, poor and rich people went to church. 2. Ripe apples and sweet cherries taste good. 3. Write your lesson with black ink on (*auf*) white paper. 4. Old friends are true friends. 5. Our city has wide streets, beautiful buildings and large gardens with high old trees. 6. Summer is here with warm days, green trees, and beautiful flowers. 7. He is an old man with [a] long beard, she is an old woman with white hair. 8. He spoke to me in (*mit*) [a] loud, deep voice. 9. He looked at me with surprised, questioning eyes. 10. He had always given me good advice. 11. He has valuable books in his library. 12. Today we have fine, warm weather. 13. She is singing beautiful old folksongs. 14. He had a glass with cold water in his hand. 15. They are the children of poor peasants. 16. Every morning he drinks two cups of strong coffee.

D. *Supply the missing endings:*

Ich schreibe einen Brief an einen Herrn oder an eine Frau. Ich beginne mit: 1. Sehr geehrt___ Herr Müller! Sehr geehrt___ Frau Meier! Sehr geehrt___ Fräulein Berger. 2. Ich schreibe an zwei Herren und beginne meinen Brief mit: Sehr geehrt___ Herren! 3. An eine Dame und an einen Herrn schreibe ich immer: Sehr geehrt___ Frau Meier! Sehr geehrt___ Herr Meier! 4. An meine

Eltern oder an meine Freunde schreibe ich: Lieb___ Vater! Lieb___ Mutter! Lieb___ Eltern! Lieb___ Freund! Lieb___ Freunde! Lieb___ Hans! Lieb___ Inge! 5. Meine Mutter schreibt mir: Lieb___ Sohn! Lieb___ Kind! Lieb___ Karl! 6. Ich schließe den Brief: Mit freundlich___ Grüßen! Mit freundlich___ Gruß! 7. Einen Brief an meine Eltern oder an meinen Freund schließe ich: Mit herzlich___ Gruß! Mit herzlich___ Grüßen! 8. An einen mir bekannten aber nicht nahestehenden Mann schreibe ich: Lieb___ Herr Doktor Franck! Sehr geehrt___ Herr Doktor Franck! Lieb___ Herr Professor Franck! Verehrt___ Herr Professor Franck! Ich schließe den Brief mit: Hochachtungsvoll (*Respectfully yours*); Ihr sehr ergebener (*Yours very sincerely*); Mit freundlichst___ Grüßen (*With kindest regards*); Mit ergebenst___ Gruß.

E. *In the following phrases separate the attributive adjectives by a comma, wherever necessary:**

EXAMPLE: Das hohe, eiserne Gerüst.
Der große, wachsame Hund.

Die bekannte chemische Fabrik.
Der angeborene körperliche Fehler.

1. Die gute frische Milch. 2. Der hohe künstlerische Wert. 3. Diese weite amerikanische Landschaft. 4. Das dunkle bayrische Bier. 5. Die gute hilfsbereite Frau. 6. Der berühmte holländische Maler. 7. Das strebsame ordentliche Mädchen. 8. Seine hervorragende musikalische Begabung. 9. Der gewissenhafte junge Mann. 10. Der strenge klösterliche Gehorsam. 11. Das edle arabische Pferd. 12. Der lehrreiche physikalische Versuch. 13. Die alten treuen Freunde. 14. Die weiche österreichische Aussprache. 15. Die fruchtbare Oberrheinische Tiefebene. 16. Von großem politischem Interesse.

* A comma is used to separate attributive adjectives when they are of the same meaning and can be connected by the conjunction **und.**

7 Comparison of Adjectives

POSITIVE	COMPARATIVE	SUPERLATIVE	
klein	klein**er**	der klein**ste**	am klein**sten**
heiß	heiß**er**	der heiß**este**	am heiß**esten**
alt	ält**er**	der ält**este**	am ält**esten**
jung	jüng**er**	der jüng**ste**	am jüng**sten**
edel	edl**er**	der edel**ste**	am edel**sten**
dunkel	dunkl**er**	der dunkel**ste**	am dunkel**sten**
gut	**besser**	der **beste**	am **besten**

1. The comparative of an adjective is formed by adding **–er**, the superlative by adding **–st** or **–est** to the positive. 2. A number of adjectives take umlaut in the comparative and superlative: **arm, dumm, fromm, hart, klug, krank, kurz, lang, groß, scharf, schwach, stark, warm.** 3. Adjectives ending in **–e, –el, –en, –er** drop the **–e–** before the comparative ending: **weise, selten, zufrieden, tapfer, finster, teuer, sicher.** 4. A number of very common adjectives have irregular or defective forms in the comparative and superlative: **viel, mehr, am meisten; hoch, höher, am höchsten; nah, näher, am nächsten; gern** (*adverb*)**, lieber, am liebsten; bald** (*adverb*)**, eher, am ehesten.**

A. *In the following selection: 1) observe the use of the comparative and the superlative in German; 2) give the positive of each adjective used in this selection and its English meaning:*

Gestern machten wir einen längeren Spaziergang durch die weitere Umgebung der Stadt. Der Sturm begann um Mitternacht und war am heftigsten gegen Morgen. Wenn die Brücke geschlossen ist, kann kein größeres Schiff hindurch. Am interessantesten war der Bericht über seine Reise durch das noch unbekanntere Afrika. Er war der gewandteste und klarste Redner, den ich je gehört habe. Karl gehört zu den besseren, obgleich noch nicht zu den besten Schülern in seiner Klasse. Dieser Teil des Hauses wird von uns am seltensten gebraucht, wir sind in diesen Zimmern gewöhnlich nur an kühleren Sommer- oder wärmeren Herbsttagen. Keins meiner Kinder ist mir ähnlicher als Ludwig, er ist mir am ähnlichsten. Der Blick vom Berge über das Meer bot den großartigsten Ausblick. Die angesehensten Bürger der

Stadt waren im Saal versammelt. Dieser Beweis von der Kugelgestalt der Erde ist der älteste und klarste und für den einfacheren Mann der verständlichste und angemessenste. Die Donau hat einen längeren Lauf und gewaltigere Wassermassen als der Rhein. Ihre Quellen liegen in geringerer Höhe als die Rheinquellen, die in den höchsten Bergen der Alpen liegen. Ihre Fluten ziehen daher langsamer dahin als die des Rheins. Die Donau hat aber viel mächtigere, längere und an Wasser reichere Nebenflüsse, und ihre zahllosen Nebenflüsse dehnen sich über ein viel weiteres Gebiet aus. Trotzdem ist der Rhein der bedeutendere von den beiden Strömen. Er verdankt seine Bedeutung einer regeren Schiffahrt, einer ausgedehnteren, mannigfaltigeren Industrie und der landschaftlichen Schönheit seiner Ufer. Er ist der schönste, bekannteste und berühmteste von allen deutschen Flüssen.

B. *Rewrite the following sentences in English:*

1. Bist du der ältere oder der jüngere von euch zwei Brüdern? 2. Ich bin der älteste von drei Brüdern. 3. Wir haben jetzt längere und schwerere Aufgaben als (*than*) im letzten Jahr. 4. Dies ist das höchste und größte Gebäude in der ganzen Stadt. 5. Er ist so (*as*) alt wie (*as*) ich. 6. Die Tage sind so (*as*) lang wie (*as*) die Nächte. 7. Er ist älter als (*than*) ich. 8. Die Tage sind länger als (*than*) die Nächte. 9. Ich habe mehr Geld als (*than*) du, aber nicht soviel wie (*as*) Karl, Karl hat das meiste. 10. Diese Arbeit ist gut, jene Arbeit ist besser, aber Pauls Arbeit ist die beste. 11. Ich wohne gern in der Stadt, ich wohne lieber in einem Dorfe, ich wohne am liebsten auf dem Lande. 12. Wir leben schon mehr als (*than*) zwanzig Jahre in diesem Hause. 13. Mein Bruder ist einer der besten Schüler in seiner Klasse. 14. Ich habe die fleißigen Schüler lieber als (*than*) die faulen; die fleißigsten sind mir die liebsten.

C. *Rewrite the following sentences in German:*

1. This is the longest day of the whole year. 2. This is the highest building in this large city. 3. This is the warmest room in the whole house. 4. This is the most interesting book. 5. This is the most beautiful church in the whole city. 6. He is the most diligent pupil in the class. 7. Of all the pupils he is the most diligent. 8. Which month is the shortest? 9. The trees are tallest here. 10. In spring the days are as (*so*) long as(*wie*) in the fall. 11. He is not as (*so*) old as (*wie*) you, but older than (*als*) I. 12. In summer the days are longer than (*als*) in the winter.

D. *In the following sentences stress the meaning of the adjectives, using one of the expressions given below:*

EXAMPLE: Meine Mutter hat nach Weihnachten einen **spott**billigen Mantel gekauft.
Ich stellte ihm eine Frage, aber er gab mir eine **grund**falsche Antwort.
Der Rauch aus dem Schornstein stieg **kerzen**grade in die Höhe.

1. Auch ein ___gesunder Mensch kann einmal krank werden. 2. Ein ___krankes Kind wurde dem Arzt gebracht. 3. Vor der Tür des Hauses saß ein ___alter Mann. 4. Als er uns kommen sah, verschwand er ___schnell hinter dem Haus. 5. Er hatte einen ___starken Mann als seinen Gegner. 6. Ich öffnete die Tür, und vor mir stand ein ___langer Mensch. 7. Ich kann von ihm nur sagen, er war ein ___guter Mensch. 8. In Ihrer Jugend war sie ein ___hübsches Mädchen. 9. Es war so ___finster, daß man die Hand vor den Augen nicht sehen konnte. 10. Das Kind ließ sich nicht anziehen und lief ___nackt über die Straße. 11. Seien Sie vorsichtig und trinken Sie nicht das ___kalte Wasser. 12. Auf einem ___-schwarzen Pferde kam er ins Dorf geritten. 13. Auch nicht eine einzige Wolke stand am ___blauen Himmel. 14. Im Januar haben wir gewöhnlich kalte und ___klare Nächte. 15. Es hatte in der Nacht geschneit, und ___hoher Schnee lag vor unserer Tür. 16. Ein ___junger Soldat fand in der Schlacht seinen Tod. 17. Ein Mann mit ___weißem Haar ging langsam die Straße hinab. 18. Sie war jung und schlank und trug ein ___geblümtes Kleid.

stein___	*splitter___*	*haus___*	*riesen___*
herzens___	*baum___*	*bild___*	*kreide___*
schnee___	*eis___*	*tief___*	*stock___*
stern___	*blut___*	*tod___*	*kohl___*
bunt___	*kern___*	*blitz___*	

E. *In the following reading selections classify the declension of the adjectives: a) weak declension, 1) preceded by a* **der**-*word, 2) preceded by a* **ein**-*word, b) strong declension.*

In den Monaten Juli und August ist es oft außerordentlich heiß. Tiere und Menschen leiden dann unter der großen Hitze und suchen den kühlen Schatten. Oft gibt es auch ein starkes Gewitter. Schwarze, drohende Wolken stehen dann am Himmel, und es donnert und blitzt. Große, schwere Regentropfen fallen zur Erde, dann folgt ein starker und erfrischender Regen. Nach dem Regen und dem Gewitter ist es gewöhnlich etwas kühler. Reine, kühle Luft erfrischt Tiere und

Menschen, die Sonne erscheint wieder am blauen Himmel, die dunklen Wolken verschwinden, fröhliche Kinder kommen aus den Häusern und spielen wieder auf den noch nassen Straßen. Reichlicher Regen und warmer Sonnenschein bringen dem Landmann eine reiche Ernte.

ILLUSTRATIVE READING

Sie liegt so weit dahinten, die kleine, alte Stadt mit ihren schmalen, winkeligen und giebeligen Straßen, ihren gotischen Kirchen und Brunnen, ihren fleißigen, soliden und einfachen Menschen und dem großen, altersgrauen Patrizierhause, in dem ich aufgewachsen bin! — Es war ein trüber Nachmittag und ging schon in den Abend über, als der Zug in die schmale, verräucherte Halle des alten Bahnhofes einfuhr. Ich versorgte mein leichtes Gepäck und verließ den Bahnhof. Ich sah wieder die schmalen Giebel, die spitzen Türme, die über die nächsten Dächer herübergrüßten und die blonden Menschen mit ihrer breiten und doch rapiden Redeweise um mich her. Ich ging zu Fuß, ging langsam über eine der langen Brücken und dann eine kurze Strecke am Hafen entlang. Sollte ich jene steile Straße hinaufgehen, wo das Haus lag, das ich im Sinn hatte? Nein, morgen.

Thomas Mann, „Tonio Kröger"

8 Past Participles Used as Attributive Adjectives

finden:	das **gefundene** Geld	singen:	ein viel **gesungenes** Lied
retten:	die **geretteten** Kinder	reisen:	ein weit **gereister** Mann

Past participles may be used as attributive adjectives by adding the necessary declensional endings.

Use the past participles of the given verbs as attributive adjectives and express the phrase in English:

ernten: das ___ Korn
klagen: das ___ Leid
kaufen: das ___ Kleid
leihen: das ___ Geld
fahren: ein ___ Auto
gewinnen: die ___ Schlacht
beginnen: der ___ Arbeit
verlieren: des ___ Geld___
schreiben: einer ___ Arbeit
schreiben: eines ___ Buch___
fliehen: den ___ Feind
lesen: den ___ Brief
schenken: ein ___ Auto
wünschen: die ___ Reise
fürchten: ein ___ Feind
fangen: der ___ Dieb
rufen: der ___ Teufel
gelingen: ein ___ Versuch
beenden: der ___ Arbeit
verkaufen: des ___ Haus___
zerbrechen: der ___ Krug
geschehen: eines ___ Unglück___
tragen: einen ___ Anzug
erschrecken: das ___ Kind

9 Word Formation

I. Adjectives ending in **–ig, –lich,** and **–sam:**

die Gunst: die günst**ige** Gelegenheit
der Schmerz: die schmerz**liche** Sache
der Durst: ein durst**iger** Mensch
der Feind: ein feind**licher** Angriff

arbeiten: ein arbeit**samer** Mensch
sparen: ein spar**samer** Mensch
lustig: eine lust**ige** Gesellschaft
schwach: ein schwäch**liches** Kind

Adjectives are derived from nouns by adding the suffix **–ig** or **–lich** to the noun, derived from verbs by adding the suffix **–sam** to the stem of the verb, derived from adjectives by adding the suffix **–lich** to the adjective.

A. *Form adjectives in* **–ig** *or* **–lich** *from the nouns given below and express the phrase in English:*

EXAMPLE: der Freund: ein **freundlicher** Gruß,
die Macht: ein **mächtiger** Staat,

friendly greeting, kind regards
a powerful (mighty) state

der Herbst: das ___ Wetter
die Neugier: die ___ Nachbarin
der Grund: eine _¨_ Studie
der Schimpf: ein ___ Betrug
der Mensch: ein ___ Versehen
der Schaden: ein _¨_ Insekt
der Hof: ein _¨_ Mensch
der Zorn: ein ___ Mann
die Kraft: ein _¨_ Essen

die Freude: eine ___ Nachricht
die Geduld: eine ___ Mutter
die Gewalt: ein ___ Sturm
die Pracht: das _¨_ Wetter
das Gift: die ___ Schlange
die Angst: das _¨_ Kind
die Ehre: ein ___ Mensch
der Glaube: der _¨_ Christ
die Welle: das ___ Haar

B. *Form adjectives from the following verbs by adding the suffix* **–sam** *to the stem of the verb and express the phrase in English:*

aufmerken: der fleißige, ___ Student
biegen: der feste und ___ Stahl
streben: ein ernster, ___ Mensch
gehorchen: das schnelle, ___ Pferd
schweigen: ein älterer, ___ Herr
fürchten: ein kleines, ___ Kind
wachen: ein junger, ___ Hund
grauen: ein böser, ___ Mensch

C. *Form adjectives from other adjectives by adding the suffix* **–lich** *and express the phrase in English:*

reif: nach langer, ___ Überlegung
froh: die lustige, ¨___ Gesellschaft
rein: das kleine, ___ Haus
krank: ein kleines, ¨___ Kind
schwach: der alte, ¨___ Mann
ernst: die lange, ___ Mahnung

D. *In the following sentences substitute for each of the indicated nouns the correct adjectives in* **–ig, –lich, –sam:**

EXAMPLES: Er belohnte mich *wie ein König.*
Er belohnte mich *königlich.*
Er grüßte mich *von ganzem Herzen.*
Er grüßte mich *herzlich.*

1. Sie sorgte für uns *wie eine Mutter.* 2. Ich rauche *alle Stunden* eine Zigarette. 3. Ich mache *in jedem Monat* eine Reise. 4. Alkohol ist für dich *ein Schaden.* 5. Er wohnt weiter *im Norden* von uns. 6. Der Biß dieser Schlange *bringt Tod* (*use:* ist). 7. Diese Steuern sind *vom Staat* angesetzt. 8. Das Wasser des Meeres *hat Salz* (*use:* ist). 9. Wir *hatten Hunger* und *Durst* (*use:* waren). 10. Das Kind *hatte große Angst* (*use:* war). 11. Das Erlernen einer fremden Sprache ist oft *voller Mühe* (*use:* ist recht). 12. Viele Menschen *lieben die Arbeit* und *lieben das Schweigen* (*use:* sind).

mütterlich	*schädlich*	*jährlich*	*hungrig*
stündlich	*nördlich*	*tödlich*	*salzig*
täglich	*monatlich*	*staatlich*	*durstig*
ängstlich	*mühsam*	*arbeitsam*	*schweigsam*

II. *In the following sentences substitute for each of the indicated nouns the correct adjectives in* **–voll, –los, –reich:**

EXAMPLES: Die Reise war nicht *ohne Gefahren.*
Die Reise war nicht *gefahrlos.*
Dieser Fluß ist *reich an Fischen.*
Dieser Fluß ist *fischreich.*

1. Die *Zahl* der Sterne ist *sehr groß.* 2. Die Operation verlief *ohne Schmerzen.* 3. Das Leben dieser Frau war *voller Sorgen* und *Mühen.* 4. Der Mann war ganz *ohne Hilfe* und *ohne Mittel.* 5. Manche Menschen *kennen keine Treue* (*use:* sind). 6. *Ohne Hoffnung* sah er in die Zukunft. 7. Am Himmel war *keine Wolke.* 8. Die Familie *hatte viele Kinder* (*use:* war). 9. Die Mutter behandelte ihr Kind *mit großer Liebe.* 10. Die Umgebung unserer Stadt *hat viele Seen* und überhaupt *viel Wasser.*

zahlreich
schmerzlos
sorgenvoll
hilflos
mühevoll
mittellos
hoffnungslos
wolkenlos
treulos
kinderreich
seenreich
liebreich
wasserreich

III. *In the following sentences substitute for each of the indicated nouns the correct adjectives in* **–isch, –haft, –bar:**

EXAMPLES: Schlecht erzogene Kinder sind oft *voll Zank und Neid.*
Schlecht erzogene Kinder sind oft *zänkisch und neidisch.*
Diese Arbeit hat viele *Fehler und Mängel.*
Diese Arbeit is *fehlerhaft und mangelhaft.*

1. Das Wetter brachte *viel Regen und Sturm.* 2. Der Mann lebt *wie ein Verschwender.* 3. Völker mit wenig Kultur haben viel Aberglauben (*use:* sind). 4. Die Schulen in unserer Stadt *gehören der Stadt* (*use:* sind). 5. Er war lange in Frankreich, in China, in Italien, in Spanien, in Japan und spricht daher ____. 6. Die Kinder in meiner Klasse haben oft *Lust zum Schwatzen* (*use:* sind). 7. Die Wunde verursachte *große Schmerzen* (*use:* war). 8. Seine Leistungen in der Musik sind *die eines Meisters* und durchaus nicht mehr *die eines Schülers.* 9. Handlungen gegen das Gesetz *bringen Strafe* (*use:* sind). 10. Auf diesem Fluß *können Schiffe fahren* (*use:* ist).

regnerisch
stürmisch
verschwenderisch
abergläubisch
städtisch
chinesisch
italienisch
japanisch
spanisch
schwatzhaft
französisch
schülerhaft
schmerzhaft
meisterhaft
strafbar
schiffbar

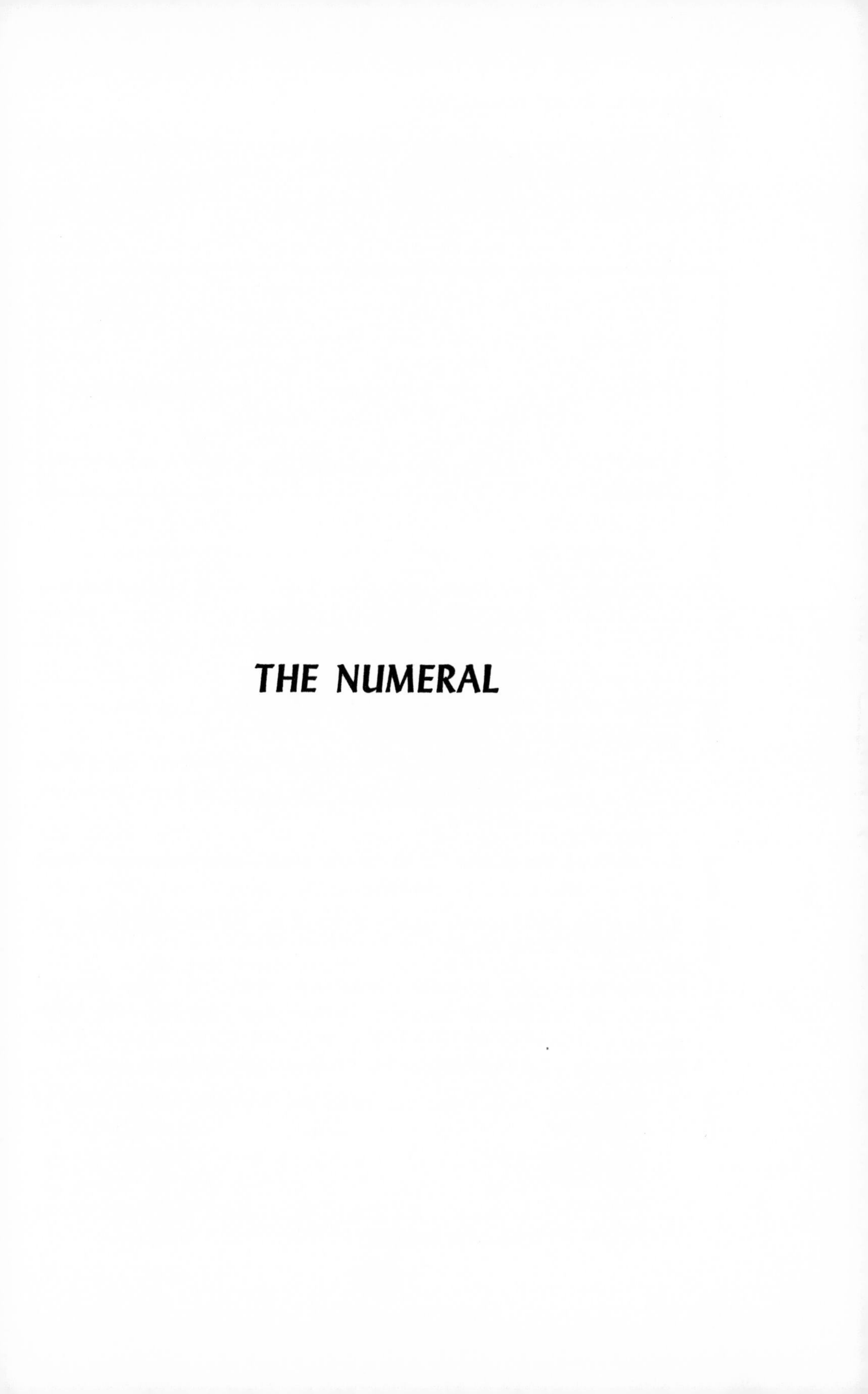

THE NUMERAL

1 Cardinal Numbers

0 null,	1 eins,	2 zwei,	3 drei,	7 sieben,
10 zehn,	11 elf,	12 zwölf,	13 dreizehn,	17 siebzehn,

20 zwanzig, 21 einundzwanzig, 32 zweiunddreißig,
58 achtundfünfzig, 100 hundert, 101 hundertundeins,
102 hundertundzwei, 200 zweihundert, 205 zweihundertundfünf,
1000 tausend, 1001 tausendundeins,
1961 neunzehnhundert einundsechzig oder
tausendneunhundert einundsechzig

1. Cardinals, with the exception of eins, are usually uninflected.

EXAMPLES: Die Woche hat sieben Tage. Zwölf Monate sind ein Jahr. Ich habe drei Dollar, Ernst hat sieben. Dieser Mann ist über hundert Jahre alt. Wieviel ist zehn und sieben?

2. Eins is used only when it stands by itself or is the final element of a compound.

EXAMPLES: Wie spät ist es? Es ist halb eins (12:30). Es war im Jahre hundertundeins. Er kaufte ein Buch, ich kaufte auch eins.

3. Otherwise ein is used: Es ist ein Uhr (1:00); einundzwanzig; ein und ein halb.

4. As a numeral adjective, eins is declined like the indefinite article but receives a heavy accent.

EXAMPLES: Ich sehe nur einen Mann, nicht zwei. Das Konzert dauerte nur eine Stunde, nicht ein und eine halbe Stunde. Ich weiß es bestimmt, er hat nur einen Sohn, nicht zwei. „Wir sind ein Volk und eines Blutes."

5. *Once, twice, three times,* etc. These are formed by adding –mal to the cardinal.

EXAMPLES: Wir leben nur einmal in der Welt. Schreiben Sie das Wort zweimal. Er ist fünfmal nicht zur Klasse gekommen. Ich glaube Ihnen nicht, und wenn Sie es hundertmal sagen.

Expressions of Time

Meine Schule beginnt **um halb neun** (*at half past eight*).
Meine Schule ist **um halb vier** aus (*is over at half past three*).

1. *Half past* is expressed in German by **halb** with the following hour.

Es ist **Viertel zwei.** (*a quarter past one*).
Es ist **Viertel nach eins** (*a quarter past one*).

2. *A quarter past* may be expressed by **ein Viertel** with the following hour or by **ein Viertel nach** with the preceding hour.

Es ist **Viertel vor sieben** (*quarter to seven*).
Es ist **drei Viertel sieben** (*quarter to seven*).

3. *A quarter of* is expressed either by **Viertel vor** or by **drei Viertel** with the following hour.

4. **Wieviel Uhr ist es? or Wie spät ist es?** *(What time is it?)*

Es ist zehn Uhr. *It is ten o'clock.*
Es ist zehn Minuten vor zwölf. *It is ten minutes to twelve.*
Es ist zehn Minuten nach eins. *It is ten minutes after one.*
Es ist halb zwei. *It is half past one.*
Es ist Viertel nach zwei. *It is a quarter past two.*
Es ist drei Viertel zwei. *It is a quarter to two.*

Der Zug fährt um 14 Uhr ab. *The train leaves at 14 o'clock* (i.e., 2 P.M.).
Der Zug fährt um 15:15 ab. *The train leaves at 3:15* P.M.
Der Zug kommt um 22:30 an. *The train arrives at 10:30* P.M.

5. To an increasing extent, especially in railway schedules, Germany is using the 24-hour time, from midnight to midnight (1 to 24).

Wieviel Uhr ist es? Es ist zehn Uhr.
Ich komme um fünf Uhr. Ich bleibe bis acht Uhr.
Ich habe jeden Tag vier Stunden Unterricht.
Ich habe nur eine halbe Stunde Zeit.

6. Distinguish between **Uhr** (*o'clock*) and **Stunde** (*hour*)! **Uhr** means definite time, **Stunde** means duration of time.

Der Morgen (*the morning*) war klar und sonnig.
Am Morgen (*in the morning*) habe ich nie viel Zeit.
Morgens (*in the morning*) gehen wir zur Schule.
Morgen (*tomorrow*) ist auch ein Tag.

A. *Express in English:*

Der Vormittag, am Nachmittag, vormittags, nachmittags, der Mittag, mittags, am Abend, der Abend, abends, in der (*at, during*) Nacht, nachts, die Nacht, die Mitternacht, um Mitternacht; gestern abend (*last night*) regnete es; heute morgen (*this morning*) war es klar und warm; gegen Mittag (*towards, at*) standen Wolken am Himmel; morgen früh (*tomorrow morning*) reisen wir von hier fort.

NOTE the use of the following prepositions in expressions of time and translate into English:

an: Ich arbeite am Samstag nicht. Bist du am Sonntag zu Hause? Ich erfuhr es am letzten Donnerstag. Er starb am 24. August.

in: Ich war im Sommer des Jahres 1961 in Europa. Er besuchte uns im letzten Jahr. Unsere Ferien fangen im Juni an. Ich hoffe, in acht Stunden in Hamburg anzukommen.

um: Um drei Uhr ist die Schule aus. Um sechs Uhr essen wir Abendbrot. Der Zug fährt um vier Uhr dreißig ab. Ich hole dich um acht Uhr ab.

vor: Er reiste vor drei Tagen nach Europa ab. Ich erhielt seinen Brief vor einer Woche. Das Kind spielte noch vor einer Stunde hier auf der Straße. Vor zwei Jahren besuchte er uns.

B. *Count in German:*

From 1 to 12; from 15 to 25; from 97 to 105; from 997 to 1005.

C. *Read in German the following numbers:*

8, 11, 12, 19, 25, 30, 37, 40, 42, 53, 66, 74, 98, 127, 149, 230, 371, 999; $7 + 9 = 16$; $37 - 11 = 26$; $8 \times 7 = 56$; $21 \div 3 = 7$.

D. *Write out in German the following dates:*

Im Jahre 1492; im Jahre 1776; im Jahre 1848; im Jahre 1918; im Jahre 1962; Washington war Präsident der Vereinigten Staaten von 1789 bis 1797. Friedrich der Große war König von Preußen von 1740 bis 1786. Viktoria war Königin von England von 1837 bis 1901.

E. *Write in German:*

It is 9:00 A.M., 6:00 P.M., 10:15 A.M., 3:15 P.M., 4:45, 8:25, 11:35, 13:24, 17:45, 20:50; once, twice, three times, ten times, a hundred times.

F. *Answer in German:*

1. Wieviel ist zehn und sieben? 2. Wieviel ist zwölf und zwölf? 3. Wieviel ist drei mal fünf? 4. Wieviel ist fünfundsiebzig weniger drei? 5. Wieviel ist neun und acht? 6. Wieviel ist neunzehn weniger sieben? 7. Wieviel ist drei mal fünf? 8. Wieviel ist achtzehn geteilt durch drei? 9. Wieviel ist dreißig geteilt durch sechs? 10. Wieviel ist dreißig geteilt durch zehn? 11. Wieviel sind zehn Dollar weniger drei Dollar? 12. Wieviel sind neunzehn und fünf Bücher?

2 Ordinal Numbers

der, die, das	*the*	der, die, das	*the*
1. erste	*1st*	11. elfte	*11th*
2. zweite	*2nd*	12. zwölfte	*12th*
3. dritte	*3rd*	13. dreizehnte	*13th*
4. vierte	*4th*	19. neunzehnte	*19th*
5. fünfte	*5th*	20. zwanzigste	*20th*
7 siebente	*7th*	21. einundzwanzigste	*21st*
8. achte	*8th*	100. hundertste	*100th*
10. zehnte	*10th*	101. hunderterste	*101st*

1. Ordinals are adjectives formed from the corresponding cardinals by adding the suffix **–te** to the cardinal up to nineteen, and the suffix **-ste** from twenty upwards. Note the irregular forms of: **der erste, der dritte, der achte.**

mein erste**s** Buch	meine erste**n** Bücher
meines erste**n** Buches	meiner erste**n** Bücher
meinem erste**n** Buch	meinen erste**n** Büchern
mein erste**s** Buch	meine erste**n** Bücher

2. Ordinals are declined like attributive adjectives.

die **3.** (dritte) Geschichte	jeder **10.** (zehnte) Soldat
das **5.** (fünfte) Jahr	König Friedrich **III.** (der Dritte)
jeder **2.** (zweite) Student	Königin Elisabeth **II.** (die Zweite)

3. After numerals, Arabic and Roman, the ordinal endings are replaced by a period.

Der vierte (or 4.) Juli ist in diesem Jahr ein Sonntag.
Der einundzwanzigste (or 21.) Mai ist mein Geburtstag.
Am siebzehnten (or 17.) September beginnt das Wintersemester.
Berlin, den 30. September 1962
Hamburg, den 12. Dezember 1963

4. A period after a numeral indicates that the numeral is to be read as an ordinal. In letters the date is always in the accusative case.

erst**ens**	*in the first place, firstly*	dritt**ens**	*in the third place*
zweit**ens**	*in the second place, secondly*	fünft**ens**	*in the fifth place*

5. Ordinal adverbs are formed by adding –ens to the ordinal stem.

A. *Read in German the following ordinals:*

Der 1., 5., 11., 13., 21., 28., 31. Oktober
Am 2., 4., 10., 12., 28., 30. September

B. *Read in German the following dates:*

1. Samstag ist der 7. Tag der Woche. 2. Der 31. Dezember ist der letzte Tag des Jahres. 3. Der 22. Februar ist George Washingtons Geburtstag. 4. Goethe wurde am 28. August 1749 geboren und starb am 22. März 1832. 5. Das Schiff verließ Hamburg am 8. Dezember und kam nach sechs Tagen, am 14. Dezember, in New York an.

C. *Rewrite the following sentences in German:*

1. School begins again on the 24th of September. 2. America was discovered on the 12th of October 1492. 3. My sister's birthday is on the 12th of November. 4. Christmas is on the 25th of December. 5. The German poet Friedrich Schiller was born in (*im Jahre*) 1759, he died in (*im Jahre*) 1805. 6. New York, February 2, 1960. 7. Denver, July 30, 1961. 8. Friday, January 21, 1961. 9. I can't come along; in the first place I am tired and secondly I have no money.

Fractions

½ — ein halb; ⅓ — ein Drittel; ¼ — ein Viertel; ⅛ — ein Achtel; 1/20 — ein Zwanzigstel; 1/50 — ein Fünfzigstel; 1/100 — ein Hundertstel; 1½ — ein einhalb; 3⅓ — drei ein Drittel; 2¾ — zwei drei Viertel

The denominator of a fraction (with the exception of ½) is formed by adding –el to the stem of the corresponding ordinal number. The denominator is treated as a neuter noun: Das Drittel, das Achtel, zwei Zehntel.

Read in German:

⅜; ¾; 6⅓; 1 1/100; ½; ⅕; 1½; 10⅛; 9/10.

THE ADVERB

1 The Function of Adverbs

Vater ist **eben** (*just now*) fortgegangen. Ich habe den Mann **selten** (*seldom*) gesehen. Er ist **keineswegs** (*by no means*) dumm oder faul. Es ist ein **wirklich** (*really*) gutes Buch. Ich habe diese Geschichte **besonders** (*especially*) gern. Er ist ein **nie** (*never*) ganz zufriedener Mensch.

Whenever a closer definition of the activity indicated by a verb or a special emphasis of the meaning of an adjective or adverb appears necessary or desirable, an adverb is used. **Adverbs are used to modify verbs, adjectives, and other adverbs.**

Rewrite the following sentences in English:

1. Er schreibt nicht oft, er schreibt selten, oder nie. 2. Warum arbeiten Sie so viel? Sie arbeiten immer. Arbeiten Sie nicht zu viel. 3. Lernst du nichts in der Schule? Warum lernst du so wenig? Du spielst immer und träumst meistens in der Schule. Ich lerne etwas, wenn auch nicht viel. 4. Kommt er heute, oder kommt er später? Ist er bald hier, und bleibt er lange? 5. Er ist wahrscheinlich krank, denn ganz gesund war er nie, und er ist nicht immer vorsichtig. 6. Ich wohne gern in der Stadt; ich wohne lieber auf dem Lande; ich wohne am liebsten an der See. 7. Dies ist ein höchst interessantes Buch, und es kostet mindestens fünf Dollar.

oft, *often*	meistens, *mostly*	ganz, *quite, entirely*
selten, *seldom*	etwas, *something*	nie, *never*
viel, *much*	heute, *today*	gern, *like to*
immer, *always*	später, *later*	lieber, *prefer to*
zu viel, *too much*	bald, *soon*	am liebsten, *the most*
nichts, *nothing*	lange, *long (time)*	höchst, *highly*
wenig, *little*	wahrscheinlich, *probably*	mindestens, *at least*

2 Adverbs of Time

> Ich gehe **jetzt** zu einer Vorlesung in Geschichte.
> Mein Freund Karl ist **wochenlang** krank gewesen.
> **Jetzt** ist er gesund und macht **täglich** seine Arbeiten.
> Er ist **eben** zur Vorlesung gekommen und kommt stets pünktlich.

Adverbs of time indicate when the verbal act is taking place; they answer the German questions: **Wann? Wie lange? Seit wann? Wie oft?**

A. *Study and memorize the following list of the most common German adverbs of time:*

1. ADVERBS EXPRESSING INDEFINITE TIME:

einst, *once upon a time*
einmal, *once*
damals, *at that time*
früher, *formerly*
später, *later*
bald, *soon*
augenblicklich, *momentarily*
gleich, *immediately*
nachher, *afterwards*
künftig, *in the future*
endlich, *finally*
stundenlang, *for hours*
häufig, *frequently*
manchmal, *at times*
meistens, *most of the time*
wenig, *little*
oft, *often, frequently*
oftmals, *quite often*
zuweilen, *at times*
neulich, *the other day*
kürzlich, *lately, recently*
zuerst, *at first*
seit damals, *since then*
seit kurzem, *recently*

2. ADVERBS EXPRESSING DEFINITE TIME:

anfangs, *at first*
eben, *just now*
jetzt, *now, at present*
nun, *now*
nie, *never*
früh, *early*
sofort, *at once*
sogleich, *at once*
stets, *always*
immer, *always*
ewig, *for ever*
zeitlebens, *for (during) life*
gerade, *just (now)*
täglich, *daily*
jährlich, *annually*
heute, *today*
gestern, *yesterday*
abends, *in the evening*
nachts, *at night*
sonntags, *on Sundays*
montags, *on Mondays*
heutzutage, *nowadays*

B. *Rewrite the following sentences in English:*

1. Ich habe täglich eine Stunde Deutsch und wöchentlich zwei Stunden Musik. 2. Über meinen Deutschlehrer schrieb ich Euch neulich ein paar Zeilen. 3. Die Vorlesungen in Geschichte waren anfangs langweilig, häufig waren sie wenig interessant, selten war der Professor gut vorbereitet, so daß ich bald mein Interesse an den Vorlesungen verlor und wenig lernte. 4. Seit kurzem lerne ich mehr, denn die Vorlesungen sind jetzt besser, die Themen sind immer gut gewählt, das Lesematerial ist meistens lesenswert, und ich langweile mich nicht mehr in den Geschichtsstunden. 5. Was für Vorlesungen haben Sie morgen? Zuerst habe ich Physik, nachher Deutsch und zuletzt Mathematik. 6. Ich habe ihn oft gesprochen; ich habe ihn kürzlich in der Bibliothek gesehen; er ist stets freundlich gewesen; sonntags sind wir zuweilen zusammen ausgegangen; stundenlang erzählte er von seinen Studien und Plänen, dann verließ er eines Tages die Universität, und ich habe ihn nie wiedergesehen.

C. *Rewrite the following sentences in German:*

1. He is never at home. 2. What are you doing on Sundays? 3. He just came home. 4. He is home most of the time. 5. This student is quite often not prepared. 6. I met him at times at the theater. 7. I go quite frequently to a concert. 8. Lately I like to read too. 9. This man is at present out of work. 10. I heard he was once a well-to-do man. 11. Get up early and start your work in the morning. 12. I get tired at times and stop working frequently at noon. 13. He is always ready to help. 14. Recently I have not been quite well. 15. Tell him, I will be there immediately. 16. Do that and do it at once! 17. I don't know momentarily where he is. 18. Just the other day we talked about him. 19. He pays annually. 20. There was once upon a time a king.

D. *Give the English meaning of:*

bald, gleich, zuerst, täglich, früh, sofort, immer, stets, endlich, manchmal, damals, nie, neulich, häufig, zeitlebens, eben, früher, zuweilen, einmal

3 Adverbs of Place

> Es ist unmöglich, ich kann **dort** nicht leben.
> Das Leben ist **hier** angenehmer als **dort.**
> Er wohnt nicht **drinnen** in der Stadt, er wohnt **draußen** auf dem Land.
> Was machst du **dort?** Arbeitest du **da,** oder wohnst du **da?**

Adverbs of place indicate where the verbal act is taking place. They answer the German questions: **Wo? Woher? Wohin?**

A. *Study and memorize the following list of the most common German adverbs and adverbial phrases of place:*

hier: *here*
hierhin, *to this place, this way*
nach hier, *to this place*
von hier, *from this place*
hier und dort, *here and there*

da: *there*
dahin, *to that place*
von da, *from there*
da drüben, *over there*
daher, *from that place*

dort: *there, over there*
dorthin, *there*
nach dort, *to that place*
dorther, *from there*
dort oben, *up there*

außen: *outside*
von außen, *from the outside*
draußen, *outside, out of doors*
nach draußen, *outside*
von draußen, *from the outside*

innen: *inside*
von innen, *from within*
drinnen, *inside, there within*
von drinnen, *from the inside*

oben: *above*
nach oben, *up, up to*
von oben, *from above*
droben, *up there*

unten: *below, at the bottom*
nach unten, *down, downwards*
von unten, *from below*
von oben bis unten, *from head to toe*
drunten, *down there, below*

vorn: *in front, at the beginning*
nach vorn, *forward*
von vorn, *from the front*

hinten: *behind, in the rear*
nach hinten, *towards the rear*
von hinten, *from behind*

links: *to the left, on the left*
von links, *from the left*
nach links, *to the left*

rechts: *to the right, on the right*
von rechts, *from the right*
nach rechts, *to the right*

drüben: *over there*
nach drüben, *towards over there*
von drüben, *from over there*

-wärts: *-ward*
von auswärts, *from abroad*
abwärts, *downward*
vorwärts, *forward, in front*
rückwärts, *back, backwards*
seitwärts, *sideways, laterally*

B. *Rewrite the following sentences in English:*

1. Ich wohne hier, aber ich komme von dort. 2. Der Mann ist da, er wartet auf dich. 3. Regnet es dort bei Euch? Hier schneit es. 4. Wie weit ist es von hier nach dort? 5. Ich bin oft dahin gefahren und oft dort oben gewesen. 6. Warum stehst du draußen, geh' doch nach drinnen, es ist wärmer da. 7. Sie ist nicht von hier, sie ist von auswärts. 8. Von drinnen hört sich die Musik besser an als hier von draußen. 9. Er wohnt oben und nicht unten im Haus. 10. Ich traf ihn auf der Treppe, er ging nach oben, und ich nach unten. 11. Unser Weg führte erst aufwärts und dann wieder abwärts ins Tal. 12. Von oben ist die Aussicht schöner als hier von unten. 13. Fahren Sie rechts und nicht links auf der Straße, das ist gefährlich. 14. Das eine Auto kam von rechts, das andere von links. 15. Wo ist es? Ist es außen oder innen, wo ich arbeiten soll? Es ist außen vor dem Haus.

C. *Express in English:*

dort oben, von oben, nach draußen, von drinnen, von hier, da drüben, nach hinten, von links, rückwärts, drunten, drinnen, droben, abwärts, nach links, nach rechts, nach hinten, nach hier

4 Adverbs of Manner, Measure, and Degree

Hat er diese Arbeit **wirklich** selber gemacht?
Wahrscheinlich hat ihm jemand dabei geholfen.
Er ist im Kriege **dreimal** verwundet worden.
Diese Nachricht kam mir **ganz** überraschend.

Adverbs of manner describe in what manner or to what degree the verbal act is taking place. They answer the German questions: **Wie? In welcher Weise?**

A. *Study and memorize the following list of the most common German adverbs of manner, measure, and degree:*

wirklich, *really, truly*

wahrscheinlich, *probably, evidently*

freilich, *certainly, of course*

wahrlich, *truly*

plötzlich, *suddenly, unexpectedly*

gewöhnlich, *usually*

augenblicklich, *immediately*

nicht, *not*

doch, *yet, please, to be sure, of course*

noch, *still, yet*

gern, *gladly, like to*

meistens, *mostly*

erstens, *first, firstly*

ferner, *moreover, besides*

dreimal, *three times*

mehrfach, *repeatedly*

ziemlich, *rather, fairly, pretty*

vielleicht, *perhaps*

keineswegs, *by no means*

zusehends, *visibly, noticeably*

eilends, *speedily, quickly*

unversehends, *unexpectedly*

vergebens, *in vain*

wohl, *possibly, perhaps, indeed*

sehr, *very, very much*

ganz, *quite, wholly, entirely*

fast, *almost, nearly*

kaum, *hardly, scarcely, barely*

viel, *much, often*

genug, *enough, sufficiently*

etwas, *somewhat, a little*

mehr, *more*

mehrmals, *several times*

wenigstens, *at least*

B. *Rewrite the following sentences in English:*

1. Er ist plötzlich ins Zimmer gekommen. 2. Er kommt gewöhnlich zu spät zur Schule. 3. Augenblicklich habe ich nicht das Geld zu einer Reise. 4. Hoffen wir! Vielleicht kommt er morgen. 5. Freilich ist es dir erlaubt, heute auszugehen. 6. Das darfst du aber von Karl nicht sagen, er ist keineswegs ein dummer Mensch. 7. Ich habe gestern vergebens auf dich gewartet. 8. Er hat wohl nicht die Zeit zum Briefschreiben gehabt. 9. Er hat das nicht so böse gemeint. 10. Ich weiß, es ist wohl verboten, aber es geschieht doch. 11. Kommen Sie doch herein! 12. Sie ist nicht gut zu ihm, und doch liebt er sie. 13. Ich folge gern deiner Einladung. 14. Er hat mir mehrmals sein Leid geklagt. 15. Ich habe genug davon, ich will nicht mehr.

C. *Use the following phrases in a short German sentence:*

1. wahrscheinlich krank; 2. mehrmals verwundet; 3. wirklich treuer Freund; 3. doch wahr; 4. noch nicht fertig; 5. meistens zu Hause; 6. mehrfach gesehen; 7. noch ziemlich jung; 8. zusehends schwächer; 9. eilends verlassen; 10. dreimal angefragt; 11. genug ausgeruht; 12. ganz verwirrt.

5 Adjectives Used as Adverbs

Die Sängerin hat ihre Rolle **gut** gesungen. Sie war für ihre Rolle **schön** gekleidet. Wir sind **länger** geblieben, als wir wollten. Sein Besuch war uns **höchst** angenehm. Nummer drei auf dem Programm gefiel uns **am besten.**

1. In most cases, when adjectives are used as adverbs they are used without change of form: **gut, schön.** They can be used also in their comparative and superlative form: **länger** geblieben, **höchst** angenehm, gefiel **am besten.**
2. "Regular" adverbs: **schon, kaum, genug,** etc., are in general, not subject to comparison, but there are a few exceptions.*

Rewrite the following sentences in English:

1. Er kam schwer verwundet nach Hause zurück. 2. Er ist oft ein gern gesehener Gast bei uns gewesen. 3. Die Sonne schien heiß auf die ausgedörrte Erde herab, und der Staub lag dick auf den Straßen. 4. Die Sterne standen kalt und klar am nächtlichen Himmel. 5. Das weite Meer lag still und ruhig vor uns. 6. Er sprach leise und eindringlich auf uns ein. 7. Seit Jahren schon arbeitete er fleißig und sorgfältig an diesem Projekt. 8. Er bat höflich und bescheiden um unsere Hilfe. 9. Er ist jederzeit freundlich und hilfsbereit gewesen und niemals unhöflich oder ungeduldig. 10. Karl arbeitete fleißiger und regelmäßiger als ich. 11. Er war auch schneller und sorgfältiger in seiner Arbeit. 12. Professor Schmidt spricht lauter und deutlicher in seinen Vorlesungen als Professor Braun. 13. Die Frau starb früher als er und ist auch länger krank gewesen. 14. Das Wetter wurde schlechter und schlechter, der Wind stärker und stärker, der Weg steiler und steiler, und wir wurden müder und müder von der Wanderung. 15. Oben auf dem Berg war es am kältesten, der Wind am stärksten und der Regen am heftigsten. 16. Wir waren aufs höchste überrascht, dort oben Leute zu finden, wurden aber von ihnen aufs freundlichste begrüßt. 17. Wir verletzen oft die, welche wir am zärtlichsten lieben, am meisten und tiefsten.

* **oft - öfter; häufig - häufiger; selten - seltener. Ander** and **besonder** add **-s:** Hier ist vieles **anders** geworden. Er war nicht **besonders** bekannt in der Stadt.

THE PRONOUN

I. *Personal Pronouns*

	SINGULAR					REFLEXIVE
NOM.	ich	du	er	sie	es	
GEN.	meiner	deiner	seiner	ihrer	seiner	
DAT.	mir	dir	ihm	ihr	ihm	→ sich
ACC.	mich	dich	ihn	sie	es	→ sich
	PLURAL					REFLEXIVE
NOM.	wir	ihr	sie	Sie		
GEN.	unser	euer	ihrer	Ihrer		
DAT.	uns	euch	ihnen	Ihnen		→ sich
ACC.	uns	euch	sie	Sie		→ sich

II. *Relative Pronouns*

	SINGULAR						PLURAL	
	Masc.	*Fem.*	*Neut.*	*Masc.*	*Fem.*	*Neut.*	*M. F. N.*	*M. F. N.*
N.	der	die	das	welcher	welche	welches	die	welche
G.	dessen	deren	dessen	(*lacking*)	(*lacking*)	(*lacking*)	deren	(*lacking*)
D.	dem	der	dem	welchem	welcher	welchem	denen	welchen
A.	den	die	das	welchen	welche	welches	die	welche

III. *Indefinite Relative Pronouns*

	SINGULAR	
NOM.	wer	was
GEN.	wessen	——
DAT.	wem	——
ACC.	wen	was

IV. *Indefinite Pronouns*

man, *one, they, people*
einer, irgendeiner, *one, somebody*
jemand, *somebody, someone*
niemand, *nobody, no one*
keiner, *nobody, no one*

jeder, *everyone*
alle, *everybody, all*
viel, viele, *much, many*
einige, *several*
wenig, wenige, *little, a few*

1 Personal Pronouns

FIRST PERSON	SECOND PERSON		THIRD PERSON		
		SINGULAR			
ich, *I*	du	Sie	er	sie	es †
meiner, *of me**	deiner	Ihrer	seiner	ihrer	seiner
mir, *to me, me*	dir	Ihnen	ihm	ihr	ihm
mich, *me*	dich	Sie	ihn	sie	es
		PLURAL			
wir, *we*	ihr	Sie		sie	
unser, *of us*	euer	Ihrer		ihrer	
uns, *to us, us*	euch	Ihnen		ihnen	
uns, *us*	euch	Sie		sie	

A. *Supply the proper form of the personal pronoun in each of the following expressions:*

1. Er fragt nach (ich); er wohnt bei (wir); er spricht von (sie, *sing.*); er geht ohne (er). 2. Er sitzt bei (sie, *pl.*); er steht vor (ich); er kommt von (ihr, *pl.*); er sitzt hinter (Sie); er setzt sich neben (ihr). 3. Er geht mit (ich); er arbeitet für (er); er ist freundlich gegen (ich); er kommt zu (ihr, *pl.*). 4. Er grüßt (ich); er ruft (er); er bittet (du); er findet (sie, *pl.*). 5. Ich bringe es (sie, *sing.*); ich sage es (Sie); ich verkaufe es (er); ich schenke es (ihr, *pl.*). 6. Er dankt (ich); ich helfe (sie, *sing.*); er folgt (du); ich glaube (Sie). 7. Ich frage (du), und du antwortest (ich); du fragst (ich), und ich antworte (du).

* The genitive of a personal pronoun is very rarely used in German, since it cannot depend upon a noun. It is used with a few adjectives and verbs and also partitively. These forms are rare: **Ich bin seiner müde,** *I am tired of him.* **Herr, gedenke meiner!** *Lord, be mindful of me!* **Es waren ihrer drei,** *There were three of them.*

† Note the use of **es** in the following phrases:

Wer ist's.	*Who is it?*	Ich bin's.	*It's I.*
Wir sind's.	*It's we.*	Bist du's?	*Is it you?*
Sie sind's.	*It is they.*	Seid Ihr's?	*Is it you?*
Was gibt's?	*What's the matter?*		

Hier gibt's zu tun. *Here is work to be done.*
Wie geht's? *How are you?*

8. Er fragt (Sie), und Sie antworten (er); Sie fragen (er), und er antwortet (Sie). 9. Wir fragen (sie, *pl.*), und sie antworten (wir); sie fragen (wir), und wir antworten (sie, *pl.*). 10. Ihr fragt (er), und er antwortet (ihr, *pl.*); er fragt (ihr, *pl.*), und ihr antwortet (er).

B. *Supply the proper form of the personal pronoun in each of the following sentences:*

1. Ich traf (er) auf der Straße. 2. Er sah (du) im Theater. 3. Ich habe (sie, *sing.*) lange nicht gesehen. 4. Ich gab (er) das Geld. 5. Ich schenke (du) dieses Buch. 6. Ich wünsche (du) Glück. 7. Der Lehrer erklärt (wir) die Aufgabe. 8. Er schreibt (ich) einen Brief. 9. Kinder, ich bringe (ihr, *pl.*) ein Geschenk. 10. Darf ich (Sie) noch eine Tasse Kaffee geben?

C. *Restate the following sentences in German, replacing each noun by a personal pronoun:*

1. Die Kinder lachten über den Schulmeister. 2. Der Lehrer sprach zu den Kindern. 3. Die Kinder hörten dem Lehrer zu. 4. Karl hat an Elisabeth geschrieben. 5. Elisabeth wohnte bei ihrer Mutter. 6. Die Mutter ärgerte sich über Elisabeth. 7. Vater hat das Pferd nicht gekauft. 8. Karl hat seine Füllfeder verloren. 9. Marie hat ihren Bleistift vergessen. 10. Die Leute glaubten dem Manne nicht.

D. *Rewrite the following sentences in German:*

1. He and I; he and she; we and they; you and we. 2. For him; for her; for you; for us; for them. 3. With me; with us; with them; with him. 4. After you; to her; without them; against them; from us. 5. I don't see you; don't see him; don't see them. 6. Who is it? Is it you, Karl? Is it you, Mr. Braun? 7. Do you love me? Do you love him? Do you love her? 8. He is sitting behind me, next to you; he is sitting down behind me, next to you. 9. Did you show him the garden? 10. He and I have been traveling much together. 11. He helped me; he helped her; he helped you. 12. I don't believe you; he does not believe me. 13. I told them the truth. 14. Neither I nor you had studied the lesson. 15. Children, your mother is calling you. 16. We saw her in the theater. 17. Tell me your name. 18. Father bought her a watch. 19. Are you writing her a letter? 20. Why don't you believe me?

E. Mir *oder* **mich; dir** *oder* **dich?** *In the following phrases add the missing personal pronouns and give the English meaning of the phrase:*

1. Fürchte ___ nicht! 2. Ziehe ___ schnell an. 3. Bilde ___ nichts ein. 4. Wasche ___ sauber. 5. Wasche ___ die Hände sauber. 6. Kämme ___ das Haar. 7. Reinige ___ von dem Verdacht. 8. Reinige ___ die Schuhe. 9. Nimm ___ in acht. 10. Entschuldige ___, wenn du zu spät kommst. 11. Pflücke ___ ein paar Blumen. 12. Es fällt ___ (*use first person*) auf; es gelingt ___ nicht; es freut ___; es geht ___ nichts an. 13. Es liegt ___ viel daran; es bekümmert ___; es kränkt ___; es glückt ___; es tut ___ leid. 14. Gib ___ etwas zu essen! 15. Laß ___ einmal trinken! 16. Bringe ___ etwas aus der Stadt mit! 17. Laß ___ draußen spielen! 18. Zeige ___ deine neue Uhr. 19. Hole ___ heute abend ab! 20. Bitte, leihe ___ dein Buch! 21. Bitte, hilf ___ doch! 22. Sei ___ nicht böse! 23. Laß ___ in Ruhe! 24. Halte ___ auf der rechten Seite der Straße! 25. Halte ___ fern von diesen Leuten! 26. Laß ___ das Geld nicht stehlen! 27. Erkundige ___ nach dem rechten Weg! 28. Merke ___ den Namen des Mannes! 29. Das laß ich ___ nicht gefallen. 30. Laß ___ gut für diese Arbeit bezahlen! 31. Das laß ich ___ nicht zweimal sagen! 32. Muß ich ___ das zweimal sagen? 33. Laß ___ nicht fangen! 34. Ich habe ___ rufen lassen. 35. Das hätte ich ___ nicht träumen lassen.

2 Pronominal Compounds with Da– and Dar–

			PRONOMINAL COMPOUND
Hier ist ein Ball;	spiele	mit	dem Ball.
		mit	ihm.
			damit.
Der Vorschlag ist gut;	ich stimme	für	den Vorschlag.
		für	ihn.
			dafür.
Viele Männer;	aber ich kenne keinen	von	den Männern.
		von	ihnen.
			davon.

After prepositions, personal pronouns with reference to an inanimate object (and also when the reference is more general) may be replaced by the adverb **da** (**dar** before a vowel) plus a preposition. In the same manner the adverb **hier** plus preposition may be used. Adverb and preposition are written together as one word: **daran, darauf, daraus, dabei, dadurch, dafür, dagegen, damit, danach** or **darnach, darüber, darunter, davon, dazu, dazwischen; hiermit, hierauf.**

A. *Read the following sentences and: 1) observe the use of the pronominal compounds in German; 2) translate the sentences into English:*

1. Man sagt, er ist ein begabter Schüler, aber ich zweifle daran = an dem Gesagten (*I doubt it*). 2. Es ist nichts von Wahrheit daran = an dem Gesagten (*no truth in it*). 3. Warum erinnerst du mich daran = an das Unangenehme? (*remind me of it*). 4. Was liegt daran = an der Sache? (*does it matter*). 5. Komme pünktlich um sechs Uhr! Ich zähle darauf (*count on it*). 6. Du kannst dich darauf verlassen (*depend on it*). 7. Ich möchte gerne wissen, was daraus (aus deinem Plan) geworden ist (*became of it*). 8. Ich glaube, es wird nichts daraus (*nothing will come of it*). 9. Das ist meine Meinung, und dabei bleibe ich (*stick to it*). 10. Hast du schon deine Schularbeiten gemacht? Ich bin gerade dabei (*at it*). 11. Dadurch schadest du dir nur selber (*through that; by doing that*). 12. Hier ist Geld, kaufe dir etwas dafür (*for it*). 13. Wieviel geben Sie mir für mein Auto? Ich gebe Ihnen tausend Dollar dafür (*for it*). 14. Es ist ein guter

Vorschlag. Warum sind Sie dagegen? (*against it*). 15. Was meinen Sie damit? (*by it*). 16. Es ist aus damit (*an end to it*). 17. Er fragt nichts danach (*does not care for it*). 18. Drei Jahre danach (*after it*). 19. Ich werde mit ihm darüber sprechen (*about it*). 20. Das ist alles, was ich darüber weiß (*about it*). 21. Streitet euch nicht darüber! (*about it*). 22. Ich bin recht froh darüber (*of it*), daß ihr gekommen seid. 23. Es waren auch einige Frauen und Kinder darunter (*among them*). 24. Es war ein langer Brief, aber es stand kein Name drunter * (*under it*). 25. Schicken Sie mir bitte das Buch zurück, ich bitte drum (*for it*). 26. Kümmern Sie sich nicht drum (*about it*). 27. Der Wein ist gut, geben Sie mir noch ein Glas davon (*of it*). 28. Sprechen wir nicht mehr davon (*about it*). 29. Was wissen Sie von der Sache? Was wissen Sie davon? (*of it*). 30. Wer macht die Arbeit, und wer gibt das Geld dazu? (*for it*). 31. Er ist der rechte Mann dazu (*for it*). 32. Es sind deutsche Bücher, aber es sind auch einige englische dazwischen (*among them*).

1. Ich sende Ihnen hiermit (*with this*) das gewünschte Buch, das Sie vor ein paar Tagen bestellt haben. 2. Hiermit (*according to this*) schulden Sie mir zwölf Dollar und fünfzig Cent. 3. Hiervon (*from this*) gehen zehn Prozent ab, wenn Sie sofort zahlen. 4. Hieraus (*from this*) folgt, daß Sie nur elf Dollar und fünfundzwanzig Cent zu zahlen haben. 5. Und was antwortest du darauf? (*reply to this*). 6. Hierzu (*to this*) gehört Geld, und das habe ich nicht. 7. Hierin (*in this respect*) haben Sie recht. 8. Hierzu (*to this*) habe ich keine Zeit. 9. Hierdurch (*through this*) hat er sich sehr geschadet. 10. Hiernach (*towards this*) laßt uns alle streben.

* The compound **dar-** often (especially in colloquial language) drops the vowel **a: dran, draus, drauf, drüber, drunter, drum.**

3 The Relative Pronouns Der and Welcher

	SINGULAR						PLURAL	
	Masc.	*Fem.*	*Neut.*	*Masc.*	*Fem.*	*Neut.*	*M.F.N.*	*M.F.N.*
N.	der	die	das	welcher	welche	welches	die	welche
G.	dessen	deren	dessen	(*lacking*)	(*lacking*)	(*lacking*)	deren	(*lacking*)
D.	dem	der	dem	welchem	welcher	welchem	denen	welchen
A.	den	die	das	welchen	welche	welches	die	welche

1. The relative pronoun **der, die, das** is declined like the definite article, except in the genitive singular **(dessen, deren, dessen)** and in the genitive plural **(deren)** and dative plural **(denen)**. 2. The relative pronoun **welcher, welche, welches** is declined like the **der**-words, except for the genitive case which **welcher** lacks and which is supplied by the genitive of **der**. 3. **Der, die, das** and **welcher, welche, welches** can be used interchangeably.

	RELATIVE	SUBORDINATE CLAUSE	
Der Bauer,	**der**	diese Geschichte erzählte,	ist mir bekannt.
Der Bauer,	**dem**	das Pferd gehörte,	war im Wirtshaus.
Das Kind,	**dessen**	Vater gestorben ist,	braucht Geld.
Ich fand das Haus,	**das**	ich suchte.	
Die Leute,	**welche**	in diesem Lande wohnen,	sind arm.

1. The relative pronouns **der** and **welcher**, used to introduce subordinate clauses,* refer always to an expressed antecedent, either persons or things. 2. They agree with their antecedents in gender and number; case is determined by their function in the sentence. 3. The relative pronoun cannot be omitted in German as in English.

A. *Restate the following sentences in German, supplying the relative pronouns which have been omitted:*

1. Der Student, ___ eben in die Klasse kommt, ist Herr Schmidt. 2. Die Studentin, ___ eben liest, heißt Fräulein Braun. 3. Der Mann, ___ das Geld gestohlen worden war, suchte den Dieb. 4. Ich

* See section on word order, p. 224.

fand die Kinder, ___ ich suchte, im Garten. 5. Die Leute, ___ die Frau diese Geschichte erzählte, lachten. 6. Das Kind, ___ ich diese Geschichte erzählte, glaubte mir nicht. 7. Der Bauer, ___ wir auf dem Felde arbeiten sahen, arbeitete fleißig. 8. Die Kinder, ___ Eltern in jenen Häusern wohnen, sind reiche Kinder. 9. Die Bücher, ___ wir nicht mehr gebrauchen, tragen wir in die Bibliothek zurück. 10. Meine Freundin, ___ ich die Blumen bringen wollte, war nicht zu Hause. 11. Wir setzten uns unter einen Baum, ___ am Wege stand. 12. Ich las die Aufgaben, ___ ich für morgen vorbereiten muß. 13. Dieses Buch, für ___ ich einen Dollar bezahlt habe. 14. Die Ferien, auf ___ ich so gewartet habe. 15. Die Geschichte, an ___ ich jetzt denken muß. 16. Das Fest, auf ___ ich mich so gefreut habe. 17. Das Glas, aus ___ ich getrunken habe. 18. Der Herr, mit ___ wir gereist sind. 19. Der Wald, durch ___ wir marschierten. 20. Die Bäume, unter ___ die Kinder standen. 21. Die Feinde, gegen ___ unsere Soldaten kämpften. 22. Das sind die Tage, von ___ wir sagen: Sie gefallen uns nicht.

B. *Rewrite the following sentences in German:*

1. That is the student who works so diligently. 2. My sister Mary, whose husband died three months ago, now lives with us. 3. His summer house, which he built last year, is on a small river. 4. My two little brothers who went along became tired very soon. 5. Here is the book he read. 6. That was the advice he was giving me. 7. The pen you have writes better than my pen. 8. The hat I buy must be red. 9. Is that the gentleman whom you want to see? 10. Is that the house you want to buy? 11. The lady to whom I gave the flowers was Mrs. Smith. 12. It was the man I saw yesterday.

4 The Relative Pronouns Wer and Was

	RELATIVE	SUBORDINATE CLAUSE	
	Wer	reich ist,	(der) ist nicht immer glücklich.
	Wer	nicht arbeitet,	(der) soll auch nicht essen.
	Wer	krank ist,	soll zum Arzt gehen.
	Was	er gekauft hat,	sagt er nicht.
Es ist alles wahr,	**was**	er sagt.	
Das ist das Beste,	**was**	ich habe.	

Wer and **was**, meaning *whoever, whatever, he who, that which,* are used as generalizing or indefinite relatives.

A. *Restate the following sentences in German, supplying* **wer** *or* **was,** *as required:*

1. Das ist das Beste, ___ ich heute gehört habe. 2. Alles, ___ er sagte, war wahr. 3. ___ nicht sehen kann, ist blind. 4. ___ zuletzt (*last*) lacht, lacht am besten. 5. Nicht alles, ___ glänzt, ist Gold. 6. ___ essen will, soll auch arbeiten. 7. Ich glaubte nicht alles, ___ sie mir sagte. 8. Ich wußte nicht, ___ ich dazu sagen sollte. 9. ___ man will, das kann man auch. 10. ___ nicht studiert, lernt nichts. 11. ___ lügt, der stiehlt auch. 12. ___ Geld hat, kann eine Reise machen. 13. Manches, ___ wir hier lernen, vergessen wir wieder. 14. Einiges, ___ er sagte, war nicht ganz klar. 15. Da ist vieles, ___ du noch zu lernen hast. 16. Er sagte, ich arbeite nicht, ___ mich ärgerte. 17. Das beste, ___ wir besitzen, ist der gute Name. 18. ___ der Löwe nicht kann, das kann der Fuchs. 19. ___ drei wissen, wissen hundert.

B. *Rewrite the following sentences in German:*

1. That was all he said. 2. It was the best I could get for my money. 3. He who wants to work may (permission) work. 4. He who has no money can buy nothing. 5. Whatever she buys is beautiful. 6. We showed them all we bought. 7. He who wishes to eat must work. 8. A single penny is all that I have. 9. Whoever is staying at home today is sensible. 10. Whoever knows him praises him. 11. What a man wishes he readily believes. 12. He believes everything one tells him.

5 Compounds with Wo– and Wor–

PRONOMINAL COMPOUND

Es war das Auto,	**für das** **wofür**	er viel Geld bezahlt hatte.
Lies nicht solche Bücher,	**aus denen** **woraus**	du nichts lernen kannst.

After prepositions which govern the dative or the accusative case, relative pronouns with reference to an inanimate object may be replaced by a pronominal compound consisting of the adverb **wo** or **wor** (before a vowel) and the desired preposition: **woran, worauf, woraus, wobei, wodurch, wofür, wovon, wozu,** etc.

NOTE: Although pronominal compounds are very common in popular speech and widely used, there is in choice language, spoken or written, a decided preference for the inflected pronominal form.

A. *Read the following sentences and: 1) observe the use of the pronominal compounds in German; 2) translate the sentences into English:*

1. Ich erhielt eben Ihren Brief, woraus (aus dem) ich ersehe, daß es Ihnen gut geht. 2. Das Glas, woraus (aus dem) er trank, zerbrach plötzlich in seiner Hand. 3. Das Material, woraus (aus dem) die Kette gemacht ist, ist eine Mischung aus Silber und Kupfer. 4. Die Börse, woraus (aus der) er das Geld nahm, legte er wieder sorgfältig in seinen Schreibtisch zurück. 5. Der Friede, worauf (auf den) wir alle warten, wird scheinbar nie kommen. 6. Es war ein freudiges Wiedersehen und eine herzliche Begrüßung, wobei (bei der) uns die Tränen in die Augen kamen. 7. Es ist ein Mittel, womit (mit dem) man Ratten und Mäuse aus dem Hause vertreiben kann. 8. Das Ziel, wonach (nach dem) er strebt, wird er nie erreichen. 9. Das Geld, wofür (für das) er sich die Schulbücher hatte kaufen sollen, hatte er verloren. 10. Eine Anzahl von Büchern lag auf dem Tisch, worunter (unter denen) einige von großem Wert waren. 11. Es geschehen Dinge in der Welt, wogegen (gegen die) vieles zu sagen ist. 12. Alles, woran (an was) er denkt und was er plant, ist Geld und Reichtum.

THE CONJUNCTION

Conjunctions

Ich vertraute ihm,	**aber**	er enttäuschte mich.
Ich verkaufte das Haus,	**denn**	ich brauchte das Geld.
Mein Vater	**und**	meine Mutter besuchten mich.
Ich hoffte	**und**	wartete auf bessere Zeiten.
Es war zehn Uhr,	**als**	ich nach Hause kam.
Er schreibt mir eben,	**daß**	er nicht kommen kann.
Ich weiß nicht,	**wo**	er augenblicklich ist.

Conjunctions are words used to connect sentences or the elements of a sentence. As in English, they are divided into co-ordinating and subordinating conjunctions.

The most common co-ordinating conjunctions are:

aber, *but* **allein,** *but* **sondern,** *but on the contrary*
und, *and* **oder,** *or* **denn,** *for*

entweder . . . oder, *either . . . or*
weder . . . noch, *neither . . . nor*
sowohl . . . als (auch), *both . . . and*

Co-ordinating conjunctions exert no influence upon the word order.

The most common subordinating conjunctions are:

als, *when, as*
bis, *until*
daß, *that, so that*
nachdem, *after*
seitdem, *since* (temporal)
wann, *when* (in indirect questions)
wie, *how, as* (manner)
als ob, *as if*
da, *as, since* (causal)
ehe, *before*
ob, *whether*
sobald, *as soon as*
weil, *because, since*
wo, *where* (in indirect discourse)
bevor, *before*
damit, *in order that*
indem, *while*
obgleich, *although*
während, *while*
wenn, *if, when, whenever*

In sentences introduced by subordinating conjunctions the finite verb stands at the end of the clause.*

* See section on word order, p. 226.

A. *Connect the following pairs of German sentences by using the indicated conjunctions:*

1. Wir konnten nicht ausgehen. Das Wetter war zu schlecht. (weil, denn) 2. Die Königin ließ ihren Kanzler rufen. Sie wollte ihn um Rat fragen. (denn, weil) 3. Sie ließ ihren Kanzler rufen. Sie wollte seinen Vorschlag hören. (da, denn) 4. Sie war zufrieden. Der Kanzler führte seinen Vorschlag aus. (und, daß) 5. Sie ließ ihren Kanzler gehen. Er konnte ihr keinen Rat geben. (da, weil) 6. Sie folgte seinem Rat. Sie hatte ihn nicht besonders gern. (obgleich, aber) 7. Ich werde Ihnen schreiben. Ich komme in Hamburg an. (sobald) 8. Er antwortete mir nicht. Ich fragte ihn zweimal. (obgleich) 9. Er fragt in diesem Briefe an. Hast du sein Buch gelesen. (ob) 10. Wir suchten Schutz unter einem Baum. Es fing zu regnen an. (als) 11. Er schreibt mir hier. Er kann wegen vieler Arbeit nicht kommen. (daß) 12. Wir sprachen noch lange über ihn. Er war fortgegangen. (nachdem) 13. Unsere Schule beginnt morgens um neun Uhr. Der Unterricht dauert bis drei Uhr nachmittags. (und) 14. Tun Sie, was der Arzt sagt. Sie werden sonst ernstlich krank werden. (oder) 15. Du mußt mir den Brief zeigen. Du bringst ihn zur Post. (ehe) 16. Ich werde es sofort tun. Ich habe seine Erlaubnis dazu. (sobald) 17. Manche Menschen bleiben in gewisser Weise ewig jung. Andere denken und handeln schon in jungen Jahren wie Greise. (während) 18. Er ist nicht im Theater gewesen. Ich bin nicht im Theater gewesen. (weder . . . noch) 19. Karl ist nicht Soldat gewesen. Sein Bruder ist nicht Soldat gewesen. (weder . . . noch) 20. Sein Vater war krank. Seine Mutter war krank. (sowohl . . . als auch)

B. *Use in the following sentences the proper conjunction,* **aber, sondern** *or* **allein:** *

1. Der Mann war durchaus nicht alt, ___ im Gegenteil noch jung. 2. Das Wetter ist heute nicht schön, ___ wir können besseres Wetter erwarten. 3. Er konnte weder schreiben noch lesen, ___ er war durchaus kein dummer Mensch. 4. Er wollte mir das Buch nicht schenken, ___ er wollte es mir nur leihen. 5. Ich vertraute fest auf ihn, ___ er hat mich bitter enttäuscht. 6. Ich arbeitete fleißig an dieser Aufgabe, ich konnte sie ___ nicht fertigbringen. 7. Ich wartete auf sie eine ganze Stunde, sie ist ___ nicht gekommen. 8. Ich

* **Aber** occurs most frequently, and its position in the clause is very free.
Sondern must always stand first in the clause and may be used only when it introduces an affirmative statement which excludes or is to be substituted for a preceding negative one.
Allein must always stand first in the clause and is more literary and rather rare.

wollte dich gestern besuchen, du bist ___ nicht zu Hause gewesen. 9. Er ist nicht reich, ___ ein recht armer Mann. 10. Ich habe das Geld zwar geliehen, ___ ich habe es bis auf den letzten Pfennig zurückgezahlt. 11. Er gewann zwar den Krieg, ___ ihm fehlte die Klugheit, einen dauernden Frieden zu schließen. 12. Er blieb nicht auf der Universität, ___ nach ein paar Semestern verließ er sie.

C. *Rewrite the following sentences in German:*

1. I met him when I was in Germany last year. 2. He could not do it although he had often tried. 3. I shall talk to him when he comes home tonight. 4. He sold the book after he had read it. 5. He wants to know whether you have finished your work. 6. I shall ask him if I see him tomorrow at the university. 7. I shudder (*wenn*) to think of it. 8. You gain nothing (*wenn*) by denying the fact. 9. You will only hurt your health (*wenn*) if you work too much. 10. I know those people (*weil*) from having lived among them. 11. You must show me the letter (*ehe*) before sending it to him. 12. He cannot go out because (*weil*) he is sick. 13. I don't doubt (*daß*) he has done it. 14. I don't doubt (*daß*) he was ready to kill himself. 15. Excuse me (*daß*) entering before you. 16. I see no reason (*daß*) for your leaving us so soon. 17. That (*daß*) you don't know anything about it surprises me very much. 18. Because (*weil*) peace is concluded the president dismisses the soldiers. 19. Be so kind and let me know (*ob*) whether you will come or not. 20. I know that (*daß*) she is unhappy, although (*obgleich*) she does not show it.

WORD STUDY

1 Selbst and Selber

Vater hat das Haus **selber (selbst)** gebaut. *Built it himself.* Sie ist die Freundlichkeit **selbst.** *She is kindness itself.* **Selbst** seine Feinde achteten ihn. *Even his enemies respected him.* **Selbst** im Sommer ist es hier kalt. *It is cold here even in summer.* Sie schaden uns nicht, wir schaden uns **selber.** *We will hurt ourselves.*

The pronominal adverbs **selbst** and **selber,** both interchangeable and both indeclinable, are added to a noun or a pronoun to express either distinction or emphasis. When they express distinction, they follow the noun or pronoun, when they express emphasis, they generally precede the noun or pronoun to which they refer. A verb may be emphasized either by **sogar** or by **selbst,** both are placed after the verb.

A. *Restate the following sentences in English:*

1. Selbst (*even*) ein Kind kann das verstehen. 2. Ich gehe selber (selbst) hin (*myself*) und helfe ihm. 3. Er ist ja selbst (selber) ein Dichter. 4. Vater hat ihm das Geld selber (selbst) gegeben (*himself*). 5. Der Vater unterrichtete seine Kinder selber (selbst). 6. Er ist selbst (*even*) gegen seinen Feind gerecht. 7. Er liebt sogar (selbst) seine Feinde. 8. Über seiner Arbeit vergißt er sogar (selbst) Essen und Trinken. 9. Liebe deinen Nächsten, wie dich selbst (*thyself*). 10. Sie ist so arm wie er selbst. 11. Bemühen Sie sich nicht, ich kann es selber tun. 12. Du betrügst dich selbst, wenn du so denkst. 13. Er lobt sich selbst zuviel. 14. Ich habe es selbst mit eigenen Augen gesehen. 15. Er brachte Ring und Geld von selbst zurück. 16. Er ist von selbst gekommen und hat sich entschuldigt.

2 Gern (Gerne) and Ungern

Ich lese diese Geschichte **gern.** *I like to read this story.*
Ich überlasse Ihnen **gerne** meine Wohnung. *I give up readily my rooms.*
Er nahm mein Angebot **gerne** an. *He accepted with pleasure my offer.*
Das glaube ich **gern,** was Sie sagen. *I readily believe that.*
Gern oder **ungern,** diese Arbeit muß getan werden. *Willingly or unwillingly (whether you like it or not) this work has to be done.*

The adverb **gern** has the meaning of: *willingly, readily, gladly, with pleasure, to be fond of, to like to.*

A. *Read the following phrases and observe the use of* **gern:**

1. Tun Sie das gern? *Do you like to do this?* 2. Ich tue es nicht immer gern, manchmal ungern. *I don't like to do it.* 3. Das habe ich gern; das höre ich gern. *That I like.* 4. So habe ich es gern. *That is how I like it.* 5. Das glaube ich gern. *I readily believe that.* 6. Er folgt gern. *He follows willingly.* 7. Er gibt gern. *He gives readily, he is generous.* 8. Ich bleibe gern. *I gladly stay.* 9. Ich habe den Mann gern. *I like the man.* 10. Herzlich gern. *With all my heart.*

B. *Rewrite the following sentences in English:*

1. Trinken Sie gern ein Glas Wein? Ja, ich trinke gern Wein. 2. An Sonntagen schläft er gern. 3. Spielen Sie gern Golf? Ich spiele schlecht und spiele daher sehr ungern. 4. Wenn Sie es gebrauchen wollen, leihe ich Ihnen gern mein Buch. 5. Geld verleihe ich höchst ungern. 6. Ich habe meinen Hund erschießen müssen, und habe es sehr ungern getan. 7. Ich möchte gern wissen, ob Sie uns morgen besuchen können. 8. Ich nehme Ihre Einladung herzlichst gerne an. 9. Ich bleibe gerne noch etwas länger, wenn ich bleiben darf. 10. Ich glaube Ihnen gerne, was Sie mir über Ihre Arbeit sagen. 11. Ich folge diesem Befehl sehr ungern. 12. Ich verlasse diesen Ort höchst ungern. 13. Er hat diese neue Arbeit höchst ungern übernommen. 14. Ich lasse mich bei meiner Arbeit sehr ungern stören.

3 Nein, Kein, Nicht, Nichts

Hast du heute die Zeitung gelesen? **Nein** (*no*), noch **nicht.**
Mußt du heute abend arbeiten? **Nein** (*no*), ich muß **nicht.**
Das ist **kein** (*not a*) gutes Buch für dich.
Er bittet um Geld, aber ich habe **keins** (*none, not any*).
Das ist **nicht** (*not*) Gold, das ist Kupfer.
Kennst du diesen Mann **nicht** (*not*)?
Ich habe **nichts** (*nothing*) zu verkaufen oder zu kaufen.
Ich habe schon lange **nichts** (*nothing*) von ihm gehört.

Nein, negative to **ja,** is the equivalent to English *no*.
Kein, negative to **ein,** is the adjectival negation *no* or the indefinite pronoun *not a, not any*.
Nicht is the adverbial negative *not*.
Nichts, negative to **etwas,** is the indefinite pronoun *nothing*.

A. *Read the following phrases and sentences and observe the use of these four expressions of negation:*

1. Nein, das glaube ich nicht! *No, I don't believe that.* 2. Nein, du darfst hier nicht rauchen. *No, you are not allowed to smoke here.* 3. Trinken Sie ein Glas Wein? Nein, ich trinke überhaupt nicht. *No, I don't drink at all.* 4. Ich schulde Ihnen kein Geld. *I don't owe you any money.* 5. Bitte, keine Tränen mehr! *No more tears, please.* 6. Er will Geld von mir, aber ich habe keins. *I have none (not any).* 7. Noch nicht. *Not yet.* Nicht mehr. *No more, no longer.* 8. Gar nicht. *Not at all.* Ganz und gar nicht. *Not in the least.* 9. Durchaus nicht. *By no means.* Nicht einmal. *Not even, not so much as.* 10. Nicht wahr? *Is it not so?* Ich auch nicht. *Neither I.* 11. Nicht weniger als. *No less than.* Nur das nicht. *Anything but that.* 12. Er hat soviel wie nichts (*next to nothing*). 13. Er hat fast gar nichts gelernt (*learned almost nothing*). 14. Was hat Vater gesagt? Er sagte nichts. *He didn't say anything.* 15. Diese Arbeit ist nichts wert (*is of no value, is not worth anything*). 16. Weiter nichts? *Is that all?*

B. *Rewrite the following sentences in English:*

1. Kennen Sie diesen Mann, der eben ins Zimmer kommt? Nein, ich kenne ihn nicht. 2. Sind Sie heute für Ihre deutsche Stunde gut vorbereitet? Nein, leider nicht. 3. Können Sie Klavier spielen? Nein, ich habe es niemals gelernt. 4. Haben Sie schon etwas von Heinrich Böll gelesen? Nein, bisher noch nicht. 5. Ich habe keinen Freund in dieser Stadt. 6. Ich habe heute noch keine Zeitung gelesen. 7. Er hat kein Buch, keinen Bleistift und keine Füllfeder. 8. Ich habe bisher noch keine Antwort von ihm bekommen. 9. Haben Sie ein Buch? Ich habe keins. 10. Glauben Sie an Geister? Nein, ich glaube nicht an Geister. 11. Kennen Sie keine dieser Frauen? Ich kenne keine. 12. Wer ist dieser Mann? Er ist keiner der Unsrigen. Er ist kein Hiesiger. 13. Das ist nicht wahr! Ich glaube das nicht! Und ich auch nicht. 14. Wir haben ihn eingeladen, aber er ist nicht gekommen. 15. Haben Sie keine Angst, diese Krankheit ist nicht ansteckend. 16. Er ist treu und zuverlässig, nicht wahr? 17. Er ist abgereist, hat aber noch nicht geschrieben und hat nicht einmal ein Telegramm geschickt. 18. Er ist ganz und gar nicht der Mann, den wir brauchen. 19. Vater ist nicht gesund, und er reist nicht mehr. 20. Sie müssen nichts Unmögliches von uns verlangen. 21. Der Mann hat alles verloren und besitzt jetzt soviel wie nichts. 22. Diese Arbeit ist nichts wert, machen Sie sie noch einmal. 23. Es tut mir leid, aber ich weiß nichts von der Sache. 24. Nehmen Sie das Geld, besser etwas als nichts. 25. Es war nichts mehr als ein Versuch, der mißglückte, machen Sie sich nichts daraus, es bedeutet nichts.

4 Kennen, Wissen, Können

Ich **kenne** diesen Mann nicht. *I don't know this man.*
Auch diese Dame **kenne** ich nicht. *This lady I don't know either.*
Wissen Sie, wo der Mann wohnt? *Do you know where this man lives?*
Nein, das **weiß** ich nicht. *No, I don't know that.*
Können Sie Deutsch oder Russisch sprechen? Nein, ich **kann** kein Deutsch und kein Russisch.
Sie **kann** sehr gut Klavier spielen. *She plays the piano very well.*

All these three verbs mean *to know.*

Kennen is used in the sense of *to be acquainted with, to be familiar with a person, a thing, a fact,* etc., and always takes an object in the accusative case.

Wissen is used in the sense of *to have a definite knowledge of a fact,* i.e., about *date, name, place, person,* and is usually followed by a dependent clause or an impersonal pronoun.

Können is used in the sense of *to know how to do something, to understand how, to have learned something, to know a language.*

A. *Rewrite the following sentences in English, using the proper form for* **kennen, wissen, können:**

1. Kennen Sie diese Pflanze? Ja, es ist eine Sumpfpflanze. 2. Wissen Sie, wie sie heißt? Ja, es ist eine Sumpfdotterblume (*marsh-marigold*). 3. Kennen Sie dieses junge Mädchen? Ja, ich kenne sie, es ist Fräulein Anne-Marie Johannsen. 4. Kennen Sie diesen Mann? Nein, ich kenne ihn nicht, niemand hier in der Stadt kennt ihn, aber ich weiß, wo er wohnt. 5. Kennen Sie die Stadt New York? Ich kenne die Stadt nicht besonders gut, ich kenne nur ein paar Straßen und Plätze in der Stadt. 6. Wissen Sie, wer diese Frau ist? Es tut mir leid, aber ich kenne diese Frau nicht, und ich weiß nicht, wer sie ist. 7. Wissen Sie, ob dieser Mann Deutscher oder Engländer ist? Ja, ich weiß, er ist Deutscher. 8. Wissen Sie, wann und wo dieser Mann geboren ist? Ich weiß nur, daß er in Italien geboren ist, aber wann er geboren ist, das weiß ich nicht. 9. Wissen Sie, wie man dies auf Deutsch sagt? Nein, das weiß ich nicht. 10. Weißt du, wer mit meinem Auto fortgefahren ist? Ja, ich weiß, Karl ist mit dem Auto fortgefahren. 11. Weißt du, wieviel eine Eintrittskarte zum Theater kostet? Ja, sie kostet zweieinhalb Dollar. 12. Können Sie Klavier spielen? Nein, ich habe es niemals gelernt. 13. Fragen wir den Polizisten. Ich bin sicher, er kann Deutsch. 14. Kannst du deine Aufgabe? Ja, ich kann sie, ich habe sie auswendig gelernt. 15. Können Sie meine Uhr reparieren? Ja, das kann ich, ich bin Uhrmacher.

5 Da, Dort

Wer kommt **da?** *Who is coming there?* Wer ist **da?** *Who is there?*
Da sind wir! *Here we are!* Er ist schon **da.** *He is here already.*
Wer wohnt **dort** drüben? *Who is living over there?*
Dort droben auf dem Berge. *Up there on the hill.*
Da ich müde war, ging ich bald zu Bett. *Since I was tired, I went to bed soon.*

Da, as an adverb, means: *there, here;* as a conjunction it means: *as, since.*
Dort, as an adverb, also means: *there,* but usually farther off than da.

A. *In the following phrases and sentences study the use of* **da** *and* **dort:**

1. Das Kind da. *The child there.* 2. Wer ist da? *Who is there?* 3. Von da aus. *From there, from that point.* 4. Was ist da los? *What's going on there?* 5. Es war niemand da. *Nobody was there.* 6. Der Arzt ist da. *The physician arrived (is here).* 7. Vater ist noch nicht da. *Father has not arrived yet (is not here yet).* 8. Endlich sind sie da. *At last they arrived (are here).* 9. Da nimm's! *Here take it!* 10. Herr Klein wohnt nicht mehr dort. *Mr. Klein is not living there any more.* 11. Viele Leute warteten dort. *Many people were waiting there.* 12. Ich war dort, aber ich traf ihn nicht zu Hause an. *I was there, but I did not find him home.* 13. Dort im Süden ist es wärmer als hier. *There in the South it is warmer than here.* 14. Wie lange wollen Sie dort bleiben? *How long do you intend to stay there?*

B. *Rewrite the following phrases and sentences in English:*

1. Da ist er! 2. Da sind wir! 3. Da bin ich! 4. Ich bin da! 5. Ist jemand da? 6. Er ist schon da. 7. Dein Freund ist da. 8. Wer weint da? 9. Er war nicht da. 10. Bleib da! 11. Was machst du da? 12. Warte! Ich bin gleich wieder da. 13. Die Frau dort auf der Straße. 14. Wer wohnt dort neben der Schule? 15. Sind Sie dort in Frankfurt gewesen? 16. Ich bin nicht dort gewesen. 17. Dort ist gut leben! 18. Da ich wenig Geld hatte, konnte ich nicht oft ausgehen. 19. Da es dort an der Küste viel regnete, reisten wir bald wieder ab. 20. Da er nur wenig gearbeitet hatte, fiel er im Examen durch. 21. Da er gut vorbereitet war, beantwortete er alle Fragen klar und korrekt. 22. Da der Mann mir unbekannt war, fragte ich nach seinem Namen und nach seiner Adresse.

6 Man

man	=	jedermann	=	alle
man	=	jemand	=	niemand
man	=	einer	=	keiner

man sagt, *it is said, they say*	**man** hat mir gesagt, *people told me*
man muß es tun, *it must be done*	**man** klopft, *somebody is knocking*
es ist **niemand** da, *nobody there*	hat **jemand** telefoniert? *did somebody call?*

jedermann ist willkommen, *everybody is welcome*

Man, *one, they, a person, people,* is an indefinite and indeclinable pronoun of personal or collective reference, used only in the nominative singular. For indefinite and collective reference in other cases, the forms of **ein** are used: Gen. **eines,** Dat. **einem,** Acc. **einen: Wir sind ein Volk, wir sind eines Blutes,** *we are one people, we are of one blood.*

Jedermann or **jeder,** *everybody.* **Niemand,** *nobody, no one, none.* **Jemand,** *somebody, some one.* **Einer,** *somebody.* **Keiner,** *nobody.*

A. *Study the use of the indefinite pronouns in the following phrases and sentences:*

1. Man tut das nicht. *It's not done.* 2. Was wird man sagen? *What will people say?* 3. Man kann es tun. *One may do it.* 4. Man kann nie wissen. *Nobody knows, there is no telling.* 5. Man erlaube mir. *May I be permitted?* 6. Jemand sagte mir. *Somebody told me.* 7. Jemand fragte ihn. *Somebody asked him.* 8. Jedermann muß zugeben. *Everybody has to admit.* 9. Jedermann respektierte ihn. *He was respected by everybody.* 10. Niemand will mehr gehorchen. *Nobody wants to obey anymore.* 11. Niemand darf hier rauchen. *Nobody is allowed to smoke here.* 12. Einer ist in meinem Zimmer gewesen. *Somebody has entered my room.*

B. *Restate the following sentences in English:*

1. Wie sagt man das auf Deutsch? 2. Man sagte mir, er sei gestorben. 3. Man kann diesem Manne nicht glauben. 4. Man kann nie wissen, wie das Wetter morgen sein wird. 5. Wie heißt der Mann,

wenn man fragen darf? 6. Man sagt, dieser Mann ist fast hundert Jahre alt. 7. Man sagt, dieser Mann ist früher einmal sehr reich gewesen. 8. Man sagte mir, er habe viel Gutes für die Stadt getan. 9. Er ist vor ein paar Jahren gestorben, aber man hat ihn bis heute noch nicht vergessen. 10. Tue das nicht, man verliert nur Zeit und Geld dabei. 11. In Karls Haus ist man immer willkommen. 12. Hat man mich oder hat man dich gerufen? 13. Es klopft. Ist jemand an der Tür? 14. Weder ich noch sonst jemand hat etwas gesagt. 15. Hast du sonst noch jemand in der Stadt getroffen? 16. Es klopfte, ich ging hinaus, aber es war niemand da. 17. Kritisiere ihn nicht, jedermann hat seine Fehler. 18. Jedermann zahle dem Staate seine Steuern! 19. Jedermann strebt nach Glück und Erfolg, aber niemand erreicht es vollständig. 20. Da war einer, der mich nach deinem Namen fragte.

7 Doch and Noch

Ich weiß, es ist verboten, aber es geschieht **doch.** *It's done all the same.* Er soll nicht arbeiten, aber er arbeitet **doch.** *He works anyway.* Aber so kommen Sie **doch** herein! *Come in please.* Sie wissen **doch,** daß es verboten ist. *You surely know it is prohibited.* Sagen Sie das bitte **noch** einmal. *Please say it once more.* Wo ist dein Freund Karl? Er arbeitet **noch.** *He is still working.*

Doch and **noch** are adverbs. **Doch** is used stressed or unstressed in its clause and has the meaning of: *yet, after all, still, I hope, for sure;* **noch** has the meaning of: *still, as yet, some (any) more.*

A. *Read the following sentences with the proper stress and rewrite them in English:*

The adverb **doch** is stressed.

1. Tue es lieber selber Karl, ich vergesse es doch (*for sure*). 2. Gib dir keine Mühe, er ist faul und lernt doch nichts (*anyway*). 3. Erst wollte ich nicht hingehen, aber jetzt gehe ich doch (*anyway*). 4. Leugnen Sie nicht, ich weiß, Sie haben es doch getan (*for sure*). 5. Geben Sie dem Jungen nicht das schöne Messer, er verliert es doch nur (*for sure*). 6. Ich hatte ihn sehr gebeten, mir sofort zu schreiben, aber er hat es doch nicht getan (*yet*).

The adverb **doch** is unstressed.

1. Sie wissen doch, daß es verboten ist, hier zu rauchen (*for sure*). 2. Er ist doch nicht etwa krank? (*I hope*). 3. Das ist doch Unsinn, was Sie sagen (*I am sure*). 4. Er hat es doch selbst gesagt (*after all*). 5. Trinken Sie! Ein Glas kann Ihnen doch nicht schaden (*surely*). 6. Seien Sie doch geduldig und warten Sie! (*will you?*) 7. Sie kommen doch morgen? (*I hope*). 8. Sie haben doch keine Eile? (*I hope*) 9. Sie haben doch keine Angst? (*after all*). 10. Bleiben Sie doch sitzen! (*just*) 11. Ich habe es dir doch gestern gesagt (*after all*). 12. Du wirst doch nicht nachgeben? (*I hope*).

B. *Use the following phrases in a complete German sentence:*

noch nicht! *not yet!*
noch heute, *this very day*
noch nie, *never (yet)*
noch mehr, *still more*
noch gestern, *only (even) yesterday*
immer noch nicht, *still not (yet)*
noch einmal, *once more, once again*
noch vor kurzem, *just recently*

C. *Rewrite the following sentences in English:*

1. Das Kind ist noch nicht sieben Jahre alt. 2. Er wohnt hier bei uns noch kein Jahr. 3. Es ist noch nicht lange her. 4. Geben Sie mir noch ein bißchen mehr Zeit. 5. Nur noch einen Augenblick, bitte! 6. Nur noch eine Frage, bitte! 7. Noch eine Tasse Kaffee, bitte! 8. Wo ist Karl? Er schläft noch. 9. Ist er noch krank? Er ist noch krank, und noch hat sich keine Besserung gezeigt. 10. Er hat kaum noch einen Freund hier in der Stadt.

8 Leben and Wohnen

Er **lebte** im achtzehnten Jahrhundert. *He lived in the 18th century.*
Lebt er noch, und wo **lebt** er? *Is he still living and where?*
Wie lange **wohnen** Sie schon hier? *How long are you living here?*
Wo haben Sie in Deutschland **gewohnt?** *Where did you live in Germany?*
Ich habe in Dresden **gewohnt.** *I lived (resided) in Dresden.*

Leben has the meaning of *to exist, to be alive;* **wohnen** means *to dwell, to reside.*

A. *Restate the following sentences in English:*

1. Er hat zehn Jahre lang in Deutschland gelebt. 2. Unser Nachbar ist krank und wird nicht mehr lange leben. 3. Ich ziehe nach dem Süden, denn ich muß in einem wärmeren Klima leben. 4. Wenn Sie nicht besser auf Ihre Gesundheit achten, werden Sie nicht lange leben. 5. Er lebt außerhalb der Stadt und lebt ganz für sich allein. 6. Wcvon lebt er? Er lebt von seinen Zinsen und hat genug zu leben. 7. Es lebt sich dort sehr angenehm in Kalifornien. 8. Er ist achtzig Jahre alt, er ist gesund und wird wohl noch lange leben. 9. Primitive Völker leben von der Jagd und dem Fischfang. 10. Wo haben Sie in New York gewohnt? Ich habe auf der Westseite gewohnt. 11. Meine Freunde wohnen auf der Südseite der Stadt. 12. Wo wohnen Sie liebcr, in der Stadt oder auf dem Land? Ich wohne lieber in einer Stadt. 13. Wissen Sie, wo er wohnt? Das weiß ich nicht, ich weiß nur, er wohnt in einem kleinen Hause mit Garten auf der Nordseite der Stadt. 14. Warum wollen Sie nicht hier wohnen bleiben? Es wohnt sich hier sehr schön.

9 Fragen and Bitten

Frage nach dem Preis des Ringes. *Ask (inquire) about the price.* Ich werde meinen Rechtsanwalt **fragen.** *I will ask (consult) my lawyer.* Darf ich um das Salz **bitten?** *May I ask (trouble you) for the salt?* Ich **bitte** um Verzeihung. *I ask (beg) your pardon.*

Fragen has the meaning of *to inquire, to ask (for an answer in words);* **bitten** means *to beg, request, ask (for action).*

A. *Restate the following sentences in English:*

1. Frage den Mann nach seinem Namen. 2. Frage ihn auch, wo er wohnt. 3. Was hat er dich gefragt? 4. Ich habe dich etwas zu fragen. 5. Er hat nach deiner Gesundheit gefragt. 6. Hast du deine Mutter um Erlaubnis gefragt? 7. Welches Recht haben Sie, mich dies zu fragen? 8. Ich habe ihn gefragt, nicht dich; also laß ihn antworten. 9. Mein Freund Ernst bittet mich in diesem Brief um meine Hilfe. 10. Lauf und bitte den Arzt, sofort zu kommen. 11. Verzeihen Sie, aber ich muß Sie um eine Gefälligkeit bitten. 12. Darf (*may*) ich Sie um Ihren Namen bitten? 13. Darf (*may*) ich um ein Glas Wasser bitten? 14. Ich bitte (*request*), daß man mich heute nicht mehr in meiner Arbeit stört. 15. Bitte (*please*), können Sie mir sagen, wo das Postamt ist? 16. Bitte (*please*), setzen Sie sich! 17. Bitte (*please*), gib ihm doch, um was er dich bittet!

B. *Restate the following sentences in German:*

1. That is still (*noch*) the question. 2. That is just (*gerade*) the question; what will be your answer? 3. Why don't you answer my question; I am waiting? 4. Have you asked who bought the house next door? I asked but they wouldn't tell me. 5. Didn't she ask who I was? No, but she asked how old you were and how long you would stay here. 6. Go and ask the boy what he wants. He asks (*bitten*) for work. 7. They request that we should be their guests over the weekend.

10 Brennen and Verbrennen

Die ganze Stadt **brennt.** *The whole city is on fire (burns).* Es **brennt** in der Stadt. *There is a fire downtown.* Ich habe mir die Hand **verbrannt.** *I burnt my hand.* Er hat meine Briefe **verbrannt.** *He burnt my letters.*

Brennen has the meaning of *to burn*, **verbrennen** has the meaning of *to burn up, consume (destroy) by fire, reduce to ashes.*

Restate the following sentences in English:

1. Das ganze Haus brennt. 2. Es hat heute nacht in unserer Straße gebrannt. 3. Früher haben wir Steinkohle in unsern Öfen gebrannt, heute brennen wir Gas. 4. Hat das Feuer noch gebrannt? Nein, nur ein paar Kohlen haben noch gebrannt. 5. Brennen Sie Gas, oder haben Sie Elektrizität in Ihrem Hause? 6. Das Holz ist naß, es will nicht brennen. 7. Der Köhler brennt Holz zu Holzkohle, aber er verbrennt das Holz nicht. 8. Ich habe mich mit heißem Wasser verbrannt (*to scald*). 9. Haben Sie alle meine Briefe verbrannt? Ich versichere Ihnen, ich habe sie alle verbrannt. 10. Wo ist mein Bild? Sie haben es doch nicht verbrannt? Es tut mir leid, aber ich habe es auch verbrannt. 11. Im Feuer ist eine wertvolle Stradivarius Geige verbrannt. 12. Ein Feuer brach im Museum unserer Stadt aus, und ein paar wertvolle Gemälde sind verbrannt.

11 Gehen, Fahren, Reisen, Laufen, Schreiten

Ich **gehe** zu Fuß zur Schule. *I walk (go on foot) to school.*
Wir **gehen** heute spazieren. *We are going for a walk today.*
Wir **fahren** mit dem Bus zur Schule. *We go by (take the) bus.*
Ich bin schnell nach Hause **gelaufen.** *I ran quickly home.*
Er kam langsam auf uns **zu geschritten.** *He stepped up to us.*

All five verbs express motion from one place to another: **gehen,** *to go, walk;* **fahren,** *to drive, go (by car, ship, bus, train, etc.):* **reisen,** *to go, travel;* **laufen,** *to run, rush;* **schreiten,** *to step, stride, stalk.*

Restate the following sentences in English using the verbs in parentheses:

1. Er geht langsam die Straße hinab (*walk*). 2. Gehen Sie nicht ins Haus hinein (*to go*)? 3. Gehen Sie heute nicht zur Vorlesung (*to go*)? 4. Gehst du mit uns ins Theater (*to go*)? 5. Dieser Weg geht zur Stadt zurück (*to go, lead back*). 6. Wohin gehen Sie (*to go*)? 7. Gehen Sie nicht den Hügel hinauf, nehmen Sie das Auto (*walk*). 8. Wir fahren von Frankfurt nach Berlin (*to go, travel by train*). 9. Von dort fahren wir nach Österreich (*to go*). 10. Ich fahre mit meinem Auto nach New York (*drive*). 11. Ich reise gern mit dem Bus (*to travel*). 12. Wir sind in unserm Auto durch das ganze Land gereist (*to travel*). 13. Vater muß als Geschäftsmann viel reisen (*to travel*). 14. Er ist in seinem Leben viel gereist (*to travel*). 15. Lauf nicht so schnell, ich kann nicht folgen (*to run*). 16. Er ist gerade um die Ecke gelaufen (*just ran*). 17. Er schritt langsam die Straße hinab (*to stalk along*). 18. Das Brautpaar schritt langsam in die Kirche hinein (*stepped*).

12 Denken, Danken, Glauben

Sie **denkt** nicht mehr an dich. *She doesn't think of you any more.*
Was **denken** Sie von diesem Mann? *What do you think of this man?*
Glauben Sie, daß es regnen wird? *Do you think it will rain?*
Ich **glaube,** er spricht die Wahrheit. *I think he speaks the truth.*
Danke ihm für das Geschenk! *Thank him for the present.*
Vergiß nicht, ihm zu **danken.** *Don't forget to thank him.*

Denken has the meaning of *to think, reason, reflect on;* **glauben** is used in the sense of *to believe, to think in the sense of believe;* **danken** means *to thank, return thanks.*

Restate the following sentences in English:

1. Woran denken Sie? 2. Denken Sie immer noch an ihn? 3. Denken Sie, daß Sie morgen zu uns kommen können? 4. Ich kann mir nicht denken (*imagine*), daß er das von mir gesagt hat. 5. Du kannst dir denken (*imagine*), wie schwer mir diese Entscheidung geworden ist. 6. Denke an deine Gesundheit! 7. Er denkt an nichts als Geld. 8. Ich habe mir nichts Schlimmes dabei gedacht (*didn't see any harm*). 9. Glauben Sie, ich sei ein Dieb? 10. Glaube nicht alles, was die Zeitung schreibt. 11. Sie hat geglaubt, ich sei böse auf sie. 12. Sie glaubt, ihre Eltern werden sie morgen besuchen. 13. Was soll ich tun? Glauben Sie, ich soll mein Auto verkaufen? 14. Daran ist nicht zu denken! Niemand wird es kaufen wollen. 15. Wieviel glaubt man, daß er bei diesem Geschäft verloren hat? 16. Wohin glaubt man, daß er gereist ist? 17. Ich danke Ihnen für Ihren freundlichen Brief. 18. Für das schöne Geschenk danke ich Ihnen von ganzem Herzen.

13 *Als, Wenn, Wann*

Als er starb, war er fast hundert Jahre alt. (*when*)
Es war elf Uhr, **als** er nach Hause kam. (*when*)
Wenn du nicht schneller arbeitest, wirst du nicht fertig. (*if*)
Wenn er uns besuchte, brachte er mir immer ein Geschenk. (*whenever*)
Wann kommt der Zug aus Chicago an? (*when, at what time*)
Wann wurde Goethe in Frankfurt geboren? (*when, in what year*)

For the English *when* German has three equivalents:

Als means *when, at the time when* and is used only to refer to a definite time in the past when a single act or event took place.

Wenn means *if* when it introduces a conditional clause; in other cases it is used in the sense of *whenever, at whatever time.*

Wann is an interrogative, meaning *at what time* and is used in direct and indirect questions.

Restate the following sentences in English:

1. Als ich nach Hause kam, war es schon dunkel. 2. Marie ging gerade zur Universität, als ich sie gestern traf. 3. Ich kam gerade aus einer Vorlesung, als es zu regnen anfing. 4. Goethe war noch sehr jung, als er „Werthers Leiden" schrieb. 5. Ich bliebe gerne länger, wenn ich mehr Zeit hätte. 6. Wenn es morgen regnen sollte, können wir nicht ausgehen. 7. Wenn du nicht besser auf deine Gesundheit achtest, wirst du krank werden. 8. Wenn ich an deiner Stelle wäre, würde ich das nicht tun. 9. Wenn ich ausgehe, begleitet mich immer mein Hund. 10. Wenn ich Geld habe, bezahle ich immer zuerst meine Schulden. 11. Wann bist du gestern aus Hamburg in New York angekommen? 12. Wann denkst du, wirst du mit dieser Arbeit fertig werden? 13. Er fragte mich, wann mein Vater nach Hause käme. 14. Er wollte wissen, wann ich ihm mit seiner Arbeit helfen könnte.

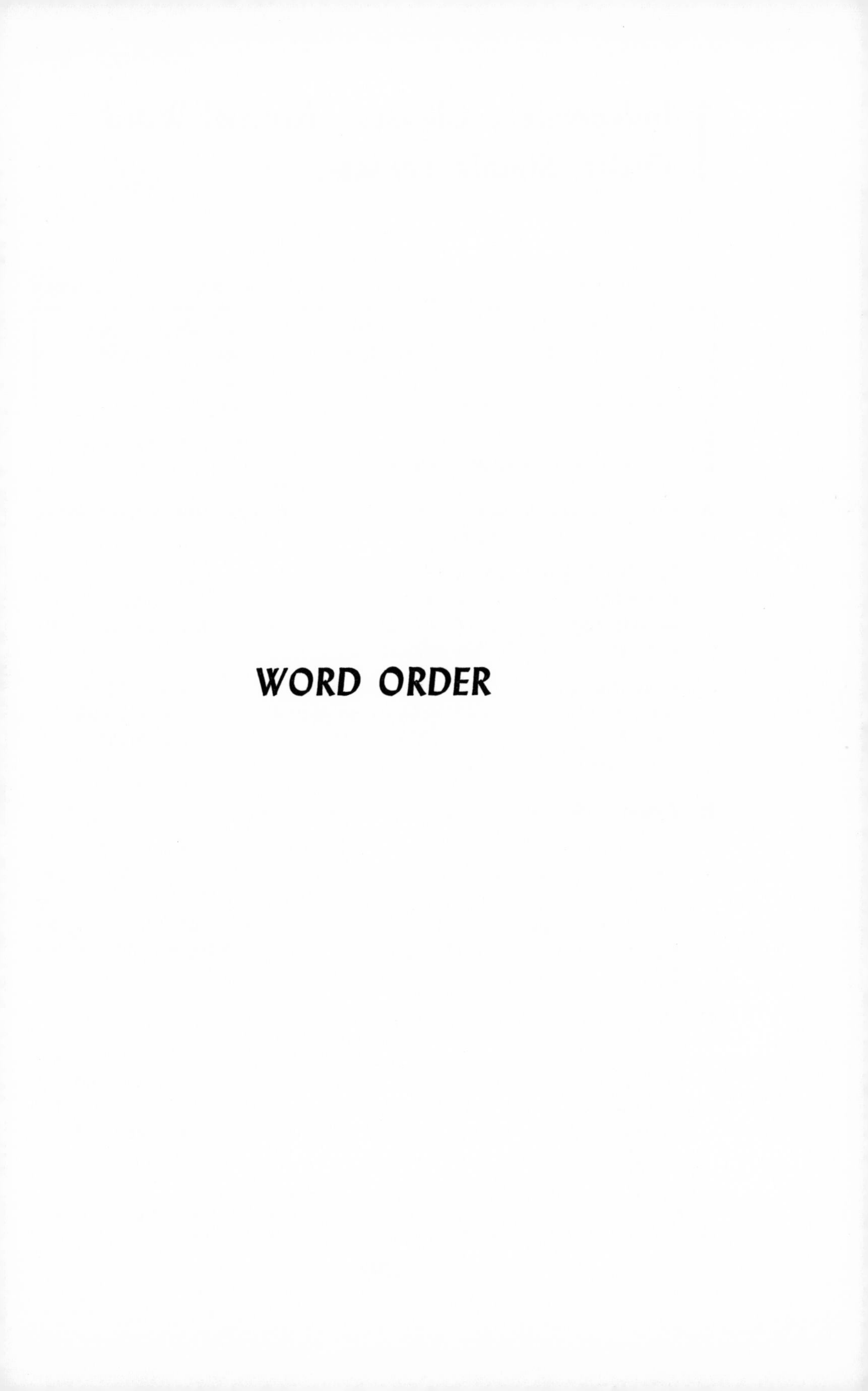

WORD ORDER

1 *Independent Clauses*: Normal Word Order, Simple Tenses*

SUBJECT	FINITE VERB	MODIFIERS OF THE VERB
Der Lehrer	**spricht**	mit dem Schüler.
Ein junger Mann	**wanderte**	durch das Dorf.
Er	**sandte**	uns das Geld.

In all independent sentences the finite verb † is the second element in the sentence (Normal Word Order).

A. *Complete the following independent sentences in German, using one of the given modifiers:*

1. Der Schüler schreibt ____. 2. Der Lehrer fragt ____. 3. Das Buch lag ____. 4. Das Haus stand ____. 5. Der Garten lag ____. 6. Wir reisen ____. 7. Ich lese ____. 8. Du gehst ____. 9. Er schenkte ____. 10. Sie brachte ____.

seine Aufgabe	*diese Geschichte*	*den Schüler*
auf dem Tisch	*hinter dem Hause*	*in die Schule*
nach Europa	*ihr eine Uhr*	*mir Blumen*
neben der Kirche		

B. *Rewrite the following sentences in English:*

1. Die Erde ist ein Planet. 2. Zeit ist Geld. 3. Aller Anfang ist schwer. 4. Gestrenge Herren regieren nicht lange. 5. Alle Menschen müssen sterben. 6. Sieben Tage sind eine Woche. 7. Übung macht den Meister. 8. Der Gesunde braucht keinen Arzt. 9. Es fällt kein Meister vom Himmel. 10. Verstand kommt nicht vor den Jahren.

C. *Rewrite the following sentences in German:*

1. He answered the question. 2. She writes her homework. 3. He is visiting his grandfather. 4. I am going home. 5. I am studying my lesson. 6. He is closing the door. 7. My friend is coming tomorrow. 8. His parents are very poor. 9. He is my friend. 10. I am always at home.

* That is, principal clauses, or independent sentences.

† By finite verb is meant that part of the predicate which takes the personal endings: in simple tenses the verb, in compound tenses the auxiliary.

2 Independent Clauses: Normal Word Order, Compound Tenses

SUBJECT	FINITE VERB	MODIFIERS	PARTICIPLE OR INFINITIVE
Er	**hat**	das Mädchen	**gesehen.**
Er	**ist**	durch das Dorf	**gewandert.**
Er	**wird**	in das Dorf	**kommen.**
Er	**wird**	morgen den Brief	**geschrieben haben.**

In sentences employing compound tenses of the verb the finite verb (auxiliary) is the second element; the participle and the infinitive stand last, the participle preceding the infinitive in cases in which both are used (Normal Word Order).

A. *Restate the following sentences in the present perfect tense:*

1. Er grüßt seinen Lehrer. 2. Ich lese diese Geschichte. 3. Ich gebe dem Mann das Geld. 4. Er läuft schnell nach Hause. 5. Ich bleibe bis um vier Uhr in der Schule.

B. *Restate the following sentences in the future tense:*

1. Ich schreibe einen Brief an meine Mutter. 2. Mein Vater liest das Buch. 3. Ich besuche morgen meinen Freund. 4. Ich gehe heute abend in das Theater. 5. Ich komme um acht Uhr nach Hause.

C. *Restate the following sentences in the future perfect tense:*

1. Ich sehe ihn morgen um zehn Uhr. 2. Er lernt das lange Gedicht in einer Stunde. 3. Ich werde heute abend den Brief schreiben. 4. Die Kinder spielen den ganzen Vormittag Fußball. 5. Er kommt in einer Woche in New York an.

D. *Rewrite the following sentences in German in: 1) the present perfect tense; 2) the future tense:*

1. My father bought the house. 2. He wrote a letter to (*an*) his parents. 3. He speaks too (*zu*) rapidly. 4. He drank too much. 5. I found my book. 6. I met the old gentleman in the theater. 7. The dog was lying under a chair. 8. They were going home. 9. The child ran quickly to its father. 10. He had fallen into the water.

3 Independent Clauses: Inverted Word Order

EMPHASIZED PART	FINITE VERB	SUBJECT	
Heute morgen	machte	ich	einen Spaziergang.
Für meine Schwester	kaufte	er	gestern das Geschenk.
Meine Schularbeit	hatte	ich	vergessen.
Im Theater	habe	ich	ihn gestern gesehen.

1. When for emphasis any sentence unit other than the subject introduces the independent sentence, the finite verb stands as second element, the subject as third (Inverted Word Order). 2. In an independent sentence in German the subject either precedes the finite verb (Normal Word Order), or follows the finite verb immediately (Inverted Word Order).

A. *Complete the following independent sentences in German:*

1. Seine Schularbeit machte ___. 2. Meiner Schwester schenkte ___. 3. Seinen Vater hat ___. 4. Das Geschenk habe ___. 5. Gestern schrieb ___. 6. Noch immer arbeitet ___. 7. Nach dem Spaziergang ging ___. 8. Nach New York bin ___. 9. In der Schule sind ___. 10. Auf dem Berg sind ___.

B. *Rewrite the following sentences in German, beginning each sentence with the expression of time:*

1. Unser Vater arbeitete heute morgen im Garten. 2. Ich traf ihn gestern abend im Theater. 3. Wir fuhren an einem Sonntag von New York nach Boston. 4. Mein Bruder ist vormittags immer in der Schule. 5. Wir kamen nach einer Stunde an einen breiten Fluß. 6. Er lebt jetzt hier bei uns in der Stadt. 7. Vater ist heute plötzlich nach Deutschland abgereist. 8. Er wird nach acht Tagen Fahrt in Hamburg ankommen. 9. Mein Bruder ist den ganzen Tag in der Schule gewesen. 10. Er ist eben nach Hause gekommen.

C. *Read the following sentences, starting each sentence with the adverb or adverbial phrase:*

1. Vater ist vormittags in der Schule. 2. Mein Bruder ist heute nicht in der Schule gewesen. 3. Es hat bald zu regnen angefangen.

4. Der Lehrer ist plötzlich ins Zimmer gekommen. 5. Er ist noch kurz vorher bei uns gewesen. 6. Er ist nie unvorbereitet zur Klasse gekommen. 7. Sie ist früher Lehrerin gewesen. 8. Ich will mit ihm morgen abend ins Theater gehen. 9. Er konnte endlos von seinen Reisen und Erlebnissen erzählen. 10. Ich habe noch niemals eine Antwort von ihm bekommen. 11. Ich würde ihm sehr gerne helfen, wenn ich es dürfte. 12. Er ist endlich gekommen, nachdem wir zwei Stunden gewartet hatten. 13. Wir hatten fast die Hoffnung aufgegeben, daß er kommen würde. 14. Sie ist gleich nach Hause gegangen, als ihre Mutter sie rief. 15. Er ist jedesmal nicht vorbereitet gewesen, wenn ich ihn gefragt habe. 16. Er wird sicher kommen, wenn er es dir versprochen hat. 17. Ich habe das Kind sofort nach Hause geschickt, als ich sah, daß es krank war. 18. Er hat mich vielleicht nicht verstanden und gab mir deshalb eine falsche Antwort. 19. Du kommst aber auch immer zu spät zur Klasse! 20. Ich habe ihm zuerst nicht geglaubt, aber ich merkte bald, daß er die Wahrheit sprach.

D. *Rewrite the following sentences in German, starting with the italicized words:*

1. I often went to the theater *last summer.* 2. I went home immediately *after school.* 3. He will buy a present *for his friend.* 4. The sun sets *in summer* at half past seven. 5. He will leave our city *at half past nine.* 6. She is *always* staying at home. 7. He did not do his homework *yesterday.* 8. *Therefore* he will be twice as industrious today. 9. On Saturday I shall play *ball.* 10. He had given the old man *some money.*

4 Independent Clauses: Word Order of Questions

	VERB	SUBJECT	
	Gehen	Sie	heute ins Theater?
	Sind	Sie	gestern im Theater gewesen?
Wann	gehen	Sie	heute abend ins Theater?
Warum	gehen	Sie	heute abend nicht ins Theater?

In questions the finite verb stands first. If, however, the question is introduced by an interrogative (pronoun, adverb, or phrase) this interrogative is the first unit and is directly followed by the finite verb.

A. *Formulate questions in German: 1) without an interrogative; 2) with an interrogative, on each of the following statements:*

1. Dieser Schüler ging heute morgen nicht zur Schule. (warum) 2. Die Kinder spielten den ganzen Tag. (wo) 3. Sein Vater gab ihm kein Geld. (warum) 4. Er wird mir das Geld erst morgen geben. (warum) 5. Du hast deine Schularbeit nicht gut gemacht. (warum) 6. Er hat dir nicht geglaubt. (warum) 7. Er erzählte von seinen Reisen und Abenteuern. (wann) 8. Er wohnte sieben Jahre lang in der Stadt New York. (wie lange) 9. Er hat dir gestern hundert Dollar gebracht. (wieviel Geld) 10. Er arbeitete vier Jahre lang fleißig auf der Universität. (wie viele Jahre lang)

B. *Rewrite the following questions in German:*

1. When does the sun rise? 2. When will you read that German book? 3. When will you go to Germany? 4. Where are my books? 5. Where did you buy this beautiful fountain pen? 6. Why were these boys not in school today? 7. Why did you not open the door? 8. What did you have for (*zum*) breakfast this morning? 9. To whom do these German books belong? 10. For whom were you working? 11. With whom will he travel this summer? 12. How long have you been waiting for (*auf*) him? 13. Did you visit the beautiful city of Munich? 14. Did it snow yesterday? 15. Have you sold your German books? 16. Have you read this interesting story? 17. Have you seen our new house? 18. Is he a teacher or a physician? 19. Is your father a professor at (*an*) this university? 20. Do you know (*kennen*) this man?

5 Independent Clauses: Word Order of Commands and Requests

	VERB	
	Warte	einen Augenblick!
	Gehen	wir ins Haus!
Karl,	**lies**	deine Aufgabe!
Herr Schmidt,	**vergessen**	Sie Ihr Buch nicht!
Bitte,	**hole**	mir mein Buch!

In commands and requests, where the verb is the emphatic element, it stands first. (See section on „Imperative," p. 52)

A. *Form commands in German from the following statements:*

1. Er fragt den Lehrer. 2. Er übersetzt den dritten Satz. 3. Er liest die Geschichte zu Ende. 4. Er gibt mir seine Schularbeit. 5. Karl und Marie wiederholen den Satz. 6. Karl und Marie verbessern diesen Fehler. 7. Herr Schmidt geht an die Wandtafel. 8. Herr Schmidt gibt mir das Buch. 9. Wir fangen mit der achten Aufgabe an. 10. Wir warten noch einen Tag.

B. *Rewrite the following commands in German:*

1. Open the window. 2. Write that in German. 3. Give me your book. 4. Eat your breakfast. 5. Please, continue with your reading now. 6. Please, give me the money. 7. Mr. Smith, read your lesson, please. 8. Mr. Smith, help him, please. 9. Let's write him a letter. 10. Let's now go home.

6 Independent Clauses: Compound Verbs with Separable Prefixes

SUBJECT	VERB	VERB MODIFIERS	PREFIX
Ich	**stehe**	jeden Morgen um sechs Uhr	**auf.**
Wir	**fangen**	jetzt unsere Schularbeit	**an.**
Er	**kommt**	morgen aus New York	**zurück.**

In an independent clause, separable prefixes of compound verbs stand at the end of the clause.*

A. *Restate the following sentences in German, employing: 1) the present tense; 2) the past tense of the compound verb indicated (make certain that verb and prefix are in correct position):*

1. Der Weg (hineinführen) direkt in den Wald. 2. Vater (zurückkommen) von seiner Reise. 3. Er (fortsetzen) seinen Weg. 4. Wir (annehmen) das Geld nicht. 5. Wir (ansehen) uns die Stadt. 6. Ich (ausgehen) mit meinem Freund. 7. Ich (aufhalten) mich hier drei Tage lang. 8. Er (einschlafen) manchmal in der Klasse. 9. Ich (hingehen) um sieben Uhr zu ihm. 10. Er (hineingehen) nicht in das Haus. 11. Sie (aussprechen) dieses Wort falsch. 12. Sie (aussehen) krank. 13. Ich (mitbringen) meinen Freund zum Abendessen. 14. Warum (ausziehen) du deine Schuhe? 15. Wir (ausgehen) noch einmal. 16. Ich (hinaufgehen) in mein Zimmer. 17. Sie (hineinbringen) die Tische und Stühle. 18. Ich (fortschicken) die Kinder. 19. Sie (vorlesen) uns den Brief. 20. Ich (abschreiben) den Brief.

B. *Rewrite the following sentences in German:*

1. The sun rises at six o'clock. 2. The sun sets at half past six. 3. Father gets up at half past six. 4. They went away at half past four. 5. He took his coat off. 6. He usually carries out his plans. 7. When did you return home? 8. When did your friend arrive? 9. Why did you not stay there longer? 10. That often occurs.

* See section on compound verbs, p. 24.

7 Independent Clauses: Use of Adverbs of Time

	TIME	PLACE	
Wir gehen	**jetzt**	nach Hause.	
Ihr seid	**gestern**	in der Stadt	gewesen.
Wir werden	**morgen abend**	in der Stadt	sein.

Adverbs of time or adverbial phrases of time (generally) precede those of place. (See section on adverbs of time, p. 166)

A. *Restate the following sentences in German, introducing in each of them the indicated expressions of time and place:*

1. Ich werde sein. (morgen; nicht zu Hause) 2. Sie ist gewesen. (hier; vor einer Stunde) 3. Er ist gekommen. (gestern; nach Hause) 4. Vater ist gegangen. (in den Garten; eben) 5. Ich muß das Geld verloren haben. (im Theater; gestern abend) 6. Meine Eltern und ich sind gereist. (nach Europa; letzten Sommer) 7. Er hält sich auf. (seit drei Tagen; in München) 8. Wir trafen ihn. (in der Nähe der Schule; bald) 9. Vater und ich arbeiteten. (im Garten; jeden Sonntag morgen) 10. Ich fand dieses alte Buch. (auf einer Bank in unserem Stadtpark; eines Tages)

B. *Rewrite the following sentences in German:*

1. I am going to school now. 2. She always stays at home. 3. I was at my friend's yesterday evening. 4. Do you write your homework mornings or evenings? 5. My brother goes to the theater every day. 6. Were you in church on Sunday? 7. The boy was playing in the garden yesterday. 8. He went to Chicago three days ago. 9. The sun rises in the morning in the east and sets in the evening in the west. 10. He has been here a week and will go home next Friday.

8 Independent Clauses: Place of Indirect and Direct Object*

	INDIRECT OBJECT	DIRECT OBJECT
Er zeigte	**dem Freunde**	das Bild.
Er sandte	**seiner Mutter**	die Blumen.
Er gab	**mir**	den Schlüssel.

	DIRECT OBJECT	INDIRECT OBJECT
Er zeigte	es	**dem Freunde.**
Er sandte	sie	**seiner Mutter.**
Er gab	ihn	**mir.**

If the direct object is expressed by a noun, the indirect precedes; but if the direct object is a personal pronoun, this order is reversed.

A. *Rewrite the following sentences in German: 1) with the direct object expressed by the proper pronoun; 2) with the indirect object expressed by the proper pronoun; 3) with both direct and indirect object expressed by pronouns:*

1. Ich gebe dem Schüler das Buch. 2. Ich zeige dem Lehrer die Schularbeit. 3. Ich habe meinem Freunde das Geld geliehen. 4. Vater hat meiner Schwester eine Uhr gekauft. 5. Herr Schmidt leiht seinem Lehrer die Füllfeder. 6. Wir geben dem Hund das Futter. 7. Mutter erzählt meiner kleinen Schwester eine Geschichte. 8. Sie gab der Bettlerin das Geld. 9. Vater hat den Kindern die Geschenke gesandt. 10. Karl liest seinen Geschwistern die Märchen vor.

B. *Rewrite the following sentences in German:*

1. He showed his homework to the teacher. 2. He showed it (*das Bild*) to her. 3. I have given him some money. 4. I told them a story. 5. Please, bring me a cup of coffee. 6. I sold my house to my neighbor. 7. I sold it (*die Uhr*) to him. 8. He bought a watch for his son. 9. He bought it (*das Haus*) for his son. 10. He took all my money away from me.

* See sections on accusative and dative cases, p. 115 and p. 120.

9 Independent Clauses: Place of Pronoun Objects

	PRONOUN OBJECT	ADVERBS	
Ich sah	**sie**	immer	im Theater.
Schreiben Sie	**mir**	bald	eine Antwort.
Er hat	**es mir**	sofort	zurückgeschickt.
Ich traf	**ihn**	heute vormittag	im Park.

Pronoun objects precede adverbs.

A. *Rewrite the following sentences in German, beginning each sentence with its subject:*

1. Jetzt glaube ich es nicht mehr. 2. Gegrüßt hat er mich immer. 3. Gesprochen habe ich ihn nie. 4. Gestern hat er es mir gegeben. 5. In der Schule sehe ich ihn sehr selten. 6. Ungefähr zwei Dollar hat es mich gekostet. 7. Versprochen hat er es mir oft. 8. Schnell las er es mir vor. 9. Eben hat er es in die Tasche gesteckt. 10. Nur eine Woche lang darf ich es behalten.

B. *Rewrite the following sentences in German:*

1. He did not have it yesterday. 2. I'll take you to a physician right away. 3. I answered him immediately. 4. I kept it only for one day. 5. I have given it now to my father. 6. I never believed him. 7. Anna told it to him immediately. 8. He gladly gave it to us. 9. He wrote it carefully in his notebook (acc.). 10. Have you only lent it to her?

10 Independent Clauses: Position of Nicht

IN THE SIMPLE TENSES

Ich habe das Buch	**nicht.**
Er antwortete mir	**nicht.**
Er hatte seine Schularbeit	**nicht.**

Nicht, with the simple tenses, stands at the end of the clause.

IN THE COMPOUND TENSES

Ich werde das Buch	**nicht**	lesen.
Ich habe das Buch	**nicht**	gelesen.
Er hat mir	**nicht**	geantwortet.

Nicht, with compound tenses, precedes the infinitive and the participle.

PRECEDING A SEPARABLE PREFIX

Er machte die Tür	**nicht**	zu.
Ich gehe heute abend	**nicht**	aus.
Der Student kam	**nicht**	zurück.

Nicht precedes a separable prefix.

PRECEDING A PREDICATE ADJECTIVE, ETC.

Mein Bruder ist	**nicht**	krank.
Mein Bruder ist	**nicht**	hier.
Mein Bruder ist	**nicht**	Arzt.
Mein Bruder geht	**nicht**	in diese Schule.

Nicht precedes a predicate adjective or adverb, a predicate noun, and a predicate phrase.

MODIFYING A PARTICULAR WORD, ETC.

Nicht der Vater, sondern die Mutter hat geschrieben.
Nicht er ist reich, sondern sein Bruder.
Er ist **nicht** in die Kirche, sondern in die Schule gegangen.
Es ist meine Schwester gewesen und **nicht** mein Bruder.

When it modifies a particular word or phrase, **nicht** stands immediately before this word or phrase.

A. *Rewrite the following sentences in German as negative sentences employing* **nicht;** *give the English meaning of each:*

1. Das Mädchen wartet. 2. Er beantwortet mir meinen Brief. 3. Ich gehe heute zur Schule. 4. Meine Mutter ist hier. 5. Stecke den Brief in den Briefkasten. 6. Sehen Sie sich doch das häßliche Bild an! 7. Ich gab meine Reise auf. 8. Vor Montag morgen fange ich mit dieser Arbeit an. 9. Er brachte mir meinen Ring zurück. 10. Ich habe ihn gestern gesehen. 11. Ich habe das schöne Haus mit dem großen Garten gekauft. 12. In diesem Falle werde ich ihn besuchen. 13. Dieser junge Baum in unserm Garten wird wachsen. 14. Wirst du ihm das Buch zurückgeben? 15. Er hat seine Arbeit gut gemacht. 16. Ich habe sie oft gesehen und gesprochen.

B. *Rewrite the following sentences in German:*

1. My friend is not at home. 2. She was not in school. 3. Karl is not sick. 4. He can do it, but he does not want to. 5. I did not receive your letter. 6. He did not find his German book. 7. He is not (*nicht*) [a] teacher, but a physician. 8. I could not read it. 9. Don't look at him. 10. Don't talk bad about her. 11. He did not have much, but he always gave willingly (*gern*). 12. Our teacher is not here. 13. He is not stupid, he is only lazy. 14. I could not sleep at all during the night. 15. Not he, but his sister has written.

11 Independent Clauses: Double Infinitive with Modal Auxiliaries*

	INFINITIVE	INFINITIVE
Ich habe den ganzen Tag	arbeiten	**müssen.**
Er hat die Aufgabe nicht	lesen	**können.**
Er hat das Haus nicht	kaufen	**wollen.**
Sie wird nicht	ausgehen	**dürfen.**
Sie wird nicht haben †	ausgehen	**dürfen.**

In the commonly called 'double infinitive' construction—where an infinitive is dependent upon a modal auxiliary in a perfect or future tense—the modal auxiliary stands last in the sentence.

A. *Rewrite the following sentences in German: 1) in the present perfect tense; 2) in the future tense:*

1. Ich muß den ganzen Abend studieren. 2. Das Kind durfte nicht draußen im Garten spielen. 3. Er wollte nicht Deutsch sprechen. 4. Ich konnte die ganze Nacht nicht schlafen. 5. Ich muß gleich mit meiner Arbeit anfangen. 6. Meine Mutter mußte leider zu Hause bleiben. 7. Ich darf meinen Freund heute nicht sehen. 8. Sie kann den Brief nicht schreiben. 9. Er will nicht zur Schule gehen. 10. Ich kann nicht kommen. 11. Er wollte sofort nach Hause gehen. 12. Sie muß noch eine Stunde arbeiten. 13. Sie mag nicht länger bleiben. 14. Er kann diese Aufgabe nicht lernen. 15. Er wollte auf der Straße spielen. 16. Der Arzt muß schnell kommen. 17. Er darf das Haus nicht verlassen. 18. Er wollte nicht ausgehen.

B. *Rewrite the following sentences in German, using the present perfect tense:*

1. I was not allowed to stay. 2. He wanted to buy the house. 3. He was not able to carry the load. 4. I had to help him. 5. She had to go home. 6. What did you want to say? 7. I can't find the book. 8. I couldn't stay. 9. I didn't like to see the man. 10. She has not been allowed to see you.

* See section on double infinitive constructions, p. 64.
† Note the position of **haben** with the future perfect tense.

12 Independent Clauses: Double Infinitive with Lassen, Helfen, Hören, etc.

	INFINITIVE	INFINITIVE
Ich habe das Mädchen	singen	**hören.**
Ich habe den Mann	kommen	**sehen.**
Er hat sich die Haare	schneiden	**lassen.**
Er hat mir das Haus	bauen	**helfen.**

The 'double infinitive' construction may also occur with the verbs **fühlen, heißen, helfen, hören, lassen, lehren, lernen, sehen**; these verbs conform in these cases to the word order of the modal auxiliaries. (See double infinitive constructions, p. 65)

A. *Rewrite the following sentences in German: 1) in the present perfect tense; 2) in the future tense:*

1. Ich lasse den Arzt holen. 2. Er läßt sich nicht bestrafen. 3. Mutter läßt sich ein neues Kleid machen. 4. Ich sah ihn in das Haus gehen. 5. Ich sah ihn kommen. 6. Ich hörte den Lehrer singen. 7. Wir hörten den berühmten Sänger singen. 8. Er hieß mich gehen. 9. Mein Vater half die Stadt gründen. 10. Ich half ihm seine Schularbeit machen. 11. Ich hörte sie im Hause sprechen. 12. Ich sah das Buch auf dem Tische liegen. 13. Vater läßt mir einen Mantel machen. 14. Unser Nachbar läßt sich ein neues Haus bauen. 15. Wir sahen ihn aus seinem Hause kommen.

B. *Rewrite the following sentences in German, using the present perfect tense:*

1. He sent for the boy. (*lassen*) 2. I have dropped my handkerchief. (*lassen*) 3. He did not let us come in. (*lassen*) 4. We have seen him come. 5. I have never (*niemals*) seen you smoke. 6. Have you ever (*jemals*) seen this boy working? 7. He helped me write the letter. 8. I helped him till his field. 9. Several times I have heard him sing. 10. Did you hear him come into the house?

13 Independent Clauses: Attributive Participle or Adjective

	ARTICLE	PARTICIPLE WITH MODIFIERS*	NOUN
Er war	ein	in Berlin sehr **bekannter und beliebter**	Künstler.
Es ist	ein	seit langen Jahren viel **gelesenes**	Buch.
Es ist	das	in allen Zeitungen der Stadt **angezeigte**	Fest.
Alkohol ist	ein	zu diesem Zwecke höchst **brauchbares**	Mittel.

An attributive participle or adjective precedes its noun and is itself preceded by its own modifiers.

The participle constructions given above may be changed into relative clauses as follows:

1. Er war ein Künstler, der in Berlin sehr bekannt und beliebt war. *He was an artist well known and popular in Berlin.*
2. Es ist ein Buch, das seit langen Jahren viel gelesen wird. *It is a book widely read for many years.*
3. Es ist das Fest, das in allen Zeitungen der Stadt angezeigt worden ist. *It is the festival which has been advertised in all the newspapers of the city.*
4. Alkohol ist ein Mittel, das zu diesem Zwecke höchst brauchbar ist. *Alcohol is a remedy highly useful for this purpose.*

A. *Restate the following sentences in German, changing the participial construction to a relative clause, and translate:*

1. Er wohnte in einem alten ursprünglich nicht zu Wohnzwecken bestimmten Gebäude. 2. Das Dach unserer aus dem siebzehnten Jahrhundert stammenden und seit mehreren Jahren baufälligen Kirche ist gestern eingestürzt. 3. Der von meinem Vater vor zehn Tagen in New York geschriebene und am selben Tage abgesandte Brief erreichte

* This 'participle construction' is now condemned by German stylists, and the student should avoid this use of the participle. It is a usage to which recognized literary writers were formerly inclined, and one to which many modern journalists, business men, and especially writers of technical and scientific works still adhere.

mich erst heute. 4. Der seinerzeit von allen Mitbürgern der Stadt hochgeachtete und geehrte Pfarrer Schmidt starb gestern unbeachtet und von allen vergessen. 5. Ich ziehe eine gute in Deutschland gedruckte Ausgabe von Goethes Werken dieser amerikanischen Ausgabe vor. 6. Das aufgeschlagen auf seinem Tisch vor ihm liegende Buch war eine deutsche Grammatik. 7. Der im kommenden Herbst in der allgemeinen Wahl die meisten Stimmen erhaltende Kandidat ist für die nächsten zwei Jahre Bürgermeister unserer Stadt. 8. Der von ihm und seinen Freunden unternommene Versuch, Stimmen zu kaufen, wird mit Gefängnis bestraft werden. 9. Das aus Mitteln der Stadtkasse, und freiwilligen Beiträgen der Bürger gebaute neue Theater unserer Stadt wird am kommenden Sonntag seinen Zwecken übergeben werden. 10. Die auf diese Weise aus einem Teil Wasserstoff, einem Teil Stickstoff und drei Teilen Sauerstoff durch Mischung gewonnene Säure heißt Salpetersäure.

14 Subordinate Clauses: Introduced by Relative Pronouns*

	PRONOUN	SUBORDINATE CLAUSE	FINITE VERB	
Der Mann,	der	vor dem Hause	**steht,**	ist mein Vater.
Der Mann,	dessen	Haus wir	**kaufen,**	ist unser Nachbar.
Der Mann,	dem	wir das Geld	**borgen,**	ist ehrlich.
Der Mann,	den	ich eben	**grüßte,**	ist mein Lehrer.
Die Frau,	die	diese Geschichte erzählt	**hat,**	ist Frau Schmidt.
Die Frau,	deren	Mann gestorben	**ist,**	ist unsere Nachbarin.
Die Frau,	der	wir eben begegnet	**sind,**	ist sehr reich.
Die Frau,	die	wir besuchen	**werden,**	ist meine Lehrerin.

In subordinate clauses introduced by relative pronouns the finite verb stands at the end of the clause.

A. *Rewrite in English:*

1. Wir sahen einen Bauer, der nach der Stadt fuhr. 2. Der Bauer, dessen Name Schmidt war, ließ uns mitfahren. 3. Der Bauer, dem das große Haus gehört, ist ein reicher Mann. 4. Der Mann, den Sie gestern bei uns gesehen haben, ist ein Maler. 5. Das ist die Frau, deren Sohn in meinem Geschäft arbeitet. 6. Die Geschichte, die Sie mir eben erzählt haben, kann ich nicht glauben. 7. Das Haus, dessen Dach Sie zwischen den Bäumen sehen, ist mein Haus. 8. Das Haus, in dem ich jetzt wohne, gefällt mir nicht. 9. Die Männer und Frauen, die in diesen Häusern wohnen, sind arme Leute. 10. Meine Brüder, denen ich dieses Erlebnis erzählte, lachten herzlich. 11. Das Zimmer, in dem ich schlafen mußte, war recht kalt. 12. Ein Tisch, auf dem viele Bücher lagen, stand neben dem Bett. 13. Die Mädchen, denen ich diese Blumen brachte, freuten sich sehr. 14. Die Häuser, welche dort gebaut werden, sind alle schon verkauft. 15. Die Leute, denen wir diese Häuser verkauft haben, wollen im nächsten Herbst einziehen.

* See section on relative pronouns, p. 180.

B. *Restate the following sentences in German, changing the clauses in parentheses to subordinate clauses, introduced by a relative pronoun:*

1. Der Mann, (er tritt eben ins Zimmer), ist unser Lehrer. 2. Die Studentin, (sie sitzt neben dem Fenster), ist Fräulein Schulz. 3. Das Kind, (es hat im Garten gespielt), ist meine jüngste Schwester. 4. Der Baum, (er stand vor dem Hause), hinderte die Aussicht. 5. Das Bild, (es hängt an der Wand), zeigt eine Straße in New York. 6. Die Frau, (wir hörten ihre Stimme), war unsere Nachbarin. 7. Der Mann, (ich war der Gast des Mannes), war ein alter Freund meines Vaters. 8. Der Bauer, (das Pferd gehörte dem Bauer), war nicht zu finden. 9. Der Arzt, (wir haben sofort den Arzt gerufen), konnte nicht mehr helfen. 10. Die Geschichte, (wir werden die Geschichte lesen), ist eine Novelle von Theodor Storm. 11. Er ist einer von jenen unglücklichen Leuten, (den Leuten gefällt niemals etwas). 12. Ich kenne die Herren nicht, (du sprichst von den Herren).

C. *Rewrite the following sentences in German:*

1. Are you the man whose little daughter is ill? 2. He is the same man whom you saw last night in the theater. 3. The gentleman whom we have just seen is a physician. 4. The steamer that is arriving today left Hamburg a week ago. 5. The pencil with which you are writing belongs to me. 6. Do you know the lady with whom I have just spoken? 7. Here is the present that father has given to me. 8. The boy whom you saw with me yesterday is my friend. 9. The answer which he sends to (*auf*) my request does not please me. 10. Is that the lady who gives music lessons? 11. These are the boys that were here yesterday. 12. The books which I have in my hand are German books.

15 Subordinate Clauses: Introduced by Subordinating Conjunctions

PRINCIPAL CLAUSE	CONJUNCTION	SUBORDINATE CLAUSE	VERB
Es war zehn Uhr,	als	ich nach Hause	**kam.**
Ich weiß nicht,	wo	er augenblicklich	**ist.**
Ich sage es ihm,	wenn	er nach Hause	**kommt.**
Es ist doch klar,	daß	ich das nicht tun	**kann.**
Es ist nicht wahr,	daß	ich morgen schon	**abreise.**
Wir werden gehen,	sobald	du fertig sein	**wirst.**
Ich habe gearbeitet,	während	er draußen gespielt	**hat.**
Vater fragte mich,	wo	ich gewesen	**sei.**

In subordinate clauses introduced by subordinating conjunctions the finite verb stands at the end of the clause. (See conjunctions, p. 186)

The most common subordinating conjunctions in German are:

als, *as, when*
als ob, *as though*
als wenn, *as if*
bis, *until*
da, *since*
damit, *in order that*
daß, *that*
ehe, *before*
nachdem, *after*
ob, *if, whether*
obgleich, *although*
seit, *since*
seitdem, *since*
solange, *as long as*
sooft, *as often as*
während, *while*
wann, *when*
warum, *why*
weil, *because*
wenn, *if, whenever*
wie, *how*
wo, *where*
woher, *from where*
wohin, *where to*

A. *Connect the following pairs of German sentences by using the indicated subordinating conjunctions:*

1. Wir konnten nicht ausgehen. Das Wetter war zu schlecht. (weil) 2. Ich werde hier warten. Du kommst wieder. (bis) 3. Er möchte wissen. Sie haben sein Buch gefunden. (ob) 4. Man läutet die Glocke. Man tritt in ein Haus. (ehe) 5. Wir suchten Schutz unter einem Baum. Es fing zu regnen an. (als) 6. Er antwortete nicht. Ich fragte ihn zweimal. (obgleich) 7. Ich sah. Er nahm seinen Hut und verließ das Zimmer. (daß) 8. Ich kann nicht reisen. Ich habe kein Geld. (weil) 9. Ich schreibe Ihnen. Ich habe Zeit. (sobald) 10. Er schreibt mir eben. Er kann nicht kommen. (daß) 11. Wir

sprachen noch lange über ihn. Er war fortgegangen. (nachdem) 12. Ich habe ihm Geld geschickt. Er kann nach Hause kommen. (damit)

B. *Rewrite the following sentences in German:*

1. I believe that (daß) she will go home. 2. He wants to know whether (ob) you have seen her. 3. I will ask her if (wenn) I see her. 4. I saw him when (als) I went to the theater yesterday. 5. He is not happy although (obgleich) he is very rich. 6. He closed the book and put it away after (nachdem) he had read the first page. 7. They were never at home when (wenn) I visited them. 8. He had to wait until (bis) he was well again. 9. He sold the book after (nachdem) he had read it. 10. I am not going along because (weil) I am too tired. 11. He made many mistakes although (obgleich) he had prepared his lesson. 12. I shall not write to you again before (ehe) you have answered this letter.

16 Subordinate Clauses: Preceding Principal Clause

SUBORDINATE CLAUSE	VERB	PRINCIPAL CLAUSE
Wenn ich Geld habe,	**gehe**	ich ins Theater.
Während wir in der Schule waren,	**brach**	das Feuer aus.
Bevor ich zu Bett gehe,	**esse**	ich immer erst einen Apfel.
Als ich ins Haus trat,	**schlug**	die Uhr elf.

In complex sentences the subordinate clause often precedes the main or independent clause. In this case, the finite verb of the main clause stands first in its clause. (The subordinate clause may be regarded here as the first unit of the sentence, equivalent to an adverb or adverbial phrase.)*

A. *Rewrite in English:*

1. Als ich nach Hause gehen wollte, sah ich, daß es stark regnete. 2. Da ich noch etwas arbeiten mußte, mußte ich nach Hause gehen. 3. Wenn ich nicht nach Hause gehe, bin ich morgen in der Klasse nicht vorbereitet. 4. Während ich meinen Mantel anzog, kam mein Freund ins Zimmer. 5. Wo ich hingehen wolle, fragte er mich. 6. Daß ich mit ihm nicht ausgehen konnte, tat ihm sehr leid. 7. Nachdem er mich verlassen hatte, begann ich mit meiner Arbeit. 8. Ob ich heute noch lange arbeiten werde, kann ich nicht sagen. 9. Ehe ich ausgehe, mache ich immer erst meine Arbeiten fertig. 10. Seit er krank geworden ist, habe ich ihn nicht mehr gesehen. 11. Woher er gekommen ist, weiß ich nicht. 12. Wohin er gegangen ist, kann ich dir sagen. 13. Sooft ich auch dieses Buch gelesen habe, hat es mich immer wieder interessiert. 14. Solange ich nicht etwas Besseres finde, bleibe ich in diesem Hause wohnen.

B. *Restate the following sentences in German, reversing the order of the independent and subordinate clauses:*

1. Die Studenten lachten, als ich diesen dummen Fehler machte. 2. Ich sah, daß er einen Brief schrieb. 3. Er hatte schon seinen Kindern all sein Geld gegeben, bevor er starb. 4. Er schickte ein Geschenk und seinen Glückwunsch, da er selber nicht kommen konnte.

* See section on inverted word order, p. 210.

5. Er sah mich erstaunt an, als ich ins Zimmer kam. 6. Unser Lehrer fängt zu unterrichten an, sobald er ins Zimmer tritt. 7. Ich habe nichts dagegen, wenn du um zehn Uhr wieder zu Hause bist. 8. Der Lehrer hat mir dieses Buch gegeben, damit ich es zu Hause lesen soll. 9. Ich kann nicht mit ins Theater gehen, weil ich meine Arbeit noch nicht fertig habe. 10. Ich werde euch sicher besuchen, wenn ich wieder nach New York komme. 11. Er stand an der Wandtafel und schrieb, während wir ein Gedicht auswendig lernten. 12. Ich saß zu Hause und arbeitete, während meine beiden Brüder Fußball spielten.

C. *Rewrite the following sentences in German:*

1. When father is home, he reads and plays with us. 2. As soon as he comes into the house, he starts to scold. 3. As long as he has been here, he has been sick. 4. Whenever he visits us, he always brings me a gift. 5. After he had left us, we missed him very much. 6. Although he has not written, I am sure that he will come tomorrow. 7. While we were there, your brother arrived. 8. Where he is living, I do not know. 9. Since it is raining we cannot go. 10. Whenever I had time I wrote to her. 11. While looking for a book, I found this letter. 12. If I close the door, it will be too warm in the room. 13. Do you think that he will come tomorrow? 14. Can we hope that he will buy our house? 15. Do you believe that he is telling the truth? 16. Can you prove that you read the book? 17. Does that prove that you had prepared your lesson? 18. Do you think that you can do the work? 19. Do you believe that this man is innocent?

17 *Subordinate Clauses: Position of Haben and Werden*

PRINCIPAL CLAUSE	SUBORDINATE CLAUSE		AUXILIARY	DOUBLE INFINITIVE
Ich wäre gekommen,	wenn	ich nicht	**hätte**	arbeiten müssen.
Ich fürchte,	daß	ich nicht	**werde**	reisen dürfen.
Es ist die Aufgabe,	die	ich gestern nicht	**habe**	verstehen können.
Er lief davon,	als	er mich	**hat**	kommen sehen.
Es ist der Künstler,	den	ich morgen	**werde**	singen hören.

1. When in a subordinate clause the present perfect or past perfect of a modal auxiliary is used with a double infinitive,* the auxiliary (always a form of **haben**) precedes the infinitives. 2. Similarly, when in a subordinate clause the future tense of a modal auxiliary is used with a double infinitive, the auxiliary (always a form of **werden**) precedes the infinitives. 3. The verbs **heißen, helfen, hören, lassen** and **sehen** also conform to this rule of word order.

A. *Connect the following pairs of sentences in German by using the indicated subordinating conjunctions:*

1. Ich habe die Arbeit nicht gemacht. Ich habe sie nicht tun mögen. (da) 2. Ich habe das Buch nicht gekauft. Ich habe es nicht kaufen können. (weil) 3. Sie ist nicht gekommen. Sie hat nicht kommen dürfen. (da) 4. Ich habe arbeiten müssen. Ich habe heute nicht arbeiten wollen. (obgleich) 5. Ich weiß nicht. Er hätte länger bleiben dürfen. (ob) 6. Er war fort. Wir haben uns bei ihm bedanken können. (ehe) 7. Ich bin böse auf ihn. Er hat nicht mitgehen wollen. (da) 8. Er sagte mir. Er hat den Arzt holen lassen. (daß) 9. Sie erzählte uns. Sie wird sich ein neues Kleid machen lassen. (daß) 10. Ich bin ins Haus gegangen. Ich habe ihn kommen sehen. (als) 11. Mutter ging hinaus. Sie hatte draußen ein Kind weinen hören. (da) 12. Es kann sein. Mein Vater wird unserm Nachbar sein Haus bauen helfen. (daß) 13. Ich weiß. Er wird heute abend nicht kommen können. (daß) 14. Es ist der Brief. Ich hätte ihn gestern schon beantworten sollen. (den) 15. Es ist das Haus. Vater hat es

* See section on double infinitive constructions, p. 64 and p. 220.

schon immer kaufen wollen. (das) 16. Es ist ein Buch. Wir werden es noch lesen müssen. (das) 17. Es ist der Mann. Du hast ihn schon lange kennenlernen wollen. (den) 18. Es ist die Künstlerin. Ich habe sie gestern im Konzert singen hören. (die)

B. *Rewrite the following sentences, using the present perfect tense:*

1. Ich kam heute später nach Hause, da ich eine Stunde länger in der Schule bleiben mußte. 2. Ich konnte nicht ins Konzert gehen, da ich bis in den späten Abend hinein arbeiten mußte. 3. Es regnete so stark, daß ich die Nacht über im Hause meines Freundes bleiben mußte. 4. Er wußte genau, daß er das nicht tun durfte, und er tat es doch. 5. Wir gingen in den Garten, da wir im Hause nicht rauchen durften. 6. Die Kinder weinten, da sie nicht länger spielen durften. 7. Er weiß nicht, wie krank er ist, da wir es ihm nicht sagen dürfen. 8. Wir wissen nicht, wer er war, da er uns seinen Namen nicht sagen wollte. 9. Ich weiß sehr gut, daß du mir nicht helfen wolltest. 10. Er sagt, daß er sein Buch nicht finden kann. 11. Es tut mir leid, daß ich nicht kommen kann. 12. Er verkauft seine Bücher, da er sie nicht mehr gebrauchen kann. 13. Wir wußten nicht genau, was wir tun sollten. 14. Ich kaufe mir das Buch nicht, da ich es nicht lesen mag. 15. Ich gehe nicht ins Konzert, da ich diese Sängerin nicht hören mag. 16. Ich reiste schon am nächsten Tage wieder ab, da ich nicht länger bleiben mochte. 17. Ich weiß genau, daß sie zu Hause waren, da ich sie im Hause sprechen hörte. 18. Ich weiß, daß er das Buch hat, da ich es auf seinem Tische liegen sah. 19. Meine Aufgabe war so lang, daß ich sie nicht lernen konnte. 20. Das Kind starb, da der Vater den Arzt nicht gleich rufen ließ.

18 Subordinate Clauses: Used as Indirect Questions

PRINCIPAL CLAUSE	SUBORDINATE CLAUSE	VERB
Ich möchte gern wissen,	wo du das Geld gelassen	**hast.**
Der Vater fragt,	wie viele Stunden du täglich	**arbeitest.**
Können Sie mir sagen,	wer dieses Mädchen	**ist?**
Weißt du,	wem dieses Haus	**gehört?**

In subordinate clauses, used as indirect questions, the finite verb stands at the end of the clause.

A. *Restate the following questions in German, making them dependent upon:* 1) Weißt du, —; 2) Kannst du mir sagen, —:

1. Wie heißt dieses Dorf? 2. Wie weit ist es von Chicago nach New York? 3. Wie viele Personen waren im Zimmer? 4. Wo hast du dieses Buch gekauft? 5. Wann ist er nach Chicago gekommen? 6. Mit wem ist sie zum Tanz gegangen? 7. Warum hat er mich nicht besucht? 8. Ist dieses Haus sehr alt? (*Use* ob) 9. Hat er seine Arbeit fertiggemacht? (*Use* ob) 10. Haben sie zusammen einen Spaziergang gemacht? (*Use* ob) 11. Darf ich dieses Bild mitnehmen? (*Use* ob) 12. Wird dein Freund mir heute einen Besuch machen? (*Use* ob)

B. *Rewrite the following sentences in German:*

1. He asks whether you are hungry. 2. He asks whether you have not understood his question. 3. I ask you who has said that. 4. I ask you where you have been. 5. He asks why you didn't answer his letter. 6. He is asking in his letter whether our friends will come along. 7. Can you tell me what time it is? 8. Can you tell me when I have to take the examination? 9. He would like to know whether you are interested in music. 10. I would like to know whether you are going to Europe this summer. 11. Does he know how old she is? 12. Do you know where he was yesterday?

SYNOPSIS OF GRAMMAR

1 Principal Parts of Strong Verbs

INFINITIVE	MEANING	PAST INDICATIVE	PAST PARTICIPLE
beginnen	*to begin*	begann	begonnen
beißen	*to bite*	biß	gebissen
besinnen (sich)	*to remember*	besann	besonnen
betrügen	*to deceive*	betrog	betrogen
bewerben (sich)	*to apply for*	bewarb	beworben
biegen	*to bend*	bog	gebogen
binden	*to bind*	band	gebunden
bitten	*to ask*	bat	gebeten
bleiben	*to remain*	blieb	ist geblieben
brechen	*to break*	brach	gebrochen
entscheiden	*to decide*	entschied	entschieden
essen	*to eat*	aß	gegessen
fahren	*to drive, ride, go*	fuhr	ist gefahren
fallen	*to fall*	fiel	ist gefallen
fangen	*to catch*	fing	gefangen
finden	*to find*	fand	gefunden
fliegen	*to fly*	flog	ist geflogen
fliehen	*to flee*	floh	ist geflohen
fließen	*to flow*	floß	ist geflossen
geben	*to give*	gab	gegeben
gehen	*to go*	ging	ist gegangen
gelingen	*to succeed*	gelang	ist gelungen
geschehen	*to happen*	geschah	ist geschehen
gewinnen	*to win, gain*	gewann	gewonnen
gießen	*to pour*	goß	gegossen
halten	*to hold*	hielt	gehalten
hangen	*to hang (intr.)*	hing	gehangen
heißen	*to be named, called*	hieß	geheißen
helfen	*to help*	half	geholfen
kommen	*to come*	kam	ist gekommen
lassen	*to let*	ließ	gelassen
laufen	*to run*	lief	ist gelaufen
leiden	*to suffer*	litt	gelitten
leihen	*to lend, borrow*	lieh	geliehen
lesen	*to read*	las	gelesen
liegen	*to lie*	lag	gelegen
lügen	*to (tell a) lie*	log	gelogen
nehmen	*to take*	nahm	genommen

PRESENT INDICATIVE	PAST SUBJUNCTIVE	IMPERATIVE	INFINITIVE
er beginnt	begönne (or begänne)	beginn(e)	**beginnen**
er beißt	bisse	beiß(e)	**beißen**
er besinnt sich	besönne (or besänne)	besinne (dich)	**besinnen**
er betrügt	betröge	betrüg(e)	**betrügen**
er bewirbt sich	bewürbe	bewirb (dich)	**bewerben**
er biegt	böge	bieg(e)	**biegen**
er bindet	bände	bind(e)	**binden**
er bittet	bäte	bitt(e)	**bitten**
er bleibt	bliebe	bleib(e)	**bleiben**
er bricht	bräche	brich	**brechen**
er entscheidet	entschiede	entscheid(e)	**entscheiden**
er ißt	äße	iß	**essen**
er fährt	führe	fahr(e)	**fahren**
er fällt	fiele	fall(e)	**fallen**
er fängt	finge	fang(e)	**fangen**
er findet	fände	find(e)	**finden**
er fliegt	flöge	flieg(e)	**fliegen**
er flieht	flöhe	flieh(e)	**fliehen**
er fließt	flösse	fließ(e)	**fließen**
er gibt	gäbe	gib	**geben**
er geht	ginge	geh(e)	**gehen**
es gelingt	gelänge	—	**gelingen**
es geschieht	geschähe	—	**geschehen**
er gewinnt	gewönne (or gewänne)	gewinn(e)	**gewinnen**
er gießt	gösse	gieß(e)	**gießen**
er hält	hielte	halt(e)	**halten**
er hängt	hinge	hange	**hangen**
er heißt	hieße	heiß(e)	**heißen**
er hilft	hülfe (or hälfe)	hilf	**helfen**
er kommt	käme	komm(e)	**kommen**
er läßt	ließe	laß	**lassen**
er läuft	liefe	lauf(e)	**laufen**
er leidet	litte	leid(e)	**leiden**
er leiht	liehe	leih(e)	**leihen**
er liest	läse	lies	**lesen**
er liegt	läge	lieg(e)	**liegen**
er lügt	löge	lüg(e)	**lügen**
er nimmt	nähme	nimm	**nehmen**

INFINITIVE	MEANING	PAST INDICATIVE	PAST PARTICIPLE
raten	*to advise, guess*	riet	geraten
reißen	*to tear*	riß	gerissen
reiten	*to ride (on horseback)*	ritt	ist geritten
riechen	*to smell*	roch	gerochen
rufen	*to call*	rief	gerufen
scheinen	*to seem, shine*	schien	geschienen
schelten	*to scold*	schalt	gescholten
schlafen	*to sleep*	schlief	geschlafen
schlagen	*to strike*	schlug	geschlagen
schließen	*to close*	schloß	geschlossen
schneiden	*to cut*	schnitt	geschnitten
schreiben	*to write*	schrieb	geschrieben
schreien	*to scream*	schrie	geschrie(e)n
schweigen	*to be silent*	schwieg	geschwiegen
schwimmen	*to swim*	schwamm	ist geschwommen
schwinden	*to vanish* (verschwinden)	schwand	ist geschwunden
sehen	*to see*	sah	gesehen
sein	*to be*	war	ist gewesen
singen	*to sing*	sang	gesungen
sitzen	*to sit*	saß	gesessen
sprechen	*to speak*	sprach	gesprochen
springen	*to jump*	sprang	ist gesprungen
stehen	*to stand*	stand	gestanden
stehlen	*to steal*	stahl	gestohlen
steigen	*to climb*	stieg	ist gestiegen
sterben	*to die*	starb	ist gestorben
stoßen	*to push*	stieß	gestoßen
streichen	*to stroke, paint*	strich	gestrichen
tragen	*to carry*	trug	getragen
treffen	*to meet, hit*	traf	getroffen
treten	*to step*	trat	ist getreten
trinken	*to drink*	trank	getrunken
tun	*to do*	tat	getan
vergessen	*to forget*	vergaß	vergessen
verlieren	*to lose*	verlor	verloren
wachsen	*to grow*	wuchs	ist gewachsen
waschen	*to wash*	wusch	gewaschen
weisen	*to show*	wies	gewiesen
werden	*to become*	wurde	ist geworden
werfen	*to throw*	warf	geworfen
ziehen*	*to pull*	zog	gezogen

* As an intransitive verb, **ziehen** (*to move*) is conjugated with **sein.**

PRESENT INDICATIVE	PAST SUBJUNCTIVE	IMPERATIVE	INFINITIVE
er rät	riete	rat(e)	**raten**
er reißt	risse	reiß(e)	**reißen**
er reitet	ritte	reit(e)	**reiten**
er riecht	röche	riech(e)	**riechen**
er ruft	riefe	ruf(e)	**rufen**
er scheint	schiene	schein(e)	**scheinen**
er schilt	schölte (or schälte)	schilt	**schelten**
er schläft	schliefe	schlaf(e)	**schlafen**
er schlägt	schlüge	schlag(e)	**schlagen**
er schließt	schlösse	schließ(e)	**schließen**
er schneidet	schnitte	schneid(e)	**schneiden**
er schreibt	schriebe	schreib(e)	**schreiben**
er schreit	schriee	schrei(e)	**schreien**
er schweigt	schwiege	schweig(e)	**schweigen**
er schwimmt	schwömme (or schwämme)	schwimm(e)	**schwimmen**
er schwindet	schwände	schwind(e)	**schwinden**
er sieht	sähe	sieh	**sehen**
er ist	wäre	sei	**sein**
er singt	sänge	sing(e)	**singen**
er sitzt	säße	sitz(e)	**sitzen**
er spricht	spräche	sprich	**sprechen**
er springt	spränge	spring(e)	**springen**
er steht	stände (or stünde)	steh(e)	**stehen**
er stiehlt	stöhle (or stähle)	stiehl	**stehlen**
er steigt	stiege	steig(e)	**steigen**
er stirbt	stürbe	stirb	**sterben**
er stößt	stieße	stoß(e)	**stoßen**
er streicht	striche	streich(e)	**streichen**
er trägt	trüge	trag(e)	**tragen**
er trifft	träfe	triff	**treffen**
er tritt	träte	tritt	**treten**
er trinkt	tränke	trink(e)	**trinken**
er tut	täte	tu(e)	**tun**
er vergißt	vergäße	vergiß	**vergessen**
er verliert	verlöre	verlier(e)	**verlieren**
er wächst	wüchse	wachse	**wachsen**
er wäscht	wüsche	wasch(e)	**waschen**
er weist	wiese	weise	**weisen**
er wird	würde	werd(e)	**werden**
er wirft	würfe	wirf	**werfen**
er zieht	zöge	zieh(e)	**ziehen** *

2 Irregular Weak Verbs

INFINITIVE	MEANING	PAST INDICATIVE	PAST PARTICIPLE
brennen	*to burn*	brannte	gebrannt
kennen	*to know*	kannte	gekannt
nennen	*to name*	nannte	genannt
rennen	*to run*	rannte	ist gerannt *
senden	*to send*	sandte	gesandt
denken	*to think*	dachte	gedacht
bringen	*to bring*	brachte	gebracht
wissen	*to know*	wußte	gewußt

* Also transitive, **hat gerannt;** see p. 28.

PRESENT INDICATIVE	PAST SUBJUNCTIVE	IMPERATIVE	INFINITIVE
er brennt	brennte	brenn(e)	**brennen**
er kennt	kennte	kenn(e)	**kennen**
er nennt	nennte	nenn(e)	**nennen**
er rennt	rennte	renn(e)	**rennen**
er sendet	sendete	send(e)	**senden**
er denkt	dächte	denk(e)	**denken**
er bringt	brächte	bring(e)	**bringen**
er weiß	wüßte	wisse	**wissen** *

* Although not a modal auxiliary, **wissen** resembles one in the conjugation of its present indicative:

SINGULAR: ich weiß, du weißt, er weiß
PLURAL: wir wissen, ihr wißt, sie wissen

3 Conjugation of Haben

Indicative	*Subjunctive*
PRESENT	
I have	
ich habe	ich habe
du hast	du habest
er hat	er habe
wir haben	wir haben
ihr habt	ihr habet
sie haben	sie haben
PRESENT PERFECT	
I have had	
ich habe gehabt	habe gehabt
du hast gehabt	habest gehabt
er hat gehabt	habe gehabt
wir haben gehabt	haben gehabt
ihr habt gehabt	habet gehabt
sie haben gehabt	haben gehabt
FUTURE	
I shall have	
ich werde haben	ich werde haben
du wirst haben	du werdest haben
er wird haben	er werde haben
wir werden haben	wir werden haben
ihr werdet haben	ihr werdet haben
sie werden haben	sie werden haben

•

Imperative

habe, habt, haben Sie, *have*

Infinitive

PRESENT INFINITIVE: haben, *to have*
PERFECT INFINITIVE: gehabt (zu) haben, *to have had*

Participle

PRESENT PARTICIPLE: habend, *having*
PERFECT PARTICIPLE: gehabt, *had*

Indicative	*Subjunctive*

PAST

I had

Indicative	Subjunctive
ich hatte	ich hätte
du hattest	du hättest
er hatte	er hätte
wir hatten	wir hätten
ihr hattet	ihr hättet
sie hatten	sie hätten

PAST PERFECT

I had had

Indicative	Subjunctive
hatte gehabt	hätte gehabt
hattest gehabt	hättest gehabt
hatte gehabt	hätte gehabt
hatten gehabt	hätten gehabt
hattet gehabt	hättet gehabt
hatten gehabt	hätten gehabt

FUTURE PERFECT

I shall have had

Indicative	Subjunctive
ich werde gehabt haben	ich werde gehabt haben
du wirst gehabt haben	du werdest gehabt haben
er wird gehabt haben	er werde gehabt haben
wir werden gehabt haben	wir werden gehabt haben
ihr werdet gehabt haben	ihr werdet gehabt haben
sie werden gehabt haben	sie werden gehabt haben

•

PRESENT CONDITIONAL	PAST CONDITIONAL
I should have	*I should have had*
ich würde haben	ich würde gehabt haben
du würdest haben	du würdest gehabt haben
er würde haben	er würde gehabt haben
wir würden haben	wir würden gehabt haben
ihr würdet haben	ihr würdet gehabt haben
sie würden haben	sie würden gehabt haben

4 Conjugation of Sein

Indicative		*Subjunctive*
	PRESENT	
	I am (be)	
ich bin		ich sei
du bist		du seiest
er ist		er sei
wir sind		wir seien
ihr seid		ihr seiet
sie sind		sie seien
	PRESENT PERFECT	
	I have been	
ich bin gewesen		sei gewesen
du bist gewesen		seiest gewesen
er ist gewesen		sei gewesen
wir sind gewesen		seien gewesen
ihr seid gewesen		seiet gewesen
sie sind gewesen		seien gewesen
	FUTURE	
	I shall be	
ich werde sein		ich werde sein
du wirst sein		du werdest sein
er wird sein		er werde sein
wir werden sein		wir werden sein
ihr werdet sein		ihr werdet sein
sie werden sein		sie werden sein

●

Imperative

sei, seid, seien Sie, *be*

Infinitive

PRESENT INFINITIVE: sein, *to be*
PERFECT INFINITIVE: gewesen (zu) sein, *to have been*

Participle

PRESENT PARTICIPLE: seiend, *being*
PERFECT PARTICIPLE: gewesen, *been*

Indicative		*Subjunctive*
	PAST	
	I was (were)	
ich war		ich wäre
du warst		du wärest
er war		er wäre
wir waren		wir wären
ihr wart		ihr wäret
sie waren		sie wären
	PAST PERFECT	
	I had been	
war gewesen		wäre gewesen
warst gewesen		wärest gewesen
war gewesen		wäre gewesen
waren gewesen		wären gewesen
wart gewesen		wäret gewesen
waren gewesen		wären gewesen
	FUTURE PERFECT	
	I shall have been	
ich werde gewesen sein		ich werde gewesen sein
du wirst gewesen sein		du werdest gewesen sein
er wird gewesen sein		er werde gewesen sein
wir werden gewesen sein		wir werden gewesen sein
ihr werdet gewesen sein		ihr werdet gewesen sein
sie werden gewesen sein		sie werden gewesen sein

●

PRESENT CONDITIONAL	PAST CONDITIONAL
I should be	*I should have been*
ich würde sein	ich würde gewesen sein
du würdest sein	du würdest gewesen sein
er würde sein	er würde gewesen sein
wir würden sein	wir würden gewesen sein
ihr würdet sein	ihr würdet gewesen sein
sie würden sein	sie würden gewesen sein

5 Conjugation of Werden

Indicative		*Subjunctive*
	PRESENT	
	I become	
ich werde		ich werde
du wirst		du werdest
er wird		er werde
wir werden		wir werden
ihr werdet		ihr werdet
sie werden		sie werden
	PRESENT PERFECT	
	I have become	
ich bin geworden		sei geworden
du bist geworden		seiest geworden
er ist geworden		sei geworden
wir sind beworden		seien geworden
ihr seid geworden		seiet geworden
sie sind geworden		seien geworden
	FUTURE	
	I shall become	
ich werde werden		ich werde werden
du wirst werden		du werdest werden
er wird werden		er werde werden
wir werden werden		wir werden werden
ihr werdet werden		ihr werdet werden
sie werden werden		sie werden werden

•

Imperative

werde, werdet, werden Sie, *become*

Infinitive

PRESENT INFINITIVE: werden, *to become*
PERFECT INFINITIVE: geworden (zu) sein, *to have become*

Participle

PRESENT PARTICIPLE: werdend, *becoming*
PERFECT PARTICIPLE: geworden, *become*

Indicative	*Subjunctive*

PAST

I became

Indicative	Subjunctive
ich wurde	ich würde
du wurdest	du würdest
er wurde	er würde
wir wurden	wir würden
ihr wurdet	ihr würdet
sie wurden	sie würden

PAST PERFECT

I had become

Indicative	Subjunctive
war geworden	wäre geworden
warst geworden	wärest geworden
war geworden	wäre geworden
waren geworden	wären geworden
wart geworden	wäret geworden
waren geworden	wären geworden

FUTURE PERFECT

I shall have become

Indicative	Subjunctive
ich werde geworden sein	ich werde geworden sein
du wirst geworden sein	du werdest geworden sein
er wird geworden sein	er werde geworden sein
wir werden geworden sein	wir werden geworden sein
ihr werdet geworden sein	ihr werdet geworden sein
sie werden geworden sein	sie werden geworden sein

●

PRESENT CONDITIONAL	PAST CONDITIONAL
I should become	*I should have become*
ich würde werden	ich würde geworden sein
du würdest werden	du würdest geworden sein
er würde werden	er würde geworden sein
wir würden werden	wir würden geworden sein
ihr würdet werden	ihr würdet geworden sein
sie würden werden	sie würden geworden sein

6 Conjugation of Weak Verbs

Indicative		*Subjunctive*
	PRESENT	
	I praise	
ich lobe		ich lobe
du lobst		du lobest
er lobt		er lobe
wir loben		wir loben
ihr lobt		ihr lobet
sie loben		sie loben
	PRESENT PERFECT	
	I have praised	
ich habe gelobt		habe gelobt
du hast gelobt		habest gelobt
er hat gelobt		habe gelobt
wir haben gelobt		haben gelobt
ihr habt gelobt		habet gelobt
sie haben gelobt		haben gelobt
	FUTURE	
	I shall praise	
ich werde loben		ich werde loben
du wirst loben		du werdest loben
er wird loben		er werde loben
wir werden loben		wir werden loben
ihr werdet loben		ihr werdet loben
sie werden loben		sie werden loben

•

Imperative

lobe, lobt, loben Sie, *praise*

Infinitive

PRESENT INFINITIVE: loben, *to praise*
PERFECT INFINITIVE: gelobt (zu) haben, *to have praised*

Participle

PRESENT PARTICIPLE: lobend, *praising*
PERFECT PARTICIPLE: gelobt, *praised*

Indicative		*Subjunctive*
	PAST	
	I praised	
ich lobte		ich lobte
du lobtest		du lobtest
er lobte		er lobte
wir lobten		wir lobten
ihr lobtet		ihr lobtet
sie lobten		sie lobten
	PAST PERFECT	
	I had praised	
hatte gelobt		hätte gelobt
hattest gelobt		hättest gelobt
hatte gelobt		hätte gelobt
hatten gelobt		hätten gelobt
hattet gelobt		hättet gelobt
hatten gelobt		hätten gelobt
	FUTURE PERFECT	
	I shall have praised	
ich werde gelobt haben		ich werde gelobt haben
du wirst gelobt haben		du werdest gelobt haben
er wird gelobt haben		er werde gelobt haben
wir werden gelobt haben		wir werden gelobt haben
ihr werdet gelobt haben		ihr werdet gelobt haben
sie werden gelobt haben		sie werden gelobt haben

●

PRESENT CONDITIONAL	PAST CONDITIONAL
I should praise	*I should have praised*
ich würde loben	ich würde gelobt haben
du würdest loben	du würdest gelobt haben
er würde loben	er würde gelobt haben
wir würden loben	wir würden gelobt haben
ihr würdet loben	ihr würdet gelobt haben
sie würden loben	sie würden gelobt haben

7 Conjugation of Strong Verbs

Indicative		*Subjunctive*
	PRESENT	
	I sing	
ich singe		ich singe
du singst		du singest
er singt		er singe
wir singen		wir singen
ihr singt		ihr singet
sie singen		sie singen
	PRESENT PERFECT	
	I have sung	
ich habe gesungen		habe gesungen
du hast gesungen		habest gesungen
er hat gesungen		habe gesungen
wir haben gesungen		haben gesungen
ihr habt gesungen		habet gesungen
sie haben gesungen		haben gesungen
	FUTURE	
	I shall sing	
ich werde singen		ich werde singen
du wirst singen		du werdest singen
er wird singen		er werde singen
wir werden singen		wir werden singen
ihr werdet singen		ihr werdet singen
sie werden singen		sie werden singen

●

Imperative

singe, singt, singen Sie, *sing*

Infinitive

PRESENT INFINITIVE: singen, *to sing*
PERFECT INFINITIVE: gesungen (zu) haben, *to have sung*

Participle

PRESENT PARTICIPLE: singend, *singing*
PERFECT PARTICIPLE: gesungen, *sung*

Indicative		*Subjunctive*
	PAST	
	I sang	
ich sang		ich sänge
du sangst		du sängest
er sang		er sänge
wir sangen		wir sängen
ihr sangt		ihr sänget
sie sangen		sie sängen
	PAST PERFECT	
	I had sung	
hatte gesungen		hätte gesungen
hattest gesungen		hättest gesungen
hatte gesungen		hätte gesungen
hatten gesungen		hätten gesungen
hattet gesungen		hättet gesungen
hatten gesungen		hätten gesungen
	FUTURE PERFECT	
	I shall have sung	
ich werde gesungen haben		ich werde gesungen haben
du wirst gesungen haben		du werdest gesungen haben
er wird gesungen haben		er werde gesungen haben
wir werden gesungen haben		wir werden gesungen haben
ihr werdet gesungen haben		ihr werdet gesungen haben
sie werden gesungen haben		sie werden gesungen haben

•

PRESENT CONDITIONAL	PAST CONDITIONAL
I should sing	*I should have sung*
ich würde singen	ich würde gesungen haben
du würdest singen	du würdest gesungen haben
er würde singen	er würde gesungen haben
wir würden singen	wir würden gesungen haben
ihr würdet singen	ihr würdet gesungen haben
sie würden singen	sie würden gesungen haben

8 Passive Voice

Indicative	*Subjunctive*
PRESENT	
I am praised	
ich werde gelobt	ich werde gelobt
du wirst gelobt	du werdest gelobt
er wird gelobt	er werde gelobt
wir werden gelobt	wir werden gelobt
ihr werdet gelobt	ihr werdet gelobt
sie werden gelobt	sie werden gelobt
PRESENT PERFECT	
I have been praised	
ich bin gelobt worden	ich sei gelobt worden
du bist gelobt worden	du seiest gelobt worden
er ist gelobt worden	er sei gelobt worden
wir sind gelobt worden	wir seien gelobt worden
ihr seid gelobt worden	ihr seiet gelobt worden
sie sind gelobt worden	sie seien gelobt worden
FUTURE	
I shall be praised	
ich werde gelobt werden	ich werde gelobt werden
du wirst gelobt werden	du werdest gelobt werden
er wird gelobt werden	er werde gelobt werden
wir werden gelobt werden	wir werden gelobt werden
ihr werdet gelobt werden	ihr werdet gelobt werden
sie werden gelobt werden	sie werden gelobt werden

•

Imperative

werde gelobt, werdet gelobt, werden Sie gelobt, *be praised*

Infinitive

PRESENT INFINITIVE: gelobt (zu) werden, *to be praised*
PERFECT INFINITIVE: gelobt worden (zu) sein, *to have been praised*

Participle

PRESENT PARTICIPLE: wanting.
PERFECT PARTICIPLE: gelobt worden, *been praised*

Indicative	*Subjunctive*
PAST	
I was praised	
ich wurde gelobt	ich würde gelobt
du wurdest gelobt	du würdest gelobt
er wurde gelobt	er würde gelobt
wir wurden gelobt	wir würden gelobt
ihr wurdet gelobt	ihr würdet gelobt
sie wurden gelobt	sie würden gelobt
PAST PERFECT	
I had been praised	
ich war gelobt worden	ich wäre gelobt worden
du warst gelobt worden	du wärest gelobt worden
er war gelobt worden	er wäre gelobt worden
wir waren gelobt worden	wir wären gelobt worden
ihr wart gelobt worden	ihr wäret gelobt worden
sie waren gelobt worden	sie wären gelobt worden
FUTURE PERFECT	
I shall have been praised	
ich werde gelobt worden sein	ich werde gelobt worden sein
du wirst gelobt worden sein	du werdest gelobt worden sein
er wird gelobt worden sein	er werde gelobt worden sein
wir werden gelobt worden sein	wir werden gelobt worden sein
ihr werdet gelobt worden sein	ihr werdet gelobt worden sein
sie werden gelobt worden sein	sie werden gelobt worden sein

•

PRESENT CONDITIONAL	PAST CONDITIONAL
I should be praised	*I should have been praised*
ich würde gelobt werden	ich würde gelobt worden sein
du würdest gelobt werden	du würdest gelobt worden sein
er würde gelobt werden	er würde gelobt worden sein
wir würden gelobt werden	wir würden gelobt worden sein
ihr würdet gelobt werden	ihr würdet gelobt worden sein
sie würden gelobt werden	sie würden gelobt worden sein

9 Conjugation of Reflexive Verbs

Indicative	*Subjunctive*
PRESENT	
I remember	
ich erinnere mich	ich erinnere mich
du erinnerst dich	du erinnerest dich
er erinnert sich	er erinnere sich
wir erinnern uns	wir erinnern uns
ihr erinnert euch	ihr erinneret euch
sie erinnern sich	sie erinnern sich
PRESENT PERFECT	
I have remembered	
ich habe mich erinnert	ich habe mich erinnert
du hast dich erinnert	du habest dich erinnert
er hat sich erinnert	er habe sich erinnert
wir haben uns erinnert	wir haben uns erinnert
ihr habt euch erinnert	ihr habet euch erinnert
sie haben sich erinnert	sie haben sich erinnert
FUTURE	
I shall remember	
ich werde mich erinnern	ich werde mich erinnern
du wirst dich erinnern	du werdest dich erinnern
er wird sich erinnern	er werde sich erinnern
wir werden uns erinnern	wir werden uns erinnern
ihr werdet euch erinnern	ihr werdet euch erinnern
sie werden sich erinnern	sie werden sich erinnern

•

Imperative

erinnere dich, erinnert euch, erinnern Sie sich, *remember*

Infinitive

PRESENT INFINITIVE: sich (zu) erinnern, *to remember*
PERFECT INFINITIVE: sich erinnert (zu) haben, *to have remembered*

Participle

PRESENT PARTICIPLE: sich erinnernd, *remembering*
PERFECT PARTICIPLE: sich erinnert, *remembered*

Indicative	*Subjunctive*

PAST

I remembered

Indicative	Subjunctive
ich erinnerte mich	ich erinnerte mich
du erinnertest dich	du erinnertest dich
er erinnerte sich	er erinnerte sich
wir erinnerten uns	wir erinnerten uns
ihr erinnertet euch	ihr erinnertet euch
sie erinnerten sich	sie erinnerten sich

PAST PERFECT

I had remembered

Indicative	Subjunctive
ich hatte mich erinnert	ich hätte mich erinnert
du hattest dich erinnert	du hättest dich erinnert
er hatte sich erinnert	er hätte sich erinnert
wir hatten uns erinnert	wir hätten uns erinnert
ihr hattet euch erinnert	ihr hättet euch erinnert
sie hatten sich erinnert	sie hätten sich erinnert

FUTURE PERFECT

I shall have remembered

Indicative	Subjunctive
ich werde mich erinnert haben	ich werde mich erinnert haben
du wirst dich erinnert haben	du werdest dich erinnert haben
er wird sich erinnert haben	er werde sich erinnert haben
wir werden uns erinnert haben	wir werden uns erinnert haben
ihr werdet euch erinnert haben	ihr werdet euch erinnert haben
sie werden sich erinnert haben	sie werden sich erinnert haben

•

PRESENT CONDITIONAL	PAST CONDITIONAL
I should remember	*I should have remembered*
ich würde mich erinnern	ich würde mich erinnert haben
du würdest dich erinnern	du würdest dich erinnert haben
er würde sich erinnern	er würde sich erinnert haben
wir würden uns erinnern	wir würden uns erinnert haben
ihr würdet euch erinnern	ihr würdet euch erinnert haben
sie würden sich erinnern	sie würden sich erinnert haben

10 Modal Auxiliaries: Dürfen, Können, Mögen (Müssen, Sollen, Wollen)

Indicative

PRESENT

ich	darf	kann	mag
du	darfst	kannst	magst
er	darf	kann	mag
wir	dürfen	können	mögen
ihr	dürft	könnt	mögt
sie	dürfen	können	mögen

PAST

ich	durfte	konnte	mochte
du	durftest	konntest	mochtest
er	durfte	konnte	mochte
wir	durften	konnten	mochten
ihr	durftet	konntet	mochtet
sie	durften	konnten	mochten

PRESENT PERFECT

ich habe	gedurft	gekonnt	gemocht
du hast	gedurft	gekonnt	gemocht
er hat	gedurft	gekonnt	gemocht
BUT:			
ich habe gehen	dürfen	können	mögen
du hast gehen	dürfen	können	mögen
er hat gehen	dürfen	können	mögen

PAST PERFECT

ich hatte	gedurft	gekonnt	gemocht
du hattest	gedurft	gekonnt	gemocht
er hatte	gedurft	gekonnt	gemocht
BUT:			
ich hatte gehen	dürfen	können	mögen
du hattest gehen	dürfen	können	mögen
er hatte gehen	dürfen	können	mögen

FUTURE

ich werde	dürfen	können	mögen
du wirst	dürfen	können	mögen
er wird	dürfen	können	mögen
wir werden	dürfen	können	mögen
ihr werdet	dürfen	können	mögen
sie werden	dürfen	können	mögen

FUTURE PERFECT

ich werde	gedurft	gekonnt	gemocht	**haben**
du wirst	gedurft	gekonnt	gemocht	**haben**
er wird	gedurft	gekonnt	gemocht	**haben**
BUT:				
ich werde haben gehen	dürfen	können	mögen	
du wirst haben gehen	dürfen	können	mögen	
er wird haben gehen	dürfen	können	mögen	

Infinitive

PRESENT:	dürfen	können	mögen
PERFECT:	gedurft haben	gekonnt haben	gemocht haben

Participle

PRESENT PARTICIPLE:	dürfend	könnend	mögend
PAST PARTICIPLE:	gedurft / dürfen	gekonnt / können	gemocht / mögen

DÜRFEN, KÖNNEN, MÖGEN

Subjunctive

PRESENT

ich	dürfe	könne	möge
du	dürfest	könnest	mögest
er	dürfe	könne	möge
wir	dürfen	können	mögen
ihr	dürfet	könnet	möget
sie	dürfen	können	mögen

PAST

ich	dürfte	könnte	möchte
du	dürftest	könntest	möchtest
er	dürfte	könnte	möchte
wir	dürften	könnten	möchten
ihr	dürftet	könntet	möchtet
sie	dürften	könnten	möchten

PRESENT PERFECT

ich habe	gedurft	gekonnt	gemocht
du habest	gedurft	gekonnt	gemocht
er habe	gedurft	gekonnt	gemocht
BUT:			
ich habe gehen	dürfen	können	mögen
du habest gehen	dürfen	können	mögen
er habe gehen	dürfen	können	mögen

PAST PERFECT

ich hätte	gedurft	gekonnt	gemocht
du hättest	gedurft	gekonnt	gemocht
er hätte	gedurft	gekonnt	gemocht
BUT:			
ich hätte gehen	dürfen	können	mögen
du hättest gehen	dürfen	können	mögen
er hätte gehen	dürfen	können	mögen

FUTURE

ich werde	dürfen	können	mögen	
du werdest	dürfen	können	mögen	
er werde	dürfen	können	mögen	
wir werden	dürfen	können	mögen	
ihr werdet	dürfen	können	mögen	
sie werden	dürfen	können	mögen	

FUTURE PERFECT

ich werde	gedurft	gekonnt	gemocht	**haben**
du werdest	gedurft	gekonnt	gemocht	**haben**
er werde	gedurft	gekonnt	gemocht	**haben**
BUT:				
ich werde haben gehen	dürfen	können	mögen	
du werdest haben gehen	dürfen	können	mögen	
er werde haben gehen	dürfen	können	mögen	

Conditional

PRESENT

ich würde	dürfen	können	mögen
du würdest	dürfen	können	mögen
er würde	dürfen	können	mögen

PAST

ich würde	gedurft	gekonnt	gemocht	**haben**
du würdest	gedurft	gekonnt	gemocht	**haben**
er würde	gedurft	gekonnt	gemocht	**haben**
BUT:				
ich würde haben gehen	dürfen	können	mögen	
du würdest haben gehen	dürfen	können	mögen	
er würde haben gehen	dürfen	können	mögen	

11 Declension of Nouns and Adjectives

CLASS I: STRONG DECLENSION

	SINGULAR			
N.	der Bruder	der Onkel	die Mutter	das Gebäude
G.	des Bruders	des Onkels	der Mutter	des Gebäudes
D.	dem Bruder	dem Onkel	der Mutter	dem Gebäude
A.	den Bruder	den Onkel	die Mutter	das Gebäude
	PLURAL			
N.	die Brüder	die Onkel	die Mütter	die Gebäude
G.	der Brüder	der Onkel	der Mütter	der Gebäude
D.	den Brüdern	den Onkeln	den Müttern	den Gebäuden
A.	die Brüder	die Onkel	die Mütter	die Gebäude

To the first class of strong declension (no plural ending added) belong: 1. The masculines and neuters in –el, –er, –en (**der Nagel, der Schlüssel, der Apfel, der Mantel, das Mittel, der Winter, der Dichter, der Lehrer, das Zimmer, das Messer, der Regen, der Garten, der Ofen, das Essen, das Leben,** etc.); 2. The two feminines **die Mutter, die Tochter**; 3. The diminutives in **–chen** and **-lein** (**das Mädchen, das Häuschen, das Fräulein, das Vöglein, das Wäglein,** etc.); 4. The neuters with the prefix **Ge–** and the suffix **–e** (**das Gebäude, das Gebirge, das Gemälde,** etc.). Umlaut: Masculines often, feminines always, neuters never (except **das Kloster,** *pl.* **die Klöster**).

CLASS II: STRONG DECLENSION

		SINGULAR		
N.	der Kopf	der Tag	die Nacht	das Jahr
G.	des Kopfes	des Tages	der Nacht	des Jahres
D.	dem Kopf(e)	dem Tag(e)	der Nacht	dem Jahr(e)
A.	den Kopf	den Tag	die Nacht	das Jahr
		PLURAL		
N.	die Köpfe	die Tage	die Nächte	die Jahre
G.	der Köpfe	der Tage	der Nächte	der Jahre
D.	den Köpfen	den Tagen	den Nächten	den Jahren
A.	die Köpfe	die Tage	die Nächte	die Jahre

To the second class of strong declension (plural ending **–e**) belong: 1. Many masculines, feminines, and neuters of one syllable; 2. Nouns in **–sal, –nis, –kunft, –ig, –ling, –ing (das Schicksal, das Gefängnis, die Ankunft, der Pfennig, der Frühling, der Hering,** etc.); 3. A number of polysyllabic masculines and neuters (**der Monat, das Papier, das Dutzend,** etc.); Umlaut: Masculines often, feminines always, neuters never.

CLASS III: STRONG DECLENSION

		SINGULAR		
N.	das Haus	der Mann	das Königtum	der Irrtum
G.	des Hauses	des Mannes	des Königtums	des Irrtums
D.	dem Haus(e)	dem Mann(e)	dem Königtum	dem Irrtum
A.	das Haus	den Mann	das Königtum	den Irrtum
		PLURAL		
N.	die Häuser	die Männer	die Königtümer	die Irrtümer
G.	der Häuser	der Männer	der Königtümer	der Irrtümer
D.	den Häusern	den Männern	den Königtümern	den Irrtümern
A.	die Häuser	die Männer	die Königtümer	die Irrtümer

To the third class of the strong declension (plural ending **–er**) belong: 1. The most common monosyllabic neuters; 2. A few masculines of one syllable (**der Mann, der Ort, der Wald, der Leib, der Geist,** etc.); 3. All neuter or masculine nouns in **–tum (das Eigentum, das Königtum, der Irrtum, der Reichtum,** etc.)

DECLENSION OF NOUNS

WEAK DECLENSION OF NOUNS

		SINGULAR		
N.	der Knabe	der Mensch	die Frage	die Freundin
G.	des Knaben	des Menschen	der Frage	der Freundin
D.	dem Knaben	dem Menschen	der Frage	der Freundin
A.	den Knaben	den Menschen	die Frage	die Freundin
		PLURAL		
N.	die Knaben	die Menschen	die Fragen	die Freundinnen
G.	der Knaben	der Menschen	der Fragen	der Freundinnen
D.	den Knaben	den Menschen	den Fragen	den Freundinnen
A.	die Knaben	die Menschen	die Fragen	die Freundinnen

To the weak declension (plural ending **–n or –en***) belong: **1.** All the feminines that do not belong to class I or II strong declension; **2.** A few masculines of one syllable denoting living beings **(der Mensch, der Narr, der Hirt, der Graf,** etc.); **3.** A number of masculines of more than one syllable denoting living beings **(der Junge, der Knabe, der Bursche, der Löwe, der Neffe, der Soldat, der Student,** etc.). Umlaut: Never.

MIXED DECLENSION OF NOUNS

		SINGULAR		
N.	der Schmerz	der Nachbar	der Doktor	das Auge
G.	des Schmerzes	des Nachbars	des Doktors	des Auges
D.	dem Schmerz	dem Nachbar	dem Doktor	dem Auge
A.	den Schmerz	den Nachbar	den Doktor	das Auge
		PLURAL		
N.	die Schmerzen	die Nachbarn	die Doktoren	die Augen
G.	der Schmerzen	der Nachbarn	der Doktoren	der Augen
D.	den Schmerzen	den Nachbarn	den Doktoren	den Augen
A.	die Schmerzen	die Nachbarn	die Doktoren	die Augen

To the mixed declension (genitive sing. **–s** or **–es**, pl. **–n** or **–en**) belong: **1.** A small number of masculines and neuters **(der Bauer, der See, der Staat, das Bett, das Ende, das Ohr,** etc.); **2.** Foreign words in **–or (der Doktor, der Professor,** etc.). Umlaut: Never.

* Nouns ending in **-in** double the **-n-** before the ending: **die Freundin, die Freundinnen; die Lehrerin, die Lehrerinnen; die Studentin, die Studentinnen.**

IRREGULAR NOUNS

	SINGULAR			
N.	der Friede(n)	der Name(n)	das Herz	der Herr
G.	des Friedens	des Namens	des Herzens	des Herrn
D.	dem Frieden	dem Namen	dem Herz	dem Herrn
A.	den Frieden	den Namen	das Herz	den Herrn
	PLURAL			
N.	die Frieden	die Namen	die Herzen	die Herren
G.	der Frieden	der Namen	der Herzen	der Herren
D.	den Frieden	den Namen	den Herzen	den Herren
A.	die Frieden	die Namen	die Herzen	die Herren

To this group of variants of unchanged plurals, **–en** plurals, and genitive **–es** belong: 1. A small number of masculine nouns: **(der Funke(n), die Funken; der Glaube(n),** no plural; **der Same(n), die Samen; der Wille(n), die Willen; der Gedanke(n), die Gedanken; der Haufe(n), die Haufen; der Schade(n), die Schäden)**; 2. The neuter: **das Herz.** Umlaut: Never.

STRONG DECLENSION OF ADJECTIVES

	SINGULAR		
	Masculine	*Feminine*	*Neuter*
N.	stark**er** Kaffee	rot**e** Kreide	kalt**es** Wasser
G.	stark**en** Kaffees	rot**er** Kreide	kalt**en** Wassers
D.	stark**em** Kaffee	rot**er** Kreide	kalt**em** Wasser
A.	stark**en** Kaffee	rot**e** Kreide	kalt**es** Wasser
	PLURAL		
N.	treu**e** Freunde	gut**e** Frauen	schön**e** Länder
G.	treu**er** Freunde	gut**er** Frauen	schön**er** Länder
D.	treu**en** Freunden	gut**en** Frauen	schön**en** Ländern
A.	treu**e** Freunde	gut**e** Frauen	schön**e** Länder

DECLENSION OF ADJECTIVES

WEAK DECLENSION OF ADJECTIVES

(Adjective preceded by a **der**-*word)*

	Masculine	*Feminine*	*Neuter*
	SINGULAR		
N.	der kalt**e** Winter	diese gut**e** Mutter	jenes groß**e** Haus
G.	des kalt**en** Winters	dieser gut**en** Mutter	jenes groß**en** Hauses
D.	dem kalt**en** Winter	dieser gut**en** Mutter	jenem groß**en** Haus
A.	den kalt**en** Winter	diese gut**e** Mutter	jenes groß**e** Haus
	PLURAL		
N.	die kalt**en** Winter	diese gut**en** Mütter	jene groß**en** Häuser
G.	der kalt**en** Winter	dieser gut**en** Mütter	jener groß**en** Häuser
D.	den kalt**en** Wintern	diesen gut**en** Müttern	jenen groß**en** Häusern
A.	die kalt**en** Winter	diese gut**en** Mütter	jene groß**en** Häuser

MIXED DECLENSION OF ADJECTIVES

(Adjective preceded by an **ein**-*word)*

	Masculine	*Feminine*	*Neuter*
	SINGULAR		
N.	kein hoh**er** Berg	meine klein**e** Schwester	sein klein**es** Zimmer
G.	keines hoh**en** Berges	meiner klein**en** Schwester	seines klein**en** Zimmers
D.	keinem hoh**en** Berg	meiner klein**en** Schwester	seinem klein**en** Zimmer
A.	keinen hoh**en** Berg	meine klein**e** Schwester	sein klein**es** Zimmer
	PLURAL		
N.	keine hoh**en** Berge	meine klein**en** Schwestern	seine klein**en** Zimmer
G.	keiner hoh**en** Berge	meiner klein**en** Schwestern	seiner klein**en** Zimmer
D.	keinen hoh**en** Bergen	meinen klein**en** Schwestern	seinen klein**en** Zimmern
A.	keine hoh**en** Berge	meine klein**en** Schwestern	seine klein**en** Zimmer

VOCABULARIES

GERMAN-ENGLISH VOCABULARY

Notes on the Vocabularies

These vocabularies aim to be complete; the numerals, however, are omitted.

NOUNS: The nominative singular and plural of nouns are indicated. Where necessary or advisable to avoid confusion the genitive singular is also given.

VERBS: For ready reference, the principal parts of certain verbs are included in the vocabularies. Compound verbs with a separable prefix are designated by the use of a hyphen **(an-kommen).**
An asterisk following the infinitive of a compound verb **(an-kommen*)** indicates that the principal parts are listed under the simple verb. The infinitive form of verbs that may be used reflexively is preceded by **sich.** Verbs that govern the dative case are followed by *dat. of pers.*

ADJECTIVES: Umlaut in the comparative and superlative is indicated.

PREPOSITIONS: The case, or cases, governed by prepositions are indicated by *gen., dat., acc.,* or *dat. or acc.*

Abbreviations

acc.	accusative	*neut.*	neuter
adj.	adjective	*o. p.*	of person
adv.	adverb	*o. s.*	oneself
aux.	auxiliary	*pers.*	personal
dat.	dative	*p. p.*	past participle
def. art.	definitive article	*pl.*	plural
fem.	feminine	*poss.*	possessive
fig.	fuguratively	*pref.*	prefix
fut.	future	*prep.*	preposition
gen.	genitive	*pron.*	pronoun
imper.	imperative	*refl.*	reflexive
indef.	indefinite	*rel.*	relative
interr.	interrogative	*s. o.*	someone
masc.	masculine	*sep.*	separable
mod.	modal	*sing.*	singular

ab *adv.* off, away; down
ab-brechen* to break off
der **Abbruch, ⸚e** discontinuance
ab-drucken to print off
der **Abend, –e** evening; **abends** in the evening; **heute abend** tonight; **eines Abends** one evening; **gestern abend** last night
das **Abendessen = das Abendbrot** supper
der **Abendsonnenglanz** light of the evening sun; the setting sun
das **Abenteuer, –** adventure
aber *conj.* but, however
der **Aberglaube** superstition
ab-fahren* to leave, depart (by car, train, etc.)
ab-hängen* to depend (upon)
ab-holen to call for
der **Ablaut, –e** vowel gradation, ablaut
ab-legen to take off, lay off; **ein Geständnis ablegen** to make a confession
ab-nehmen* to take off, take away
ab-reisen to leave; **die Abreise, –n** departure
ab-rufen* to call (away)
ab-schlagen* to refuse, reject; to beat (strike) off
ab-schreiben* to copy
ab-senden* to send off; mail
die **Absicht, –en** intention
ab-stechen* to contrast with
ab-zahlen to pay off
achten to respect; pay attention to, take care; **in acht nehmen** to be on guard, take care
die **Achtung** respect; **Achtung!** attention! look out!
addieren to add, sum up
die **Adresse, –n** address
der **Advokat, –en, –en** advocate, lawyer
afrikanisch *adj.* of Africa
ähnlich *with dat.* similar; **einem ähnlich sehen** to resemble s.o.
die **Aktentasche, –n** portfolio
all (aller, alle, alles) *adj. or pron.* all, everything, everybody; **das alles** all that
allein *adj. and adv.* alone; *conj.* but; **für sich allein** by (for) himself
die **Alpen** the Alps
das **Alphabet, –s, –e** alphabet
als *conj.* when; *in comparison* as; *after comparative* than; **als ob, als wenn** as if
also *adv.* so, thus, therefore
der **Alte, –n, –n** old man
das **Alter, –** (old) age
altersgrau *adj.* (grown) gray with age
amerikanisch *adj.* American, of America
das **Amt, ⸚er** office, position; official appointment
an *prep. dat. or acc.* at, to, up, against, on
an-blicken to look at; **der Anblick –e** sight
ander *adj.* other, different; **am andern Tag** next day
ändern to alter, change
aneinander *adv.* together, to (against) one another
an-fangen* to begin, start, set about, take up; **der Anfang, ⸚e** beginning
an-fragen to ask, inquire
angeboren *adj.* inborn, inherited
das **Angebot, –e** offer
an-gehen* to concern; **es geht mich nichts an** it is nothing to me, not my concern
an-gehören to belong to
die **Angelegenheit, –en** affair, concern, business
angemessen *adj.* suitable, fitting
angenehm *adj.* pleasant, pleasing, nice
angesehen *adj.* distinguished, respected
die **Angst, ⸚e** fear, fright; **Angst haben** to be afraid; **Angst machen** to frighten
ängstlich *adj.* timid
an-halten* to stop
der **Anhänger, –** partisan, follower
an-kommen* to arrive; **die Ankunft** arrival
an-nehmen* to accept, take interest in
an-rufen* to call (as by telephone)
sich **an-schließen*** to join
an-sehen* to look at

das **Ansehen** reputation; appearance
an-setzen to affix, establish, set (a date)
anstatt *prep. gen.* instead of
ansteckend *adj.* contagious, catching
an-treffen* to meet
antworten to answer; **die Antwort, –en** answer, reply
die **Anzahl** number
an-zeigen to announce, advertise
an-ziehen* to dress; **der Anzug, ⸚e** suit, dress
der **Apfel, ⸚** apple
die **Apfelsine, –n** orange
der **Apparat, –e** appliance, contrivance, instrument
arabisch *adj.* Arabian
arbeiten to work; **die Arbeit, –en** work
arbeitsam *adj.* diligent, industrious
sich **ärgern** to be (become) angry; **sich ärgern über** *with acc.* to be angry at
der **Arm, –e** arm
arm *adj.* **ärmer, am ärmsten** poor, in need; **die Armut** poverty
die **Armee, –n** army
die **Art, –en** kind, sort
der **Arzt, ⸚e** physician
(das) **Asien** Asia
der **Atem** breath; **außer Atem** out of breath
atmen to breathe
auch *conj. and adv.* also, too, even
auf *prep. dat. or acc.* on, upon, to, in, at, for; **auf dem Land** in the country; **aufs Land** to the country; **auf und ab** up and down, back and forth
auf-bahren to lay out in state
auf-fallen* to arouse attention, cause comment
die **Aufgabe, –n** lesson, assignment, exercise, task
auf-geben* to give up, resign
aufgeregt *adj.* excited, irritated
sich **auf-halten*** to stay
auf-hören to stop
auf-kleben to paste on, fasten
die **Aufmerksamkeit, –en** attention
auf-schlagen* to open (a book)
auf-schließen* to unlock
auf-spielen: zum Tanz aufspielen to strike up a dance
auf-stehen* to get up, rise
der **Auftrag, ⸚e** commission, order, assignment
auf-wachsen* to grow up
das **Auge, –n** eye; **mit großen Augen** with wide-open eyes, in surprise
der **Augenblick, –e** moment
augenblicklich *adv.* momentary, immediately, just now
aus *prep. dat.* out of, from; *adv.* out, over, ended
aus-arbeiten to work out, complete
aus-bleiben* to stay away, fail to come
der **Ausblick, –e** view
aus-brechen* to break out, escape
sich **aus-breiten** to spread, stretch, gain ground
die **Ausdauer** perseverance, endurance
sich **aus-dehnen** to spread out, extend; **ausgedehnt** *adj.* large, extended
auseinander *adv.* apart, separate
aus-führen to carry out, execute, realize
die **Ausgabe, –n** edition (of a book)
ausgedörrt *adj.* dried up, parched
aus-gehen* to go out; end
ausgesprochen *adj.* determined, confirmed, strong
aus-hungern to starve
der **Ausländer, –** foreigner, alien
aus-ruhen to rest
aus-sehen* to look, appear; **wie sehen Sie aus!** how you do look! what an appearance!
außerhalb *prep. gen.* outside of
sich **äußern** to utter, say (one's opinion), express
außerordentlich *adv.* extraordinary
die **Äußerung, –en** utterance, expression
die **Aussicht, –en** view
die **Aussprache, –n** pronunciation
aus-sprechen* to pronounce, articulate
aus-weichen, wich aus, ist ausgewichen to evade; shirk

auswendig *adv.* (to learn) by heart
aus-ziehen* to take off, undress; **ist ausgezogen** moved
das **Auto, –s, –s** auto, motor car
der **Autor, –s, –en** author

der **Bach, ⸗e** brook
backen, buk, gebacken, er bäckt to bake
der **Bahnhof, ⸗e** railroad station
das **Bahnhofsrestaurant, –s, –s** restaurant in railroad station
bald *adv.* soon
der **Ball, ⸗e** ball
das **Band, ⸗er** ribbon
bangen to be afraid
die **Bank, ⸗e** bench
die **Bank, –en** bank
der **Bau, –es, –ten** building, construction
bauen to build, construct
der **Bauer, –n** peasant, farmer
baufällig *adj.* dilapidated, out of repair
der **Baum, ⸗e** tree
baumlang *adj.* tall (as a lamppost)
(das) **Bayern** Bavaria; **bayrisch** *adj.* Bavarian
beantworten to answer
sich **bedanken** to thank, return thanks (for)
bedecken to cover
bedenken* to consider, bear in mind
bedeutend *adj.* important
die **Bedeutung, –en** meaning; importance
die **Bedienung, –en** service
die **Bedingung, –en** condition, term
sich **beeilen** to hasten, hurry
beenden to finish, end
befehlen, befahl, befohlen, er befiehlt to order, command
sich **befinden*** to be, find o.s.
befreien to free, liberate, relieve
begabt *adj.* gifted, talented; **die Begabung, –en** talents, ability
begegnen, ist begegnet, *with dat. of pers.* to meet
sich **begeistern für** to get enthusiastic about
beginnen, begann, begonnen, er beginnt to begin, start
begleiten to accompany, escort; **der Begleiter, –** companion, escort
begraben* to bury
begrüßen to greet, welcome
behalten* to keep
behandeln to treat
behüten to protect
bei *prep. dat.* at, near, with, at the home of; **bei uns** at our home, at our place; **bei mir** with me
beide *pron. and adj.* both, two; **alle beide** both
das **Beispiel, –e** example; **zum Beispiel = z. B.** for example
beißen, biß, gebissen, er beißt to bite
der **Beitrag, ⸗e** contribution
bei-wohnen to attend
bekannt *adj.* known, well-known; acquainted
die **Bekanntschaft, –en** acquaintance
bekommen* to get, receive
bekümmert *adj.* troubled, grieved
belaubt *adj.* foliated, covered with leaves
belebt *adj.* bustling, crowded, busy
belehren to instruct, set right, correct
beliebt *adj.* beloved, popular
belohnen to reward
sich **bemühen** to try, endeavor, take the trouble
beneiden to envy
beobachten to observe, watch, see
bereiten to prepare, make ready; cause
der **Berg, –e** hill, mountain
berichten to state, report; **der Bericht, –e** report
der **Beruf, –e** profession, vocation, calling
berühmt *adj.* famous, distinguished, celebrated
berühren to touch; refer to
sich **beschäftigen** to occupy o.s.
bescheiden *adj.* modest, moderate, unassuming
beschränkt *adj.* limited, restricted
beschreiben* to describe; **die Beschreibung, –en** description
besiegen to defeat

besitzen* to possess, own, occupy; **der Besitzer, –** owner, occupant
besonders *adv.* especially, in particular
besser *adj.* better
das **Bessere: eines Besseren belehren** to set a person right
die **Besserung** improvement
best– best; **aufs beste** the best, in the best way
bestäubt = **bestaubt** dusty
bestehen* to consist of; to pass (as an examination)
besteigen* to climb, ascend
bestellen to order; deliver
bestimmen to determine, design; **nicht bestimmt als** not designed as (for)
bestimmt *adv.* definitely, positively, certainly, to the point
bestrafen to punish
bestreichen, bestrich, bestrichen to cover, spread over
besuchen to visit, attend (school); **der Besuch, –e** visit; **einen Besuch machen** to pay a visit
beten to pray
sich **betragen*** to behave; **das Betragen** behavior, conduct
betreten* to enter; step on
der **Betrug** fraud, swindle, deception
betrügen, betrog, betrogen, er betrügt deceive, cheat; **der Betrüger, –** swindler
das **Bett, –en** bed
betteln to beg (as for alms, favors); **der Bettler, –** beggar
bevor *conj.* before
beweisen, bewies, bewiesen, er beweist to prove, show; **der Beweis, –e** proof, demonstration
bewohnen to inhabit
bewundern to admire
bezahlen to pay (for)
beziehen*, to cover; occupy (a house); receive (payment)
die **Bibel, –n** Bible
die **Bibliothek, –en** library
biegen, bog, gebogen, er biegt to bend
biegsam *adj.* flexible, supple
das **Bier, –e** beer
bieten, bot, geboten, er bietet to offer
das **Bild, –er** picture, portrait; image
bilden to form, educate
bildhübsch *adj.* very beautiful, very pretty
billig *adj.* cheap
binden, band, gebunden, er bindet to tie, bind
bis *prep. and conj.* until; **bis an, bis zu** up to
der **Bischof, ⸚e** bishop
bisher *adv.* till now, up to now
der **Biß, Bisses, Bisse** bite, sting, strike
bißchen a little bit
bitten, bat, gebeten, er bittet to beg, request, ask (for something); **bitten um** ask for; **die Bitte, –n** request; **bitte!** please!
bitter bitter; thoroughly, completely
blasen, blies, geblasen, er bläst to blow
blaß *adj.* pale, pallid
das **Blatt, ⸚er** leaf, sheet (of paper)
blau blue
das **Blei,** lead
bleiben, blieb, ist geblieben, er bleibt to stay, remain
der **Bleistift, –e** pencil
blenden to blind
der **Blick, –e,** look, glance; view
blind blind
der **Blitz, –e** flash of lightning
blitzen to lighten, flash, sparkle glisten
blitzschnell *adj.* as quick as lightning
blond *adj.* blond
blühen to bloom, blossom
die **Blume, –n** flower
das **Blut** blood
bluten to bleed
blutjung *adj.* very young
der **Boden, ⸚** ground, earth, bottom, floor
(das) **Böhmen** Bohemia
der **Bohrer, –** borer, drill
(das) **Bonn:** capital city of West Germany
borgen to lend, borrow
die **Börse, –n** purse
böse *adj.* angry; wicked, bad

der **Bösewicht, –er** scoundrel, villain

der **Bote, –n, –n** messenger

der **Brand, –̈e** fire, conflagration

braten, briet, gebraten, er brät to roast, fry

brauchbar *adj. and adv.* useful; **höchst brauchbar** highly useful

brauchen to use, need

braun brown, tanned

brave, *adj.* good, fine; brave

brechen, brach, gebrochen, er bricht to break

breit *adj.* broad, wide, large; **die breite Sprache** slow, drawling way of speaking

brennen, brannte, gebrannt, er brennt to burn

das **Brett, –er** board

der **Brief, –e** letter

der **Briefkasten, –̈** letter box

die **Briefmarke, –n** stamp

die **Brille, –n** (pair of) spectacles, glasses

bringen, brachte, gebracht, er bringt to bring; to take

das **Brot, –e** bread

die **Brücke, –n** bridge

der **Bruder, –̈** brother

der **Brunnen, –** fountain, well

das **Buch, –̈er** book

der **Buchdruck** printing, typography

der **Buchstabe, –n** letter (of alphabet)

die **Bundesrepublik** Federal Republic

buntfarbig gay-colored

die **Burg, –en** castle, stronghold

der **Bürger, –** citizen

der **Bürgerkrieg, –e** civil war

der **Bürgermeister, –** mayor

das **Büro, –s, –s** office

der **Bursche, –n, –n** fellow

der **Chef, –s, –s** manager, head (of a firm), chief (cook)

die **Chemie** chemistry

der **Chemiker, –** chemist

chinesisch *adj.* of China

der **Chor, –̈e** choir, chorus

das **Chor, –̈e** (church) gallery, chancel

der **Christ, –en, –en** Christian

da *adv.* there, present; *conj.* as, since, because

dabei *adv.* near by; at the same time, in doing so

dabei-stehen* to stand by, to be present

das **Dach, –̈er** roof

dadurch *adv.* through that, by means of that

dafür *adv.* for it

dagegen *adv.* on the contrary; **dagegen sein** to be against it

daher *adv.* therefore

dahin *adv.* to that place; *as sep. prefix* away, along, gone

dahinten behind, far away

damals at that time

damit *adv.* therewith, with it, with that; *conj.* so that, in order to

danach after that, according to that

dankbar *adj.* grateful; **die Dankbarkeit** gratitude

danken to thank *with dat. of pers.*

dann *adv.* then, at that time; thereupon; **dann und wann** now and then

daran *adv.* at it, on it, near it; **nahe daran** close by

daraus out of (that, which); **sich nichts daraus machen** not mind it, forget it!

darein = **drein** into it, to it; **darein willigen** to consent to

darin = **drin** = **drinnen** inside, in there

darüber = **drüber** about that, concerning that

darum = **drum** therefore, for that reason

darunter = **drunter** under that, among them

das *def. art.* the; *pron.* which, that

daß *conj.* that, so that

das **Datum, Datums, Daten** date

dauern to last, continue; **dauernd** *adv.* always, lasting

davon *adv.* of it, from it; **sich davon machen** to run away, make off

davor *adv.* in front of; of it; from it; against it

dazu *adv.* for it, for that purpose

dazwischen *adv.* between (them), in the midst of

decken to cover; **die Decke, –n** ceiling; cover
die **Demokratie, –n** democracy
denkbar conceivable, imaginable
denken, dachte, gedacht, er denkt to think; **denken an** to think of, remember
das **Denkmal, ⸚er,** monument, memorial
denn *conj.* for, because
der *def. art.* he; *pron.* he who
derselbe, dieselbe, dasselbe *pron.* the same
deshalb = deswegen *adv. and conj.* therefore, for that reason
dessen *rel. pron.* whose
deutlich *adj.* distinct, clear
deutsch *adj.* German; **auf deutsch** in German
dicht *adj.* dense, thick
der **Dichter, –** poet, writer
die **Dichtung, –en** poetry, fiction
dick *adj.* thick; stout, plump
der **Dieb, –e** thief
der **Diebstahl, ⸚e** theft, robbery
dienen to serve; **der Diener, –** servant
dieser, diese, dieses (dies) *dem. adj. and pron.* this, that; the latter; **dieses und jenes** this and that
diesseits *prep. gen.* on this side of
das **Ding –e** or**–er** thing, object, matter
direkt *adj.* direct
die **Dissertation –en** dissertation, thesis
dividieren to divide (by)
doch *adv.* but, yet, after all, surely, at any rate, anyway; please
der **Doktor, –s, –en** physician
der **Dollar, –s, –** dollar
die **Donau:** the river Danube
das **Dorf, ⸚er** village
dort *adv.* there
sich **drängen** to crowd
draußen *adv.* outside, out-of-doors
dreimal three times
dritt(e) third
droben *adv.* up there
drohen to threaten
drüben over there
drücken to press, squeeze; **drükkend** *adj.* heavy (of air), sultry
drucken to print
der **Duft, ⸚e** fragrance
dulden to suffer
dumm *adj.* stupid, foolish
dunkel *adj.* dark; mysterious; **das Dunkel** darkness
dünn *adj.* thin, fine, weak
durch *prep. acc.* through, by means of
durchaus *adv.* quite, absolutely, by all means
durch-fallen* to fail (as in an examination)
durch-ziehen*, ist durchgezogen to move (pass, roam) through
dürfen, durfte, gedurft, er darf, *mod. aux.* to be allowed, may; **darf ich?** may I? **ich darf nicht** I am not allowed to
durstig *adj.* thirsty

eben *adv.* just, just now
ebenso *adv.* just as much, likewise
die **Ecke, –n** corner
edel *adj.* **edler, am edelsten** noble; precious, excellent
ehe *conj.* before
der **Ehemann, Ehemanns, Eheleute** married man, husband; married people (couple)
ehren to honor; **die Ehre, –n** honor; reputation
ehrlich *adj.* honest, honorable
eigen *adj.* own; particular
eigentümlich *adj.* strange, odd
eilen, ist geeilt to hurry; **die Eile** hurry, haste, speed
ein, eine, ein *indef. art.* a, an; *num. adj.* one; *pron.* **einer, eine, ein(e)s;** *adv.* in, into; **einer** one, somebody
einander *pron.* each other, one another
sich **ein-bilden** to imagine, believe, to pride o. s.
ein-brechen* to break in
ein-dringen, drang ein, eingedrungen, er dringt ein to enter (by force); penetrate
eindringlich *adj.* impressive, urgent

einfach *adj.* simple, plain, easy
ein-fahren* to enter, arrive
der **Einfluß, Einflusses, Einflüsse** influence
eingehend *adv.* in detail, thorough
einige *indef. pron.* some, a few, several
ein-kaufen to buy, purchase
ein-kleiden to invest, take the veil
ein-laden, lud ein, eingeladen, er läd ein to invite; die **Einladung, –en** invitation
einmal once; **noch einmal** once more
einsam *adj.* solitary, lonely; **die Einsamkeit, –en** solitude, loneliness
ein-schlafen* to fall asleep
ein-schneiden* to cut into, engrave
ein-sehen* to realize
einst: wie einst as formerly
ein-steigen* ist eingestiegen to get (climb) in
ein-stürzen, ist eingestürzt to break down, collapse
ein-tragen* to carry in; to enter (in a book)
ein-treffen* to arrive; to come true
ein-treten* to enter
die **Eintrittskarte, –n** ticket (for admission)
ein-wandern, ist eingewandert to immigrate
einzeln *adj.* single, individual, particular
ein-ziehen* to move in
einzig *adj.* only, sole, single
das **Eis** ice
das **Eisen, –** iron
die **Eisenbahn, –en** railway
die **Eleganz** elegance
das **Elend** misery
die **Eltern** *pl.* parents
empfehlen, empfahl, empfohlen, er empfiehlt recommend
empor *adv.* up
das **Ende, –s, –n** end; **zu Ende lesen** finish reading; **zu Ende bringen** to finish
endlich *adj.* final, *adv.* finally, at last
endlos *adj.* endless, continuously
eng *adj.* narrow, close, tight
der **Engel, –** angel
der **Engländer, –** Englishman
der **Enkel, –** grandson, grandchild
entdecken to discover
entfalten to unfold
entfliehen* to flee, escape
entführen to abduct, kidnap
entgegen *adv.* towards; **entgegeneilen** to hurry to meet
enthaupten to behead
enthüllen to unveil, reveal
enthusiasmieren to arouse enthusiasm
entkommen* to get away, escape
entlang *adv.* along
entlassen* to dismiss, discharge
entlasten to unburden, ease
entlaufen* to run away, escape
entreißen* to tear away
entschädigen to compensate
sich **entscheiden*** to decide; **die Entscheidung, –en** decision
sich **entschuldigen** to excuse, apologize
entstellen to disfigure, distort; misrepresent
enttäuschen to disappoint
entwickeln to develop; **die Entwicklung, –en** development
entzwei *adv. and sep. pref.* in two, to pieces; broken
das **Epos, Epos, Epen** epic poem
erben to inherit
der **Erbe, –n, –n** heir
erblassen to grow pale
erblinden to grow blind
das **Erdbeben, –s, –** earthquake
die **Erde –n** earth; ground; soil
sich **ereignen** to happen, come to pass
erfahren* to hear, learn; **die Erfahrung, –en** experience
erfinden* to invent; **die Erfindung, –en** invention
der **Erfolg, –e** success, result
sich **erfrischen** to refresh o.s.
erfüllen to fulfil, realize; to carry out (agreement); **in Erfüllung gehen** to come true, be realized
ergebenst *adj.* devoted, respectful; **Ihr ergebener** yours faithfully
erhalten* to get, receive
erhoffen to hope for

sich **erholen** to recover
erinnern to remember, recollect; remind
sich **erkälten** to catch cold, take cold
erkennen* to recognize
erklären to explain
sich **erkundigen** to inquire
erlauben to permit; **sich erlauben** to take the liberty; **die Erlaubnis, Erlaubnisse** permission
erleben to experience, to live to see; **das Erlebnis, Erlebnisse** experience, adventure
erlernen to acquire, learn (by study)
ermüden to fatigue, grow tired, grow weary
ernst *adj.* earnest, serious, grave
ernstlich *adj.* in earnest, serious; stern, severe
ernten to harvest; **die Ernte, –n** harvest, crop
erobern to conquer, capture
erquicken to refresh
erreichen to reach, attain; catch
der **Ersatzmann, ⸗er** substitute
erscheinen* to appear, seem
erschießen, erschoß, erschossen, er erschießt to shoot to kill
erschrecken, erschrak, erschrokken, er erschrickt, to frighten
erschweren to make more difficult
ersehen* to see, notice, learn
erst *adj.* first; only; not until; **fürs erste** for the present; **der erstere** the former; *adv.* at first, first of all; **eben erst** just now; **zum erstenmal** for the first time; **erstens** firstly, in the first place
erstaunt *adj.* astonished, surprised
ertrinken* to drown
erwachen, ist erwacht to awake, wake up
erwachsen* to grow up, spring up; *adj.* grown-up
erwarten to expect
erwartungsvoll *adj.* expectant, full of hope
erwecken to awaken, rouse
erwidern to reply
erzählen to tell, relate; **die Erzählung, –en** narration
der **Erzdieb, –s, –e** arch thief
erziehen* to bring up, educate, train
der **Erzkanzler, –** Lord Chancellor
der **Erzvater, ⸗** patriarch
das **Examen, Examina** examination
es *pron.* it; **es gibt** there is, there are *with acc.*
essen, aß, gegessen, er ißt to eat; **das Essen** food, dinner, meal
das **Etui, –s, –s** case, box
etwa *adv.* about, perhaps
etwas *indef. pron.* some, something, somewhat; **etwas länger** a little longer
euch *acc. and dat. of pron.* you, to you
(das) **Europa** Europe; **europäisch** *adj.* European
ewig *adj.* always, for ever

die **Fabrik, –en** factory
fähig, *adj.* capable, able
fahren, fuhr, ist gefahren, er fährt to ride, drive, travel, go; **fahren lassen** to give up; **der Fahrer, –** driver
die **Fahrt, –en** trip, journey
der **Fall, ⸗e** event, case
fallen, fiel, ist gefallen, er fällt to fall; **der Soldat ist gefallen** the soldier died in battle
falsch *adj.* false, wrong; insincere; **falsches Geld** counterfeit
fälschen to forge, falsify
falten to fold; **die Falte, –n** wrinkle
die **Familie, –n** family
fangen, fing, gefangen, er fängt to catch, seize, capture
die **Farbe, –n** color, paint
färben to color
farbig *adj.* colored, stained
fassen to grasp, seize; **die Fassung, –en** frame, setting
die **Fasson, –s** shape; way
fast *adv.* almost, nearly
faul *adj.* lazy
faulig *adj.* rotten, decayed
fehlen to miss, make a mistake; to be missing, be absent; to lack, be wanting
der **Fehler, –** error, mistake; defect

fehlerhaft *adj.* faulty, incorrect
fehlerlos *adj.* faultless, correct
feiern to celebrate; to rest; **der Feiertag, –e** holiday
der **Feind, –e** enemy
das **Feld, –er** field
der **Felsblock, –blöcke** boulder, rock
das **Fenster, –** window
die **Fensterscheibe –n** window pane
die **Ferien** *pl.* vacation
fern *adv.* far, distant, remote; **sich fern halten** to stay away
fernstehend *adj.* distant (person), not familiar (person), no close connection
fertig *adj. and adv.* finished, ready; **sich fertig machen** to get ready; **fertig bringen*** to finish
fest *adj.* firm, solid, sound; determined
das **Fest, –e** festival
die **Festung, –en** fortress, stronghold
feucht *adj.* damp, wet
das **Feuer, –** fire; fireplace
der **Feuertod** burning at the stake
finden, fand, gefunden, er findet to find; **er war nicht zu finden** he could not be found
der **Finger, –** finger
finster *adj.* dark, gloomy; **die Finsternis, Finsternisse** darkness
fischen to fish
der **Fischfang, ⸚e** fishing
flach *adj.* flat, level, shallow
das **Fleisch** flesh; meat
der **Fleiß** diligence, effort
fleißig *adj.* diligent, industrious
fliegen, flog, ist geflogen, er fliegt to fly
fliehen, floh, ist geflohen, er flieht to flee, escape
fließen, floß, ist geflossen, es fließt to flow
fließend *adj.* fluently; **fließend sprechen** to speak fluently
das **Flugzeug, –e** airplane
der **Flur, –e** hall, corridor
der **Fluß, Flusses, Flüsse** river
flüssig, *adj.* fluid, liquid
die **Fluten** *pl.* water, waves
folgen, ist gefolgt to follow, obey *with dat.*
die **Form, –en** form, shape, formation; manner
forschen to search, investigate
fort *adv.* gone, off, away; **ich muß fort** I have to go
fort-schicken to send away
fort-setzen to continue; **die Fortsetzung, –en** continuation
die **Frage, –n** question; **eine Frage stellen** to ask a question
fragen to ask; **fragen nach** to ask about
(das) **Frankreich** France
französisch *adj.* French, of France
die **Frau, –en** woman, lady, wife, Mrs.
das **Fräulein, –** young girl, Miss
frech *adj.* bold, impudent
frei *adj.* free, independent, at liberty
die **Freiheit, –en** freedom, liberty; **es lebe die Freiheit!** liberty for ever!
freilich *adv.* certainly, of course
freiwillig *adj.* voluntary
fremd *adj.* foreign, strange; **der Fremde, –n** stranger, foreigner
fressen, fraß, gefressen, er frißt to eat (of animals), devour
die **Freude, –n** joy, pleasure, delight; **Freude haben an** to enjoy, delight in; **mit Freuden** with pleasure
freudig *adj. and adv.* happily, joyful
sich **freuen** to be glad, be happy; **sich freuen auf** to look forward to; **es freut mich** I am glad, I am delighted
der **Freund, –e** friend; **die Freundin, –nen** (girl) friend
freundlich *adj.* friendly, kind, pleasant; **aufs freundlichste** in a most friendly way; **freundlich sein gegen** to be friendly toward; **die Freundlichkeit –en** kindness, friendliness
die **Freundschaft, –en** friendship
der **Friede, –ns, –n** peace
frisch *adj.* fresh; clean; cool; healthy
die **Frist, –en** time; term
die **Fristverlängerung, –en** extension of time

froh *adj. and adv.* happy, glad
fröhlich, *adj.* gay, merry
fromm, frömmer, am frömmsten *adj.* pious, devout
die **Frucht, ⸚e** fruit, crop; result
fruchtbar *adj.* fruitful, fertile
früh *adj.* early; soon; **heute früh** this morning
früher *adv.* formerly, earlier, sooner
der **Frühling = das Frühjahr, –e** spring
das **Frühstück, –e** breakfast
der **Fuchs, –es, ⸚e** fox
fühlen to feel, touch; to sense; **sich fühlen** to feel
führen to lead, direct, guide; **der Führer, –** leader
füllen to fill
die **Füllfeder, –n** fountain pen
der **Funke, –ns, –n** spark, flash
für *prep. acc.* for, for the sake of, for the benefit of, on behalf of, in return of, instead of; **was für ein?** what kind of
die **Furcht** fear, fright; anxiety
furchtbar *adj.* dreadful
sich **fürchten** to be afraid *with dat.*
fürchterlich *adj.* terrible
furchtsam *adj.* timid
der **Fürst, –en, –en** prince, sovereign
der **Fuß, Fußes, Füße** foot; **zu Fuß gehen** to walk, go on foot
der **Fußball, ⸚e** football
der **Fußboden, ⸚** floor
der **Fußgänger, –** pedestrian
das **Futter** food, fodder

die **Gans, ⸚e** goose
ganz *adj.* all, whole; *adv.* quite, very, entirely; **ganz und gar** not at all, entirely; **das Ganze** all that, the whole
garantieren to guarantee
der **Garten, ⸚** garden
der **Gärtner, –** gardener
die **Gasanstalt, –en: städtische Gasanstalt** municipal gas-works
der **Gast, ⸚e** guest
das **Gasthaus, ⸚er** inn
das **Gebäude, –** building
geben, gab, gegeben, gibt to give, present; **es gibt, es gab** there is, there are *with acc.*
das **Gebiet, –e** ground, territory
das **Gebirge, –** mountain range
gebirgig *adj.* mountainous, hilly
geblümt *adj.* flowered
geboren *p.p.* born
gebrauchen to use, make use of
die **Gebrüder** *pl.* brothers
der **Geburtstag, –e** birthday
der **Gedanke, –ns, –n** thought, idea
gedenken* to remember, think of
das **Gedicht, –e** poem
die **Geduld** patience
geehrt *adj.* honored, respected
die **Gefahr, –en** danger
gefährden to endanger, imperil
der **Gefährte, –n, –n** companion
gefallen, gefiel, gefallen, er gefällt to please, like; **es gefällt mir** I like it; **sich gefallen lassen** to put up with; **der Soldat ist gefallen** the soldier died in battle
die **Gefälligkeit, –en** favor, kindness
der **Gefangene, –n, –n** prisoner
das **Gefängnis, –ses, –se,** prison; **mit Gefängnis bestrafen** to punish with imprisonment
das **Gefolge** followers, following
das **Gefühl, –e** feeling
gegen *prep. acc.* against, contrary to; towards
die **Gegend, –en** region, district
das **Gegenteil, –e** opposite, reverse, contrary; **im Gegenteil** on the contrary
gegenüber *adv.* opposite, facing (us)
gegenwärtig *adv.* at present
der **Gegner, –** opponent
das **Geheimnis, –ses, –se** secret
der **Geheimrat, ⸚e** privy councillor
gehen, ging, ist gegangen, er geht to go, walk
das **Gehöft, –e** farm
gehorchen to obey *with dat.*
gehören to belong, be owned by *with dat.*
gehorsam *adj.* obedient
die **Geige, –n** violin
der **Geigenspieler, –** violin player
der **Geist, –er** spirit, mind, intellect; ghost, spectre
gelb *adj.* yellow
das **Geld, –er** money; **bares Geld** cash; **Geld und Gut** wealth

die **Gelegenheit, –en** opportunity; occasion
geleiten to accompany, escort
der **Geliebte, –n, –n** lover, sweetheart
gelingen, gelang, ist gelungen, es gelingt to succeed *with dat.*
das **Gemälde, –** painting
gemäßigt *adj.* temperate, moderate
das **Gemüse, –** vegetable
genannt *p.p.* mentioned, called, named
genau *adv.* exactly
genesen, genas, ist genesen, er genest to get well, recover
das **Genie, –s, –s** genius
genießen, genoß, genossen, er genießt to enjoy
genug *adv.* enough, sufficient, plenty
genügen to suffice, satisfy; **genügend** *adj.* satisfactory; **das genügt** that will do
das **Gepäck** luggage, baggage
gerade = **grade** *adv.* just, now, exactly; *adj.* straight; **geradewegs** straightway
das **Gerät, –e** implement, tool; equipment
das **Geräusch, –e** noise
gerecht *adj.* just, righteous, fair
das **Gerede** talk, gossip
das **Gericht, –e** court of justice
gering *adj.* small, slight, unimportant
gern *adv.* **lieber, am liebsten** with pleasure, gladly; **gern haben** to like; **gern gesehen** always welcome; **gern geschehen!** don't mention it.
das **Gerüst, –e** scaffolding; frame, stand
der **Gesang, ⸚e** singing
das **Geschäft, –e** business, store; transaction
der **Geschäftsmann, Geschäftsmanns, Geschäftsleute** businessman; businessmen
geschehen, geschah, ist geschehen, es geschieht to happen, occur
gescheit *adj.* intelligent, sensible
das **Geschenk, –e** present
die **Geschichte, –n** story; history; affair
die **Geschichtsstunde, –n** hour, lesson, class in history
das **Geschick, –e** fate, destiny
geschlossen *p.p.* closed; complete
der **Geschmack, ⸚e** taste
die **Geschwister** *pl.* sisters and brothers
der **Geselle, –n, –n** companion, fellow
sich **gesellen** to join
die **Gesellschaft, –en** company, party; society
das **Gesetz, –e** law, regulation; **ein Gesetz annehmen** to pass into law
das **Gesicht, –er** face
das **Gespräch, –e** conversation
die **Gestalt, –en** figure, form
das **Geständnis, –se,** confession
gestatten to permit
gestern *adv.* yesterday; **gestern abend** last night
gestreng = **streng** *adj.* stern, hard, strict
gesund *adj.* well, in good health; **die Gesundheit** health
sich **getrauen** to dare, venture, feel confident
gewähren to grant
die **Gewalt, –en** power, force; authority
gewaltig *adj.* powerful, mighty; vast
gewandt *adj.* clever, skillful, agile
gewinnen, gewann, gewonnen, er gewinnt to win, gain, earn
gewiß *adv.* certainly, for sure, indeed
gewissenhaft *adj.* conscientious
das **Gewitter, –** (thunder) storm
sich **gewöhnen** to accustom o.s., get used to *with acc.*
gewöhnlich *adv.* usually; *adj.* ordinary, common
gewohnt *adj.* to be accustomed to
das **Gewölk** (mass of) clouds
der **Giebel, –** gable, gabled roof
giebelig *adj.* gabled
gießen, goß, gegossen, er gießt to pour
das **Gift, –e** poison
glänzen to glitter, shine; **der Glanz** light, splendor, glamour
das **Glas, –es, ⸚er** glass

der **Glaube, –ns, –n** belief, faith
glauben to believe *with dat. of pers.*
gläubig *adj.* faithful, believing
gleich *adv.* at once, right away; *adj.* same, alike, equal
gleichen, glich, geglichen, er gleicht to be like, resemble, be equal
die **Glocke, –n** bell
das **Glück** fortune, good luck
glücklich *adj.* happy
glücklicherweise *adv.* fortunately, luckily
der **Glückwunsch, ⸚e** congratulation
die **Gnade, –n** grace, pardon; favor
gotisch, *adj.* Gothic
(der) **Gott, –es, ⸚er** God, god
graben, grub, gegraben, er gräbt to dig
der **Graf, –en, –en** count
die **Grammatik, –en** grammar
grau *adj.* gray
grauen to dread, fear, have a horror
grausam *adj.* cruel
greifen, griff, gegriffen, er greift to grasp, catch
der **Greis, –e** old man
die **Grenze, –n** boundary, border
der **Grieche, –n, –n** Greek
groß, größer, am größten large, big, great, tall
großartig *adj.* grand, magnificent
die **Größe, –n** greatness, size, magnitude
die **Großeltern** *pl.* grandparents
grübeln to brood, meditate, ponder
der **Grund, ⸚e** reason, cause; ground, soil; bottom, foundation; **aus welchem Grunde?** for what reason, why? **auf Grund von** on account of, according to
gründen to found, establish, start
grundfalsch *adj.* fundamentally, absolutely wrong
gründlich *adv.* thoroughly, radically
die **Gruppe, –n** group, section
grüßen to greet; **grüßen lassen** to send one's regards
günstig *adj.* favorable, advantageous
gut, besser, am besten good, kind, friendly, respectable; **schon gut!** all right! that will do! **kurz und gut** in short; **sich gut werden** to develop a liking, to fall in love
das **Gute** the good, the beneficial, the kindness; **nichts Gutes** nothing nice, nothing favorable
gutherzig *adj.* kindhearted
gütig *adj.* kind
gutwillig *adv.* willingly, voluntarily

das **Haar, –e** hair
haben, hatte, gehabt, er hat to have
der **Hafen, ⸚** harbor
halb *adj.* half; *adv.* **halb zwei** half past one; **halb so viel** half as much
die **Hälfte, –n** half; **zur Hälfte** half of
die **Halle, –n** hall
halten, hielt, gehalten, er hält to hold; keep
(das) **Hameln:** city of Hamelin
das **Handbuch, ⸚er** handbook, manual
handeln to act; deal, trade
die **Handelsgesellschaft, –en** trading company, partnership in trade
die **Handlung, –en** act, action; business; shop
die **Handlungsweise, –n** way of acting, method of dealing
die **Handschrift, –en** manuscript; penmanship
der **Handschuh, –e** glove
die **Handtasche, –n** handbag
der **Handwerker, –** artisan
hängen, hing, gehangen, es hängt to hang, suspend, attach
hart, *adj.* **härter, am härtesten** hard, firm, solid
hassen to hate
häßlich *adj.* ugly
die **Hast** hurry, haste
hastig *adj.* hurried, hasty
der **Haufen, –** heap, pile, great number
das **Haupt, ⸚er** head; chief
das **Haus, ⸚er** house, home; **nach Hause** home; **zu Hause** at home
die **Hausdiele, –n** vestibule, hallway

die **Hausfrau, –en** lady of the house, housewife
heben, hob, gehoben, er hebt to lift, raise
das **Heer, –e** army
das **Heft, –e** notebook
heftig *adj.* violent, passionate
der **Heide, –n** heathen, pagan
heilen to heal, cure
die **Heimat, –en** home-town, homeland
das **Heimatrecht, –e** right as a native, rights as a citizen
heiraten to marry, get married; **die Heirat, –en** marriage
heiß, *adj.* hot, burning
heißen, hieß, geheißen, er heißt to be called, be named; to order; **wie heißen Sie?** what is your name? **gehen heißen** to tell (order) somebody to leave
heizen to heat, build a fire
der **Held, –en, –en** hero
helfen, half, geholfen, er hilft to help, support *with dat.*
hell *adj.* bright, light, shining; clear; daylight
hellgrau *adj.* light gray
der **Henker, –** hangman
her *adv.* (motion towards the speaker) here, hither; **schon lange her** long time ago
herauf *adv. and sep. pref.* up, upwards
heraus *adv. and sep. pref.* out of, from among
der **Herbst, –e** autumn; **im kommenden Herbst** next fall
herbstlich *adj.* autumnal
die **Herde, –n** herd, flock, drove
herein *adv. and sep. pref.* in, into; **herein!** come in!
der **Hering, –e** herring
der **Herr, –n, –en** master; gentleman; ruler; Mr.; **die Herrin, –nen** mistress, lady, Mrs.; **meine Herren!** gentlemen!
herrlich *adj.* wonderful, splendid; magnificent
herrschen to rule, govern; prevail, exist
her-stellen to produce
herüber *adv. and sep. pref.* over, across (this way), towards us
herum *adv. and sep. pref.* around; **um herum** all the way around
hervor *adv. and sep. pref.* out (of), forth
hervorragend *adj.* prominent, distinguished
das **Herz, –ens, –en** heart; **von ganzem Herzen** with all one's heart; **vom Herzen schreiben** to get it off one's mind
herzensgut *adj.* kindhearted, dear
herzlich *adj. and adv.* heartily, cordially, sincerely
der **Herzog, ⸚e** duke; **die Herzogin, –nen** duchess
heucheln to feign, simulate; **der Heuchler, –** hypocrite
heute *adv.* today; **heute früh** this morning; **heute abend** to-night
hier *adv.* here; **hier und da** here and there; **von hier aus** from this place
der **Hiesige, –n, –n** (person) of this place, of this country; local
die **Hilfe, –n** help, assistance, support
hilflos *adj.* helpless; destitute
hilfsbereit *adj.* ready to help, kind, benevolent
der **Himmel, –** sky; heaven
hin *adv. and sep. pref.* (implying motion away from the speaker) there, away, down there; **hin und her** to and fro
hinab *adv.* down, downwards
hinauf *adv.* up, upwards
hinaus *adv.* out, out of
hindern to prevent, obstruct
hindurch *adv.*, through, throughout
hinein *adv.* in, into, inside
hin-fallen* to fall down
hin-gehen* to go there, go to
hinter *prep. dat. or acc.* behind, back
das **Hinterhaus, –es, ⸚er** rear of the house, back premises
hinüber *adv. and sep. pref.* over, across
hinweg *adv. and sep. pref.* away, off
hinzu *adv. and sep. pref.* to, in addition to
der **Hirt, –en, –en** shepherd
die **Hitze** heat

hoch *adj.* **höher, am höchsten** high; **höchst** *adv.* very, highly, most; **höchstens** *adv.* at best
hochgeachtet *adj.* highly esteemed, respected
die **Hochzeit, –en** wedding
der **Hof, ⸚e** yard; court
hoffen to hope (for), expect
hoffentlich *adv.* I hope, it is to be hoped
die **Hoffnung, –en** hope
höflich *adj.* polite, courteous
die **Höhe, –n** height, altitude; summit; **in die Höhe steigen** to rise (climb) up
holen to fetch, get; **holen lassen** to send for
(das) **Holland** kingdom of Holland, Dutch Netherlands
holländisch *adj.* of Holland
die **Hölle, –n** hell
die **Höllenfahrt, –fahrten** (Faustus) descent into hell
das **Holz, ⸚er** wood; timber
hölzern *adj.* wooden
die **Holzkohle, –n** charcoal
hören to hear; listen; to obey
das **Horn, Hörner** horn; bugle
der **Hörsaal, Hörsäle** lecture room (hall)
die **Hose –n** trousers, pants
der **Hügel, –** hill
hüllen to wrap, cover; **die Hülle, –n** cover, wrapper
Humboldt, Alexander von: German naturalist and statesman, 1769-1859
der **Hund, –e** dog
hungern to be hungry
hungrig *adj.* hungry
husten to cough
der **Hut, ⸚e** hat
die **Hut** protection, guard; **auf guter Hut sein** to be careful
hüten to guard, watch
die **Hütte, –n** hut, cabin

die **Idee, Ide-en** idea; thought
ihnen *pers. pron.* them
ihr *pers. pron.* you
ihr, ihre, ihr *poss. adj.* her, its, their; **Ihr, Ihre, Ihr;** your
Immensee Beelake (proper name of a lake)
immer *adv.* always, ever; **noch immer** still; **für immer** lasting; **immer wieder** again and again
in *prep. dat. or acc.* in, into
die **Industrie, Industri-en** industry
der **Inhalt, –e** contents
die **Initiale, –n** initial, initial letter
innerhalb *prep. gen.* within, inside of
das **Insekt, –en** insect
die **Insel, –n** island
der **Inspektor, –s, –en** inspector
die **Integrität** integrity
die **Intendanz** management (theater)
interessant *adj.* interesting
interessieren to interest; **sich interessieren** to take an interest (in)
sich **irren** to be mistaken
der **Irrtum, ⸚er** error, mistake; **im Irrtum sein** to be mistaken
(das) **Italien** Italy

ja yes, indeed, to be sure
die **Jacke, –n** jacket, coat
die **Jagd, –en** hunt; **auf die Jagd gehen** to go hunting
jagen to hunt, chase; **der Jäger, –** hunter
das **Jahr, –e** year; **vor vielen Jahren** many years ago; **vor einem Jahr** a year ago; **sieben Jahre lang** for seven years
die **Jahreszeit, –en** season
das **Jahrhundert, –e** century
jährlich *adj.* annually
(das) **Japan** Japan
japanisch *adj.* of Japan
je *adv.* ever, always, at all times
jedenfalls *adv.* in any case; however
jeder, jede, jedes, pron. each, every, everyone
jedermann *pron.* everybody, everyone
jederzeit *adv.* at any time; always
jedesmal *adv.* every time
jedoch *adv.* however, nevertheless
jemand *indef. pron.* somebody
jener, jene, jenes *pron.* that, that one, the former
jenseits *prep. gen.* on the other side of

jetzt *adv.* now; **von jetzt ab** from now on
die **Jugend, –** youth, young people
die **Jugendzeit, –en** youth, young days
jung, jünger, am jüngsten *adj.* young
der **Junge, –n, –n** boy, lad, youth
der **Jüngling, –e** young man

die **Kabine, –n** cabin
der **Kaffee** coffee
kahl *adj.* bare, bald; barren
der **Kaiser, –** emperor; **die Kaiserin, –nen** empress
kalt, kälter, am kältesten *adj.* cold; **die Kälte** cold; **große Kälte** severe cold
der **Kamerad, –en, –en** comrade, companion
die **Kameradschaft, –en** comradeship, fellowship
kämmen to comb
kämpfen to fight, struggle
der **Kandidat, –en, –en** candidate; applicant
kandidieren to be a candidate (for)
Kant, Immanuel: German philosopher, 1724-1804
das **Kapitel, –** chapter
kariert *adj.* checked, checkered
die **Karosserie, Karosseri-en** body (of a motor car)
die **Karte, –n** card, (admission) ticket
der **Kassierer, –** cashier, teller (in bank)
die **Katze, –n** cat
kaufen to buy
der **Kaufmann, Kaufmanns, Kaufleute** merchant; merchants
die **Kaufsumme, –n** purchase money
kaum *adv.* hardly, scarcely
kein, keine, kein *adj. and pron.* no, no one, not any; **keiner** nobody, not one; **keiner von beiden** neither of them
keinesfalls *adv.* not at all, by no means
keineswegs *adv.* by no means
keinmal *adv.* not once, never
der **Keller, –** cellar
kennen, kannte, gekannt, er kennt to know, be acquainted with
kennen lernen to meet, become acquainted
die **Kenntnis, –se** knowledge
kerngesund *adj.* thoroughly (very) healthy
kerzengrade *adj.* straight as a (candle) dart; bolt upright
die **Kette, –n** chain; necklace
das **Kind, –er** child
das **Kinderlied, –er** song for children, nursery rhyme
das **Kino, –s, –s** motion picture theater; movie
die **Kirche, –n** church
klagen to complain; lament
klar *adj.* clear, plain, bright; evident, comprehensible
das **Klavier, –e** piano
das **Kleid, –er** dress
sich **kleiden** to dress
klein *adj.* little, small
Kleist, Heinrich von: German dramatist and novelist, 1777-1811
klettern, ist geklettert to climb
das **Klima, Klimas, Klimate** climate
klingeln to ring (a bell)
klingen, klang, geklungen, es klingt to sound; ring, tinkle
klopfen to knock
das **Kloster, ¨–** monastery; convent
klösterlich *adj.* monastic
klug, klüger, am klügsten *adj.* clever, intelligent, sensible; **die Klugheit** intelligence, good sense
der **Knabe, –n, –n** boy
Knulp: proper name
kochen to cook; **der Koch, ¨–e** cook
die **Kohle, –n** coal, charcoal; carbon
der **Köhler, –** charcoal burner
kohlschwarz *adj.* coal (jet) black
kokettieren to flirt
kommen, kam, ist gekommen, er kommt to come, arrive
kompliziert *adj.* complicated
können, konnte, gekonnt, er kann *mod. aux.* can, could be able to; know (how to)
Konstanz: name of a German city on Lake Constance
das **Konzert, –e** concert

der **Kopf, ⸚e** head; **sich den Kopf zerbrechen** to rack one's brains
das **Korn, ⸚er** corn; grain
das **Kornfeld, –er** grain-field
der **Körper, –** body
körperlich *adj.* bodily
korrekt *adj.* correct
die **Korrektur, –en** correction; proof sheet
korrigieren to correct
kosten to cost; to require
die **Kraft, ⸚e** power, strength
kräftig *adj.* strong, robust; nourishing
kräftigen to strengthen, invigorate
krank *adj.* sick; **die Krankheit, –en** illness, sickness
sich **kränken** to grieve; offend; **das kränkt** that hurts
kränklich *adj.* sickly, of poor health
das **Kraut, ⸚er** herb, plant
kriechen, kroch, ist gekrochen, er kriecht to creep, crawl
der **Krieg, –e** war
kritisieren to criticize
krönen to crown
der **Krug, ⸚e** jug, pitcher; inn, tavern
der **Krüppel, –** cripple
die **Küche, –n** kitchen
die **Kugelgestalt, –en** spherical form
kühl *adj.* cool; shadowy
die **Kultur, –en** culture; civilization
sich **kümmern** to care, be concerned; **sich kümmern um** to trouble about
der **Kunde, –n** customer, client
die **Kunst ⸚e** art
der **Künstler, –** artist; **die Künstlerin, –nen** woman artist
künstlerisch *adj.* artistic
das **Kupfer** copper
kurz, kürzer, am kürzesten *adj.* short; brief; **kurz vorher** shortly before; **kurz und gut** in short
die **Küste, –n** coast, shore

lächeln to smile
lachen to laugh; **lachen über** to laugh about *with acc.*
laden to load; **(ein)laden** to invite; to summon
lahm *adj.* lame
lamentieren to lament
die **Lampe, –n** lamp
das **Land, ⸚er** land, ground, soil; country, territory; **auf dem Lande** in the country; **aufs Land** to the country
der **Landmann, Landmanns, Landleute** peasant, farmer; peasants, farmers
die **Landschaft, –en** district; scenery
landschaftlich *adj.* of the landscape, character of the country scenery
der **Landstreicher, –** vagrant, tramp
die **Landung, –en** landing; disembarkation
lang, länger, am längsten *adj. and adv.* long; **lange** for a long time; **sieben Jahre lang** for seven years; **viele Jahre lang** for many years; **noch lange** for a long time; **lange nicht mehr** not for a long time
langen to reach (for something); to suffice; **es wird langen** it will reach, will be enough
langsam *adj. and adv.* slow, slowly
sich **langweilen** to be bored
langweilig *adj.* boring, dull, tiresome
der **Lärm** noise
lassen, ließ, gelassen, er läßt to let, allow, permit; order, have done; **holen lassen** to send for; **sagen lassen** to send word; **warten lassen** to keep waiting; **machen lassen** to have made
die **Last, –en** load, burden
(das) **Latein** Latin
das **Laub** foliage, leaves
der **Lauf = der Flußlauf, ⸚e** run, way, course of a river
laufen, lief, ist gelaufen, er läuft to run, to flow
launenhaft *adj.* moody, capricious, unsteady
lauschen to listen to; **der Lauscher, –** listener
laut *adj.* loud, noisy; **der Lauteste** the loudest, most noisiest
läuten to ring (a bell), sound
der **Lautsprecher, –** loudspeaker, megaphone
leben to live; to dwell, stay; **das Leben –** life, existence

lebenskräftig *adj.* vigorous, full of life
die **Lebensmittel** *pl.* provisions
ledig *adj.* free, unmarried
leer *adj.* empty
der **Lehnstuhl, ⸚e** armchair
lehren to teach, instruct; **der Lehrer, –** teacher, instructor
lehrreich *adj.* instructive
leicht *adj. and adv.* light, easy; easily, probably
leichtverständlich *adj.* easy to understand
leiden, litt, gelitten, er leidet to suffer, endure; to permit, tolerate; **das Leid, –en** grief, sorrow; **es tut mir leid** I am (feel) sorry
leider *adv.* unfortunately
leihen, lieh, geliehen, er leiht to lend
leise *adj. and adv.* low; soft, gentle
die **Leistung, –en** performance, achievement
leiten to direct, guide
lernen to learn, study
lesen, las, gelesen, er liest to read
lesenswert *adj.* worth reading
letzt *adj.* last; latest; final
leuchten to shine, beam, light
leugnen to deny
die **Leute** *pl.* people
licht *adj.* light, bright
das **Licht, –er** light; (*pl.* **–e**) candle
lichten to clear (forest), to thin out
lieb *adj.* dear, beloved; **lieb haben** to love
liebeln to flirt, trifle (with)
lieben to love, to be in love
lieber (*comparative of* **gern**) rather
lieblich *adj.* lovely; charming
liebreich *adj.* kind, loving
liebst (*superlative of* **gern**) dearest, most beloved
das **Lied, –er** song
liegen, lag, gelegen, er liegt to lie, be situated
links *adv.* on (to) the left
die **List, –en** cunning, intrigue
loben to praise, approve
die **Lobhudelei, –en** fulsome praise
der **Löffel, –** spoon
der **Lohn ⸚e** wage, pay, reward
lösen to loosen, untie, detach
der **Löwe, –n, –n** lion
die **Luft, ⸚e** air
lügen, log, gelogen, er lügt to tell a lie
die **Lust** pleasure; desire; inclination; **Lust haben** to be inclined, have in mind
lustig *adj.* merry, jolly, funny

machen to make, do; **einen Spaziergang machen** to take a walk; **machen lassen** to have made, manufactured
die **Macht, ⸚e** power, might, force
mächtig *adj.* powerful, strong; large
das **Mädchen, –** girl
mahlen to grind
mahnen to remind, admonish, warn; **die Mahnung, –en** reminder, warning
der **Makel, –** stain, blemish, defect
das **Mal, –e** spot, mole
das **Mal, –e** time; **zum ersten Mal** *for the first time;* **mit einem mal** suddenly; **drei mal fünf** three times five
malen to paint; der **Maler, –** painter
man *indef. pron.* one, they, people
mancher, manche, manches some, many a; *pl.* many
manchmal *adv.* sometimes
der **Mangel, ¨** deficiency, defect, fault
mangelhaft *adj.* defective; unsatisfactory
der **Mann, ⸚er** man, husband
mannigfaltig *adj.* various, diverse
der **Mantel, ¨** overcoat
das **Märchen, –** fairy tale
der **Markt, ⸚e** market; market place
marschieren to march
die **Masse, –n** quantity; numbers; mass; the masses
mäßig *adv.* moderately
das **Material, –s, –ien** material, substance
die **Mauer, –n** wall
die **Maus, ⸚e** mouse
mechanisieren to mechanize
die **Medizin, –en** medicine
das **Meer, –e** sea, ocean

das **Mehl** flour
mehr *adv.* more; **mehr als** more than; **nicht mehr** no longer; **immer mehr** more and more
mehrere *adj. pl.* several
mehrfach *adj. and adv.* repeatedly
mehrmals *adv.* several times, again and again
meiden, mied, gemieden, er meidet to avoid, shun
meinen to mean, believe, say; **die Meinung, –en** opinion
meist *adj. and adv.* most, mostly
der **Meister, –** master, boss
meisterhaft *adj.* skilful, in a masterly manner
die **Menge, –n** crowd; quantity
der **Mensch, –en, –en** human being, man
menschlich *adj.* human
merken to notice, observe
die **Messe, –n** mass
das **Metall, –e** metal
(das) **Metz:** proper name of a city
mich *acc. of pron.* **ich** me
mieten to rent, hire
die **Milch** milk
mindest *adj.* least, smallest; **mindestens** *adv.* at least
mir *dat. of pron.* **ich** me, to me
mischen to mix; **die Mischung, –en** mixture, compound
mißglücken to fail
mißhandeln to mistreat
mißtrauen to mistrust
mit *prep. dat.* with, by, at, also
mit-bringen* to bring along
der **Mitbürger, –** fellow citizen
mit-fahren* to drive along, go along
mit-nehmen* to take along
der **Mittag, –e** noon; **mittags** *adv.* at noon; **zu Mittag essen** to eat dinner
die **Mitte, –n** middle, center
mit-teilen to tell, inform, notify; **die Mitteilung, –en** information
das **Mittel, –** means, funds; remedy
das **Mittelländische Meer** the Mediterranean Sea
mittellos *adj.* without means, destitute
mittels *prep. gen.* by means of
die **Mitternacht** midnight; **mitternachts** *adv.* at midnight
die **Mode, –n** fashion, style
modern *adj.* modern, of recent date
mögen, mochte, gemocht, er mag *mod. aux.* may, to like, care to; **ich mag nicht** I don't like to; **ich möchte wissen.** I would like to know
möglich *adj.* possible; **nicht möglich** it can't be, can't be done; **alles mögliche** all kinds of things; **möglicherweise** possibly
der **Monat, –e** month
monatlich *adj. and adv.* monthly
der **Mönch, –e** monk
der **Mond, –e** moon
morden to kill, murder; **der Mord, –e** murder
der **Morgen, –** morning; **morgens** *adv.* in the morning; **morgen** *adv.* tomorrow; **morgen früh** tomorrow morning.
müde *adj.* tired, weary
die **Mühe, –n** effort, trouble, toil
mühsam *adj.* troublesome, difficult
(das) **München:** city of Munich
der **Mund, –e** or **¨–er** mouth
das **Museum, Museums, Museen** museum
musizieren to play (music)
müssen, mußte, gemußt, er muß *mod. aux.* must, have to
der **Mut** courage; state of mind; mood; **Mut machen** to encourage, induce
mutig *adj.* brave, courageous
die **Mutter, ¨–** mother; **das Mütterchen, –** elderly woman, grandmother
mütterlich *adj.* motherly
die **Muttersprache, –n** mother tongue

nach *prep. dat.* after, to, for, towards; **nach Hause** home; **nach der Schule** after school; **nach und nach** gradually
der **Nachbar, –s, –en** neighbor
nachdem *adv.* afterwards; *conj.* after
nach-denken* to reflect, think

nach-folgen, ist nachgefolgt to follow, succeed
nach-fragen to inquire
nach-geben* to yield, give way
nachmittags *adv.* in the afternoon
die **Nachricht, –en** news, information
nächst *adj. and adv.* nearest, next; shortest, closest
die **Nacht, ⸚e** night; **die Nacht über** the whole night
der **Nachteil, –e** disadvantage
nächtlich *adj.* nightly, nocturnal
nachts *adv.* at night
nah, näher, am nächsten *adj.* near by, close by
die **Nähe** nearness, proximity, vicinity; **in der Nähe** in the neighborhood
sich **nähern** to draw near, approach
nahrhaft *adj.* nourishing
die **Nahrung** nourishment, food
der **Name, –ns, –n** name
der **Narr, –en, –en; die Närrin, –nen** fool
naß *adj.* wet; damp
die **Natur, –en** nature; temperament, disposition
natürlich *adj.* natural, unaffected; *adv.* of course, certainly
der **Nebel, –** fog, mist
neben *prep. dat. or acc.* next to, close to, beside
nebenan *adv.* next door, close by
der **Nebenfluß, Nebenflusses, Nebenflüsse** tributary
der **Neffe, –n, –n** nephew
nehmen, nahm, genommen, er nimmt to take, receive; to seize
der **Neid,** envy, jealousy
neidisch *adj.* envious, jealous
nennen, nannte, genannt, er nennt to call, name
neu *adj.* new, recent, modern; **von neuem** anew; **neuere Sprachen** modern languages
die **Neugier** curiosity
neugierig *adj.* cautious, inquisitive
nicht *adv.* not; **gar nicht** not at all; **noch nicht** not yet; **nicht mehr** no longer; **nicht einmal** not once; **nicht wahr?** isn't it so?
nichts *adv.* nothing; **nichts als** nothing but; **gar nichts** nothing at all
nie *adv.* never
nieder *adv.* down
niedrig *adj.* low; humble
niemals *adv.* never
niemand *indef. pron.* nobody
noch *adv.* still, yet, in addition; **noch immer** still; **noch nicht** not yet; **noch nie** never (before); **noch einer** one more; **noch etwas** something else; **noch gestern** as late as yesterday; **noch einmal** once more
die **Nonne, –n** nun, religious sister
das **Nonnenkloster, ⸚** convent
der **Norden** North
nordern *adj.* northern
nördlich *adj.* northerly; arctic
die **Note, –n** note (music); grade (school)
nötig *adj.* necessary
die **Novelle, –n** (short) story
die **Null, –en** zero
nur *adv.* only, merely
der **Nutzen** use; profit; usefulness
nützen to be of use, be profitable; **nützlich** *adj.* useful; **nichts nützen** useless, good for nothing

ob. *conj.* whether, if; **als ob** as if
oben *adv.* above, on high; at the top; **dort oben** up there; **nach oben** upwards; upstairs
oberflächlich *adj.* superficial
oberhalb *prep. gen.* above
oberrheinisch *adj.* Upper-Rhenish
der **Oberst, –en, –en** colonel
obgleich *conj.* although
das **Obst** fruit
oder *conj.* or
offen *adj.* open
öffnen to open
oft *adv.* often; **öfter** more often, more frequent
ohne *prep. acc.* without
das **Ohr, –en** ear
der **Onkel, –** uncle
der **Opel:** trade name of a German auto
ordentlich *adj.* orderly; decent, proper
die **Ordnung** order; arrangement, classification; regulation
das **Original, –e** original; manuscript
der **Ort, –e** or **⸚er** place

der **Osten** the East, Orient
(die) **Ostern** *pl.* Easter
(das) **Österreich** Austria
östlich *adj.* easterly

paar: ein paar a few, some
das **Paar, –e** pair; couple
das **Paddel, –n** paddle
der **Papierkorb, ⸚e** wastepaper basket
der **Papst, ⸚e** Pope, Pontiff
der **Park, –e** park
die **Passion, –en** passion; Lenten
der **Patrizier, –** patrician; member of an old wealthy city family
das **Pensum, Pensums, Pensen** task, lesson
die **Persönlichkeit, –en** personality
der **Pfad, –e** path
der **Pfarrer, –** clergyman, minister
der **Pfeifer, –** piper
der **Pfennig, –e:** German coin, penny
das **Pferd, –e** horse
pflanzen to plant; **die Pflanze, –n** plant
pflegen to care for, cherish; to cultivate; to be accustomed to
die **Pflicht, –en** duty, obligation; **seiner Pflicht nachkommen** to do one's duty
pflücken to pick, gather
der **Philologe, –n, –n** philologist
der **Philosoph, –en, –en** philosopher
photographieren to photograph; **der Photograph, –en** photographer
die **Physik** physics; **der Physiker, –** physicist
physikalisch *adj.* physical
der **Physiologe, –n, –n** physiologist
der **Plan, ⸚e** plan, intention, project
planen to plan, project; work out
der **Planet, –en, –en** planet
der **Platz, ⸚e** place, (village) square
plaudern to talk, chat; gossip
plötzlich *adv.* suddenly
politisch *adj.* political
die **Polizei** police
der **Polizist, –en** policeman
die **Post = das Postamt, ⸚er** post office
die **Pracht** splendor; pomp
prächtig *adj.* magnificent, splendid
die **Praline, –n** (chocolate-filled) candy
der **Präsident, –en, –en** president; chairman
der **Preis, –e** price, cost; **um keinen Preis** not at any rate
(das) **Preußen** Prussia
der **Priester, –** priest
primitiv *adj.* primitive
der **Prinz, –en, –en** prince
der **Professor, –s, –en** professor
das **Projekt, –e** project
der **Prophet, –en, –en** prophet
das **Prozent, –e** per cent
die **Prozession, –en** procession
das **Pulver, –** powder; gunpowder
der **Punkt, –e** dot; period
pünktlich *adj.* punctual

die **Quelle, –n** spring, well; source

das **Radio, –s, –s** radio
der **Rand, ⸚er** edge; rim; border
ranken to climb, twine
rapide *adj.* fast, swift, hasty
rasen to chase, speed
die **Rast, –en** rest, resting
raten, riet, geraten, er rät to advise; to guess; **der Rat** advice
die **Ratte, –n** rat
rauchen to smoke; **der Rauch** smoke, haze
der **Raum, ⸚e** room, space
realisieren to realize
die **Realität** reality
rechnen to count, calculate
die **Rechnung, –en** account, bill
das **Recht, –e** right, law
recht *adj. and adv.* right, correct, just, lawful; *adv.* very, really, quite; **recht haben** to be right; **es ist mir recht** all right with me, I agree; **recht arm** quite poor; **das ist nicht recht** not quite right
rechts *adv.* on (to) the right
reden to speak, talk; **die Rede, –n** speech; conversation
die **Redeweise, –n** way of speaking
redlich *adj.* sincere, honest
der **Redner, –** speaker, lecturer
reduzieren to reduce
rege *adj.* lively, active
die **Regel, –n** rule; regulation
regelmäßig *adj.* regular, always
sich **regen** to move, stir

der **Regen, –** rain, shower; **starker Regen** heavy rain
der **Regent, –en, –en** ruler
regieren to rule, govern; **die Regierung, –en** government
das **Regiment, –er** regiment (mil.)
regnen to rain
regnerisch *adj.* rainy
reiben, rieb, gerieben, er reibt to rub, grind, pulverize
reich *adj.* rich, plentiful; numerous
das **Reich, –e** realm, empire
reichen to reach, extend
reichlich *adj.* abundantly, ample
der **Reichtum, ⸚er** riches, wealth
reif *adj.* ripe
reifen to ripen, mature
reiflich *adj.* mature; **nach reiflicher Überlegung** after careful consideration
rein *adj.* pure, clean, clear
sich **reinigen** to clean, clear o.s.
reinlich *adj.* clean, neat
reisen, ist gereist to go, travel; **die Reise, –n** trip, journey
der **Reisende, –n** traveler; passenger
reißen, riß, gerissen, er reißt to tear
reißend *adj.* torrent, rapid (flowing)
reiten, ritt, ist geritten, er reitet to ride (on horseback)
rennen, rannte, ist gerannt, er rennt to run; race
reparieren to repair
der **Rest, –e** rest, remainder
retten to save, rescue
der **Rhein:** river Rhine
richten to direct; to address; to pass sentence (as in court)
der **Richter, –** judge
richtig *adj.* correct, right
die **Richtung, –en** direction
riechen, roch, gerochen, es riecht to smell
der **Riese, –n** giant
riesenstark *adj.* immensely (gigantic) strong
die **Rolle, –n** rôle, part (in theater)
rollen to roll, revolve; rumble (thunder)
die **Röntgenstrahlen** X rays
rufen, rief, gerufen, ruft to call, summon; **rufen lassen** to send for
ruhen to rest; **die Ruhe, –n** rest, silence; peace; **laß mich in Ruhe!** let me alone!
ruhig *adj.* quiet, peaceful
rund *adj.* round, circular
russisch *adj.* Russian

der **Saal, Säle** (dance) hall
die **Sache, –n** thing, matter, affair; **zur Sache kommen** to get to the point
sagen to say, tell
die **Salpetersäure, –n** nitric acid
das **Salz, –e** salt
der **Same, –n, –n** seed
sammeln to collect, gather; **der Sammler, –** collector
das **Sammetkissen, –** velvet cushion
sanft *adj.* gentle, soft
der **Sänger, –** singer; **die Sängerin, –nen**
satt *adj.* satisfied, full; **sich satt essen** to eat one's fill
der **Satz, ⸚e** sentence
sauber *adj.* clean, neat, tidy
der **Sauerstoff** oxygen
die **Säure, –n** acid
sausen to rush, dash (along)
schaden to harm, hurt, injure
der **Schaden, ⸚** damage, injury; loss; **es ist schade** it's a pity; **wie schade!** what a pity!
schädlich *adj.* harmful
schaffen, schuf, geschaffen, er schafft to create, produce, cause; to be busy; **sich zu schaffen machen** to busy o.s., to hang around, loaf about
sich **schämen** to be ashamed
scharf, schärfer, am schärfsten sharp, piercing, biting
der **Schatten, –** shade, shadow
der **Schatz, ⸚e** treasure; (*fig.* darling, sweetheart)
schaudern to shudder, have a horror of
schaukeln to rock, swing
der **Schaum** foam
schäumend *adv.* foaming; with white crest

scheiden, schied, geschieden, er scheidet to separate, divide; divorce
der **Schein, –e** shine, light; appearance; certificate; ticket; bank note
scheinbar *adj.* apparently, probably
scheinen, schien, geschienen, es scheint to shine; appear, seem
schelten, schalt, gescholten, er schilt to scold
schenken to give, present
die **Scheune, –n** barn
schicken to send
das **Schicksal, –e** fate
schießen, schoß, geschossen, er schießt to shoot
das **Schiff, –e** ship, steamer, boat
schiffbar *adj.* navigable
die **Schiffahrt** shipping traffic; navigation
der **Schimpf** disgrace, insult
schimpfen to scold
schimpflich *adj.* disgraceful
die **Schlacht, –en** battle
der **Schlaf** sleep
schlafen, schlief, geschlafen, er schläft to sleep; **schlafen Sie wohl!** good night! sleep well!
schlagen, schlug, geschlagen, er schlägt to strike
die **Schlange, –n** snake, serpent
schlank *adj.* slender, tall, slim
schlecht *adj.* bad, poor, wicked
der **Schleier, –** veil; **den Schleier nehmen** to take the veil, become a nun
schließen, schloß, geschlossen, er schließt to close, lock; to finish, end; **Frieden schließen** to make peace
schließlich *adv.* finally
schlimm *adj.* bad, evil; worse; **nichts Schlimmes** nothing bad
das **Schloß, Schlosses, Schlösser** castle
der **Schluck, –e** swallow, drink
der **Schluß, Schlusses, Schlüsse** end, conclusion
der **Schlüssel, –** key
schmal *adj.* narrow
der **Schmerz, –es, –en** pain
schmerzhaft *adj.* painful
schmücken to adorn, dress, trim
die **Schnalle, –n** buckle
der **Schnee** snow
schneiden, schnitt, geschnitten, er schneidet to cut, carve; **der Schneider, –** tailor
schnell *adj.* quick, fast, speedy
der **Schnurrbart, ⸚e** moustache
schon *adv.* already, by this time; **schon lange** for a long time
schön *adj.* beautiful, nice; **aufs schönste** most beautiful; **die Schönheit, –en** beauty
schonen to spare, regard; take care of
schöpfen to draw (water), scoop (out)
der **Schornstein, –e** chimney; funnel (ship)
der **Schreck, –ens, –en** fright, terror
der **Schrecken, –s, –** fright, terror
schreiben, schrieb, geschrieben, er schreibt to write
der **Schreibtisch, –e** writing table, desk
schreien, schrie, geschrien, er schreit to scream, cry out
schreiten, schritt, ist geschritten, er schreitet to step, walk, stride
die **Schublade, –n** drawer
der **Schuh, –e** shoe
die **Schularbeit, –en** homework
die **Schuld, –en** debt; guilt, blame
schulden to owe; **die Schulden** *pl.* debts, obligations
schuldig *adj.* guilty; owing, due
der **Schüler, –** pupil; **die Schülerin, –nen** (girl) pupil
schülerhaft *adj.* immature, like a beginner
das **Schulgeld, –er** school fees, tuition
der **Schutz** protection, shelter
schützen to protect, guard
schwach, schwächer, am schwächsten weak, frail; faint, small; poor, meager
schwächlich *adj.* feeble, sickly
schwanken to sway, rock; fluctuate, vary
der **Schwanz, ⸚e** tail
schwarz, schwärzer, am schwärzesten black; dark
schwatzen to talk, chat, gossip

schwatzhaft *adj.* talkative
(das) **Schweden** Sweden
schweigen, schwieg, geschwiegen, er schweigt to be silent
schweigsam *adj.* taciturn, reserved; silent
(die) **Schweiz** Switzerland
schwer *adj.* heavy, difficult; severe, serious; **es fällt mir schwer** I find it difficult; **schwer verwundet** badly (seriously) wounded
schwimmen, schwamm, ist geschwommen, er schwimmt to swim, float
schwindeln to swindle, cheat
schwinden, schwand, ist geschwunden, es schwindet to decline, shrink; disappear
der **See, Se-es, Se-en** lake
die **See, Se-en** ocean; **an der See** by the seaside
die **Seele, –n** soul; heart; spirit
der **Segen, –** blessing; benediction
segnen to bless
sehen, sah, gesehen, er sieht to see, look, observe
sehr *adv.* very; **sehr gut** very well; **sehr gern** gladly
sein, war, ist gewesen, es ist to be
sein *poss. adj.* his, hers, its
seinerzeit *adv.* in his time, formerly
seit *prep. dat. and conj.* since; **seit drei Tagen** for three days; **seit wann?** since when? how long? **seitdem** since, since then, from that time
die **Seite, –n** page; side; **zur Seite** aside
selber *pron.*: **ich selber** I myself; **er selber** he himself
selbst *adv.* even; **von selbst** by itself; voluntarily
selbständig *adv.* independently
selig *adj.* blessed; happy
selten *adj.* rare, unusual; *adv.* seldom
der **Senator, –s, –en** senator
senden, sandte, gesandt, er sendet to send; broadcast
setzen to set, put, place; **sich setzen** to sit down; **setzen Sie sich!** please sit down
sich *refl. pron.* himself, herself, itself, myself; -selves
sicher *adj.* secure, safe; *adv.* certainly, surely
sie *pers. pron.* she, her; it; they; them; **Sie** you
die **Siedlung, –en** settlement
das **Siegel, –** seal
siegen to win, conquer; **der Sieg, –e** victory
das **Silber** silver
singen, sang, gesungen, er singt to sing
der **Sinn, –e** sense, mind, intellect; meaning
sinnlos *adj.* senseless, foolish
die **Sitte, –n** custom, habit; morals, manners
sitzen, saß, gesessen, er sitzt to sit
die **Sitzung, –en** session, meeting
das **Skelett, –e** skeleton
der **Sklave, –n** slave
so *adv.* so, thus, in this way; *conj.* therefore; **so groß wie** as big as
sobald *conj.* as soon as
sofort *adv.* at once, immediately
der **Sohn, ¨–e** son
solange *conj.* as long as
solcher, solche, solches, solch *pron.* such
der **Soldat, –en, –en** soldier
solide *adj.* solid, sound; respectable, reliable
sollen *mod. aux.* shall, ought, have to, be supposed to
der **Sommer, –** summer
die **Sonde, –n** probe
sonderbar *adj.* strange, peculiar
sondern *conj.* but, on the contrary
die **Sonne, –n** sun
sonnig *adj.* sunny
sonst *adv.* else, otherwise; formerly; usually; **sonst etwas?** anything else? **sonstwo?** elsewhere? **sonst nichts?** nothing else? **sonst jemand?** anybody else?
sooft *conj.* as often as, whenever
die **Sorge, –n** sorrow, worry, trouble
sorgen to care for; provide for
sorgenvoll *adj.* worried; full of cares

sorgfältig *adj.* careful
die **Sorte, –n** kind, sort, species
der **Souffleur, –s, –s** prompter
das **Souper (= das Abendessen) –s, –s** (evening) dinner
soviel *conj.* as far as
(das) **Spanien** Spain
spannen = an-spannen to stretch, strain; hitch
sparen to save
sparsam *adj.* thrifty, economical
spät *adj.* late; **später** later, afterwards
spazieren gehen to take a walk
der **Spaziergang, ⸗e** (pleasure) walk; **einen Spaziergang machen** to take a walk
die **Speise, –n** food; meal
spekulieren to speculate; **die Spekulation, –en** speculation
der **Spiegel, –** mirror
spielen to play; **das Spiel, –e** play, game
der **Spielkamerad, –en, –en** playmate, comrade
der **Spion –e** spy
spitz *adj.* pointed, sharp; **die Spitze, –n** point, top
spitzen to sharpen
der **Splitter, –** splinter, chip
splitternackt *adj.* stark naked
der **Spott** mockery, ridicule
spottbillig *adj.* dirt-cheap
spötteln to mock, laugh, jeer at
spotten to mock, ridicule
die **Sprache, –n** language, speech
sprechen, sprach, gesprochen, er spricht to speak, talk; converse
der **Sprecher, –** speaker; chairman
springen, sprang, ist gesprungen, er springt to jump, leap; run
der **Staat, –en** state
staatlich *adj.* from the state, public, national
der **Staatsmann, ⸗er** statesman, diplomat, politician
die **Stadt, ⸗e** city
städtisch *adj.* municipal
stammen to originate, come from, date from
stark, stärker, am stärksten *adj.* strong; heavy (rain)
statt = anstatt *prep. gen.* instead of
statt-finden* to take place
stattlich *adj.* stately, impressive, considerable
der **Staub** dust
stechen, stach, gestochen, er sticht to sting, stab
stecken to stick, put (into), fasten together
stehen, stand, gestanden, er steht to stand
stehen-bleiben* to stop
stehlen, stahl, gestohlen, er stiehlt to steal; rob
steigen, stieg, ist gestiegen, er steigt to climb, ascend; to rise
steil *adj.* steep
der **Stein, –e** stone
steinalt *adj.* very old, "old as the hills"
die **Steinkohle, –n** hard coal
die **Stelle, –n** place, spot
stellen to put, place; **eine Frage stellen** to ask a question
die **Stellung, –en** position, job
sterben, starb, ist gestorben, er stirbt to die; **im Sterben liegen** to be dying
der **Stern, –e** star
sternklar *adj.* starlit, starry
stets *adv.* always
die **Steuer, –n** tax, assessment
still *adj.* still, calm; silent; lonely; **still stehen*** to stop
die **Stimme, –n** voice; vote
stimmen to vote; to correct, tally (with); agree (with)
die **Stimmung, –en** mood, disposition, atmosphere
die **Stirn, –en** forehead, brow
der **Stock, ⸗e** stick, cane
stockfinster *adj.* pitch-dark
stolz *adj.* proud
stören to disturb, interrupt; trouble
Storm, Theodor: German poet and novelist, 1817-1888
stoßen, stieß, gestoßen, er stößt to push, shove, thrust; hit upon
Stradivarius, Antonius: Italian violinmaker of Cremona, 1644-1737
die **Strafe, –n** punishment; penalty
der **Strahl, Strahles, Strahlen** ray (of light), beam (of sunshine)

die **Straße, –n** street; highway
der **Strauch, ⸚er** shrub, bush
der **Strauß, –es, ⸚e** bouquet
streben to strive, struggle, aspire
strebsam *adj.* industrious, aspiring
strecken to stretch, extend; **die Strecke, –n** stretch, distance
streiten, stritt, gestritten, er streitet to quarrel, fight; **der Streit, –e** fight; dispute
streng *adj.* strict, severe, hard
das **Stroh** straw
der **Strom, ⸚e** stream, (large) river
strömen to stream, flow, rush
das **Stück, –e** piece, fragment; play (theater)
die **Studi-e** study, sketch, essay
die **Studi-en** *pl.* studies, pursuits; education
studieren to study
das **Studium, Studiums, Studi-en** course of study
der **Stuhl, ⸚e** chair
der **Stummel, –** stump
stumpf *adj.* blunt; dull
die **Stunde, –n** hour; lesson; **vor einer Stunde** an hour ago
stundenlang *adj.* for hours
stündlich *adj.* hourly; *adv.* from hour to hour
der **Sturm, ⸚e** storm
stürmisch *adj.* stormy
stürzen to fall down, plunge (into)
subtrahieren to subtract
suchen to search, seek, look for
der **Süden** South
südpolar *adj.* southpolar; arctic region
suggerieren to suggest, influence (by suggestion); **die Suggestion** suggestion
die **Summe, –n** sum; amount
der **Sumpf, ⸚e** march, swamp, morass
die **Suppe, –n** soup
suspendieren to suspend
süß *adj.* sweet
die **Sympathie, Sympathi-en** sympathy

die **Tabelle, –n** table, index
tadeln to find fault, reprimand
die **Tafel, –n** board; blackboard; table; bar
der **Tag, –e** day; **alle Tage** every day; **am Tage** during the day; **eines Tages** one day; **den ganzen Tag** all day long; **drei Tage lang** for three days; **bis auf den heutigen Tag** up to the present;
die **Tageszeitung, –en** daily newspaper
täglich *adj. and adv.* daily
tagsüber *adv.* during the day
das **Tal, ⸚er** valley
die **Tanne, –n** fir tree
tänzeln to trip, skip, hop (along)
tanzen to dance; **der Tanz, ⸚e** dance
die **Tapete, –n** wallpaper
tapfer *adj.* brave
die **Tasche, –n** pocket; handbag; purse
die **Tasse, –n** cup
die **Tatsache, –n** fact
die **Taube, –n** pigeon, dove
taugen to be of use, be good for
täuschen to deceive, delude; disappoint
die **Technik, –en** technics; technology; engineering
der **Tee** tea
der **Teil, –e** part, section, share
teilen to divide, share; **geteilt durch** divided by
teil-nehmen* to participate
das **Telegramm, –e** telegram
der **Teller, –** plate
teuer *adj.* dear, expensive
der **Teufel, –** devil
das **Theater, –** theater; stage
das **Thema, Themas, Themen** theme, topic, subject (of discussion)
(das) **Thüringen:** province of Thuringia
tief *adj.* deep; low; *fig.* innermost, utmost
tiefblau *adj.* dark blue
die **Tiefebene, –n** plain, lowlands, valley
das **Tier, –e** animal
der **Tisch, –e** table
die **Tochter, ⸚** daughter
der **Tod** death; **sich zu Tode stürzen** plunge to death
todkrank *adj.* dangerously sick
tödlich *adj.* fatal, deadly
todmüde *adj.* dead tired
der **Ton, ⸚e** sound, tone; stress

das **Tor, –s, –e** door, portal
der **Tor, –en, –en; die Törin, –nen** fool
der **Torkel, –** good luck
torkeln to reel, stagger
tot *adj.* dead; **sich tot lachen** to die with laughter
töten to kill
tragen, trug, getragen, er trägt, to carry, bear, wear
die **Träne, –n** tear
der **Transport, –e** transport; shipment
trauen to trust; to marry, give in marriage; **sich trauen lassen** to get married
träumen to dream; imagine, believe
treffen, traf, getroffen, er trifft to meet; hit, strike
die **Treppe, –n** staircase, stairs
treten, trat, ist getreten, er tritt to step, walk; **ins Haus treten** to enter the house
treu *adj.* faithful, loyal; **die Treue** faithfulness
treulos *adj.* faithless, traitorous
trinken, trank, getrunken, er trinkt to drink
trocken *adj.* dry; arid, parched
tropfen = tröpfeln to drop, drip, trickle; **der Tropfen, –** drop
trotz *prep. gen.* in spite of
trotzdem *adv. and conj.* nevertheless, in spite of
trotzen to defy; sulk
trübe *adj.* cloudy, dreary, overcast
die **Trümmer** *pl.* fragments, pieces
der **Trunk, ⸚e** drink, draught
das **Tuch, –e** cloth, fabric, material
das **Tuch, ⸚er** shawl, scarf
tüchtig *adj.* able, efficient
tun, tat, getan, er tut to do, act, work; **es tut mir leid** I am (feel) sorry; **das tut nichts** that doesn't matter
die **Tür, –en** door
der **Turm, ⸚e** tower, steeple

über *prep. dat. or acc.* over, above, across, about
überall *adv.* everywhere; all over
überflüssig *adj.* superfluous, unnecessary
übergeben* to hand over, deliver; to surrender
übergehen* to pass over; to change
überhaupt *adv.* in general, on the whole
überlegen to reflect, consider; **die Überlegung, –en** deliberation
übernehmen* to take over, accept, undertake
überraschen to surprise; **die Überraschung, –en** surprise
übersetzen to translate; **die Übersetzung, –en** translation
die **Übung, –en** practice, exercise
das **Ufer, –** shore, bank (of a river)
die **Uhr, –en** clock, watch; **um zehn Uhr** at ten o'clock
der **Uhrmacher, –** watchmaker
um *prep. acc.* around, about, at, for; **um zu** in order to; **um herum** all around; **um sechs Uhr** at six o'clock
die **Umgebung, –en** environs, surrounding country
die **Umgegend, –en** neighborhood
umher *adv.* around, about
umher-liegen* to lie around (about)
der **Umschlag, ⸚e** envelope
sich **um-sehen*** to look around
unangenehm *adj.* unpleasant, disagreeable
unbeachtet *adj.* unnoticed, disregarded
unbekannt *adj.* unknown, a stranger to
unbeugsam *adj.* unbending, inflexible; stubborn, firm
undeutlich *adj.* indistinct, inarticulate
der **Unfall, ⸚e** accident
ungeduldig *adj.* impatient
ungefähr *adv.* about, approximately
ungern *adv.* unwillingly, with regret
ungesund *adj.* unhealthy, unwholesome
das **Unglück;** *pl.* **Unglücksfälle** misfortune, accident, disaster
unglücklich *adj.* unhappy
unhöflich *adj.* impolite, rude

die **Universität, –en** university; **auf der Universität** at the university
unmöglich *adj.* impossible
das **Unrecht** wrong, injustice; **Unrecht haben** to be in the wrong, be mistaken
unreif *adj.* unripe; green
unruhig *adj.* restless, uneasy
uns *acc. and dat. of* **wir** us, to us
unschuldig *adj.* innocent; harmless; **die Unschuld** innocence
unser *pron. and poss. adj.* ours; of us
unsere = unsrige *pron.* our, our people, our men
der **Unsinn** nonsense
unter *prep. dat. or acc.* under, below, among
unterhalb *prep. gen.* below
unterhalten* to support, sustain; **sich unterhalten** to talk, entertain
unternehmen* to undertake, attempt
unterrichten to teach, instruct
der **Unterrock, ⸚e** lady's slip
die **Unterschrift, –en** signature
untreu *adj.* unfaithful
unvorbereitet *adj.* unprepared
die **Urkunde, –n** document, record
ursprünglich *adv.* originally, formerly
urteilen to pass sentence, to judge; das **Urteil, –e** decision, verdict; opinion

der **Vater ⸚** father
das **Ventil, –e** valve
sich **verabreden** to make an appointment; set a date
die **Verabredung, –en** agreement, appointment
sich **verabschieden** to say goodby, take leave
verbessern to correct; improve
verbieten, verbot, verboten, er verbietet to forbid, prohibit
verbinden* to bind, bandage; connect; unite
das **Verbrechen, –** crime
der **Verbrecher, –** criminal, offender
verbrennen* to burn (to ashes)
der **Verdacht** suspicion
verdächtig *adj.* suspected; suspicious
verdanken to owe to a p., be obliged to a p.
das **Verdeck, –e** deck (top) of an auto
verdecken to cover, conceal
verdienen to earn, deserve
der **Verdienst** profit, gain; wages
das **Verdienst, –e** merit
verdienstvoll *adj.* meritorious
verehren to respect, venerate
der **Verein, –e** club, society
die **Vereinigten Staaten** *pl.* United States
die **Vereinten Nationen** *pl.* United Nations
verfolgen to follow, pursue
vergeblich *adj.* in vain, futile
vergessen, vergaß, vergessen, er vergißt to forget
verheiraten to marry, give in marriage; **sich verheiraten** to get married
verkaufen to sell
der **Verkäufer, –** salesman; **die Verkäuferin, –nen** saleslady
verlangen to demand, desire
verlassen, verließ, verlassen, er verläßt to leave; **sich verlassen auf** to depend upon
sich **verlaufen*** to lose one's way, go astray
verleihen* to lend out; bestow, grant
verlesen* to read out; **sich verlesen** to misread
verletzen to hurt, injure
verlieren, verlor, verloren, er verliert to lose; **verloren gehen** to get lost
sich **verloben** to become engaged
der **Verlust, –e** loss
sich **vermählen** to get married
vernachlässigen to neglect
vernehmen* to hear, learn
die **Vernunft** reason, intelligence
verpassen to miss (train); to let slip (opportunity)
verraten, verriet, verraten, er verrät to betray; **der Verrat** treason, betrayal
verräuchert *adj.* smoky, blackened by smoke
versagen to refuse

versammeln to assemble, gather, meet; **die Versammlung, –en** gathering, meeting
verschieden different
verschreiben* to prescribe (physician); **sich verschreiben** to make a mistake (in writing)
verschweigen, verschwieg, verschwiegen, er verschweigt to keep secret, conceal
verschwenden to squander
der **Verschwender, –** spendthrift
verschwenderisch *adj.* wasteful, extravagant
die **Verschwiegenheit** secrecy; discretion
verschwinden* to disappear
sich **versehen*** to overlook, to make a mistake; **das Versehen** oversight; **aus Versehen** by mistake
versichern to insure; to affirm; **ich versichere Sie** I assure you
versorgen to provide, supply; care for, look after
sich **verspäten** to be late, behind time
versprechen* to promise
der **Verstand** sense, intelligence, judgment; mind
verstecken to hide, conceal
verstehen* to understand; to know how
versuchen to try, attempt; **der Versuch, –e** attempt; experiment
die **Versuchung, –en** temptation
verteidigen to defend
vertrauen to trust, rely upon
vertreiben, vertrieb, vertrieben, er vertreibt to drive away; expel
verwandt *adj.* related; **der Verwandte, –n** relative
verwöhnen to spoil (a child)
verzeihen, verzieh, verziehen, er verzeiht to pardon, forgive
verzieren to decorate, ornament
verzweifeln to despair
viel *adv.* **mehr, am meisten** much, a great deal, often; **viele,** many; **sehr viele** a great many; **vieles** many things; **wieviel?** how much? **wie viele?** how many?
vielleicht *adv.* perhaps
der **Vogel, ⸚** bird
das **Volk, ⸚er** people, nation
das **Volkslied, –er** folk song
von *prep. dat.* from, of, by
vor *prep. dat. or acc.* before, in front of, from, of; **vor einem Jahr** a year ago
sich **vor-bereiten** to prepare
vor-finden* to find, meet with, come upon
vorher *adv.* before (this), formerly
vor-lesen* to read aloud
die **Vorlesung, –en** lecture; **eine Vorlesung halten** to give a lecture
der **Vormittag, –e** forenoon; **am Vormittag** in the forenoon
sich **vor-nehmen*** to intend (to do); **sich etwas vornehmen** to make up one's mind (to do something)
vor-schlagen* to propose, suggest; **der Vorschlag, ⸚e** suggestion
vorsichtig *adj.* careful, cautious
sich **vor-stellen** to imagine, think *with dat.*
der **Vorteil, –e** advantage
der **Vortrag, ⸚e** lecture; recitation; talk
vorüber *adv.* past, over, gone
vorüber-gehen* to pass by; be over; **vorübergegangene Mode** old style, of bygone times
vorwärts *adv.* forward; **vorwärts kommen** to get ahead, advance, prosper
vor-ziehen* to prefer
der **Vorzug, ⸚e** preference; **den Vorzug geben** to prefer

wachen to be awake
wachsam *adj.* watchful, alert
wachsen, wuchs, ist gewachsen, er wächst to grow
der **Wagen, –** wagon; auto
wählen to choose, select; vote, elect; **die Wahl, –en** election
wahr *adj.* true, real; **nicht wahr?** isn't it so? don't you think so? **die Wahrheit, –en** truth
während *prep. gen.* during; *conj.* while
wahrscheinlich *adv.* probably, evidently

die **Waise, –n** orphan
der **Wald, ⸚er** forest, woods
der **Waldesrand, ⸚er** edge of the forest
die **Wand, ⸚e** wall
wandern, ist gewandert to walk, travel; **die Wanderung, –en** walk, hike, trip
die **Wandtafel, –n** blackboard
wann *interr. and conj.* when
die **Ware, –n** goods, merchandise
warm *adj.* warm; hot
warnen to warn, caution; **die Warnung, –en** warning
warten to wait; **warten auf** to wait for *with acc.*
warum *interr.* why
was *interr.* what; *rel. pron.* what(ever), that
die **Wäsche** *pl.* wash, linen
waschen, wusch, gewaschen, er wäscht to wash
das **Wasser, –** water; river
die **Wassermasse, –n** volume (body) of water
der **Wasserstoff** hydrogen
weben to weave
weder . . . noch *conj.* neither . . . nor
weg *adv.* away
der **Weg, –e** road, way, street
wegen *prep. gen.* because of, on account of
weg-kommen* to get away, get lost
weg-nehmen* to take away, carry off
wehen to blow, sweep
weich *adj.* soft, mild; smooth; sensitive
weiden to graze, feed
sich **weigern** to refuse, decline
das **Weihnachtsfest, –e** Christmas
weil *conj.* because, since
der **Wein, –e** wine
weinen to weep, cry
weise *adj.* wise, prudent; **der Weise, –n** the wise (man)
die **Weise –n** manner, way; habit, custom; tune, melody; **in gewisser Weise** in certain respect, in a way; **glücklicher Weise** happily, fortunately; **in dieser Weise** in this way
die **Weisheit, –en** wisdom, prudence; philosophy
weiß *adj.* white
weit *adj.* distant, far away; wide, broad, spacious
weiter *adv.* farther, further; additional; **und so weiter** and so on; **nichts weiter?** nothing more? **was weiter?** what else?
weiter-geben* to pass on (to next person)
weiter-kommen* to get on; progress
weiter-reisen, ist weitergereist to continue the journey
welcher, welche, welches *interr. pron. and rel. pron.* which, what; who, which
welken to wither, fade
die **Welle, –n** wave; surge
wellig *adj.* wavy, curly
die **Welt, –en** world; universe; **auf der Welt** on earth; **alle Welt** everybody
wem *dat. of interr. and rel. pron.* **wer** to whom
wen *acc. of interr. and rel, pron.* **wer** whom
wenden, wandte, gewandt, er wendet to turn, turn round
wenig *adj.* little; *pl.* a few; **weniger** less; **am wenigsten** the least; **wenigstens** *adv.* at least; **zehn weniger vier** ten less four
wenn *conj.* when, whenever, if
wer *interr. and rel. pron.* who, whoever, he who; that
werden, wurde, ist geworden, er wird to become, grow, get; *as fut. aux.* shall, will; *as passive aux.* to be
werfen, warf, geworfen, er wirft to throw, cast, pitch
das **Werk, –e** work
der **Wert, –e** value; **es ist nichts wert** it is of no value, worthless
"Werthers Leiden": "The Sorrows of Young Werther", the title of an epistolary novel by Wolfgang Goethe
wertvoll *adj.* valuable, precious
wessen *gen. of pron.* **wer** whose
das **Wetter, –** weather, storm
wichtig *adj.* important

wider *prep. acc.* against, contrary to

wie *interr. adv. and conj.* how, as, such as, like; **wieso?** why? **wieviel?** how much? **wie viele?** how many?

wieder *adv.* again; **immer wieder** again and again; **hin und wieder** from time to time

wieder-sehen* to see (meet) again; **das Wiedersehen** reunion; **auf Wiedersehen!** till we meet again! goodbye!

wie lange *interr. adv. and conj.* how long

(das) **Wien** Vienna

die **Wiese, –n** meadow

wild *adj.* wild, unruly

der **Wille, –ns, –n** will, purpose, determination; **aus freiem Willen** of one's own record, voluntarily; **mit Willen** on purpose, intentionally; **um . . . Willen** for the sake of

willkommen welcome; **willkommen heißen** to welcome

winklig = **winkelig** *adj.* winding, crooked

wirken to work, act, produce, bring about (successfully)

wirklich *adv.* really, truly; **in Wirklichkeit** in reality

der **Wirt, –e** innkeeper, landlord

das **Wirtshaus, ¨er** inn, tavern

wissen, wußte, gewußt, er weiß to know; **das Wissen** knowledge

wo *interr. adv. and conj.* where

woanders *adv.* somewhere else

wobei *adv.* through which, by so doing

die **Woche, –n** week

wodurch *adv.* by which, whereby

wofür *adv.* for what, what for

woher *adv.* from where; **woher wissen Sie das?** how do you know that?

wohin *adv.* where to, to what place

wohl *adj. and adv.* well, happy; perhaps, possibly; **auf Ihr Wohl!** your health! good luck!

das **Wohlgefallen** pleasure, happiness

wohlgekleidet *adj.* well-dressed

wohnen to live, reside, stay

die **Wohnung, –en** house, residence, rooms

der **Wohnzweck: nicht zu Wohnzwecken bestimmt** not intended as a dwelling place

die **Wolke, –n** cloud

wollen, wollte, gewollt, er will *mod. aux.* will, wish, want to

woran *adv.* whereon, on, against which

worauf *adv.* whereupon, upon which

woraus *adv.* out of which

das **Wort, ¨er** or **–e** word

das **Wörterbuch, ¨er** dictionary

wörtlich *adj.* word for word, literally

worüber *adv.* about what, over which

wozu *adv.* for what, what for; why

das **Wunder, –** miracle

sich **wundern** to be amazed, surprised

wünschen to wish; **der Wunsch, ¨e** wish

(das) **Würzburg:** name of a German city

wüst *adj.* waste, desert; wild, disorderly; **die Wüste, –n** desert

die **Zahl, –en** number, figure

zahlen to pay

zählen to count

zahlreich *adj.* numerous, many

zahm *adj.* tame

der **Zahn, ¨e** tooth

der **Zank** quarrel, brawl

zankhaft *adj.* quarrelsome

zärtlich *adj. and adv.* tenderly, lovingly, affectionate

der **Zaun, ¨e** fence

zeichnen to draw; **die Zeichnung, –en** drawing, sketch

der **Zeichner, –** designer, draughtsman

zeigen to show, point to; display

die **Zeile, –n** line

die **Zeit, –en** time; period, age; **mit der Zeit** in the course of time; **eine Zeitlang** for a time; **zur Zeit** at present; **zu gleicher Zeit** at the same time

die **Zeitung, –en** newspaper

die **Zensur, –en** grade, report

der **Zentner, –** hundredweight, fifty kilograms
zerbrechen* to break to pieces
zerfallen* to fall to pieces, decay
zerfließen* to melt, dissolve
zerreiben* to grind down, pulverize
zerreißen* to tear to pieces
zerschlagen* to break to pieces
zerschneiden* to cut, cut to pieces
zerspringen* to burst, crash to pieces
zerstören to destroy, ruin
zerstreuen to scatter
zertreten* to crush, trample down
der **Zettel, –** scrap of paper
der **Zeuge, –n** witness
der **Ziegel, –** brick; tile
ziehen, zog, hat gezogen, es zieht to draw, pull; **zog, ist gezogen, er zieht** to move, go
das **Ziel, –e** aim, objective; destination
ziemlich *adv.* rather, quite, pretty
die **Zigarette, –n** cigarette
die **Zigarre, –n** cigar
das **Zimmer, –** room
der **Zimmerer** = **Zimmermann, Zimmermanns, Zimmerleute** carpenter; carpenters
der **Zins, –es, –en** tax, rent, interest
der **Zirkel, –** circle
zischen to hiss
das **Zitat, –e** quotation
die **Zitrone, –n** lemon
die **Zone, –n** zone
der **Zorn** anger, wrath
zornig *adj.* angry, in a passion
zu *prep. dat.* to, on, at, for; *adv.* too; **ab und zu** now and then
zu-bereiten to prepare; to cook
die **Zucht, –en** rearing, cultivation, training; decorum; **in allen Züchten** in propriety
zuerst *adv.* first, at first
zufällig *adj. and adv.* accidentally, by chance
zufrieden *adj.* content, satisfied
der **Zug, ⸗e** train; procession; *fig.* feature, characteristic
zu-hören to listen to
die **Zukunft** future
zuletzt *adv.* finally, at last
zu-machen to close, shut
die **Zunge, –n** tongue; language
zurück *adv. and sep. pref.* back, behind, in arrears; *imper.* **zurück!** stand back!
zurück-bleiben* to stay behind
zurück-bringen* to bring back
zurück-kehren, ist zurückgekehrt to return
zurück-treten* ist zurückgetreten to step back, withdraw, retire
zurück-verlangen to demand back, reclaim
zusammen *adv. and sep. pref.* together, altogether
zusammen-bringen* to bring together; collect
zusammen-setzen to put together
zu-schließen* to lock up
zuverlässig *adj.* reliable, dependable
zuviel *adv.* too much
zwar *adv.* I admit, to be sure
der **Zweck, –e** purpose
zweifeln to doubt
zweimal *adv.* twice; **zweimal sagen** to repeat; **sich zweimal sagen lassen** need no second telling
zweitens *adv.* secondly, in the second place
zwischen *prep. dat. or acc.* between

ENGLISH-GERMAN VOCABULARY

a, an ein, eine, ein; **not a** kein, keine, kein
able: to be able können *mod. aux*
about ungefähr *adv.;* von *prep. dat.;* über *prep. acc.;* **to talk about** sprechen von, sprechen über
account: on account of wegen *prep. gen.*
acre der Acker (*square measure*)
across über *prep. acc.*
act tun; **he acts as if** er tut, als ob
advice der Rat, die Ratschläge; **he asks for advice** er bittet um Rat
afraid: to be afraid of sich fürchten vor *with dat.*
after nach *prep. dat.;* nachdem *conj.;* **after dinner** nach dem Essen; **after school** nach der Schule
afternoon der Nachmittag, –e; **one afternoon** eines Nachmittags
again wieder *adv.*
against gegen *prep. acc.*
ago vor *with dat.;* **a year ago** vor einem Jahr; **three days ago** vor drei Tagen
agreement die Verabredung, –en
all alle, alles; ganz; **not at all** gar nicht; **nothing at all** gar nichts; **all day** den ganzen Tag; **all his money** sein ganzes Geld
allowed: to be allowed dürfen *mod. aux.;* **I am not allowed** ich darf nicht
along mit *adv.;* **to go along** mit-gehen; **to come along** mit-gehen; **to bring along** mit-bringen
already schon *adv.*
although obgleich *conj.*
always immer *adv.*
among them unter ihnen, zwischen ihnen, mit ihnen
angry zornig, böse; **to get angry at** sich ärgern über, böse werden über *with acc.*
annually jährlich *adv.*
answer antworten *with dat. o. p.;* beantworten *with direct obj. of thing*
answer die Antwort, –en
anything (irgend) etwas; **not anything** (gar) nichts
apple der Apfel, –̈
approach sich nähern, näher kommen *with dat.*
are du bist, wir sind, ihr seid, sie sind, Sie sind
army das Heer, –e; die Armee, Armeen
around um *prep. acc.*
arrest verhaften
arrive an-kommen, ist angekommen
art die Kunst, –̈e
artist der Künstler, –
as (*conj.*) da (*in comparison*) wie; **as if** als ob; **as soon as** sobald als; **as tall as** so groß wie; **as long as** solange
ask fragen; **to ask a question** eine Frage stellen
assemble sich versammeln
assert behaupten
assure versichern
at an, auf, in, bei, zu *prep. dat.;* **at eight o'clock** um acht Uhr; **at home** zu Hause; **at once** sofort; **at the university** auf der Universität; **at night** nachts; **not at all** gar nicht; **at my friend's** bei meinem Freund
attend: to attend school die Schule besuchen, in die Schule gehen
aunt die Tante, –n
auto, das Auto, –s, –s
away fort, weg *adv.*

bad schlecht
ball der Ball, –̈e
bank (*of a river*) das Ufer, –
barrel die Tonne, –n
be sein, war, ist gewesen, es ist
beard der Bart, –̈e
beautiful schön
because weil *conj.;* **because of** wegen *prep. gen.*
become werden, wurde, ist geworden, es wird
bed das Bett, –en; **to go to bed** zu Bett gehen
before ehe *conj.;* vor, vorher, früher *adv.*

begin anfangen, beginnen
behind hinter *prep. dat. or acc.*
believe glauben *with dat. o. p. and acc. of things;* **I believe him** ich glaube ihm; **I believe it** ich glaube es
belong to gehören *with dat.;* **it belongs to me** es gehört mir
beside neben *prep. dat. or acc.*
best am besten, *superlative of* gut; **I like it best** es gefällt mir am besten, ich habe es am liebsten; **the best** das Beste
better besser, *comparative of* gut
between zwischen *prep. dat. or acc.*
big groß, größer, am größten
birthday der Geburtstag, –e
black schwarz
blackboard die Wandtafel, –n; **at the blackboard** an der Wandtafel; **to the blackboard** an die Wandtafel
blow der Schlag, ⸚e
board das Brett, –er; die Wandtafel, –n
book das Buch, ⸚er
bought kaufte
boy der Junge, –n, –n; der Knabe, –n, –n
breakfast das Frühstück, –e
bright hell, klar; intelligent
bring bringen, brachte, hat gebracht, er bringt; **bring along** mitbringen
brook der Bach, ⸚e
brother der Bruder, ⸚
build bauen
building das Gebäude, –
business das Geschäft, –e
but aber, sondern *conj.*
buy kaufen
by von, mit, bei *prep. with dat.;* durch *with acc.;* an, neben *with dat. or acc.;* **by next morning** am nächsten Morgen

call rufen, rief, hat gerufen, er ruft; nennen, nannte, hat genannt, er nennt; **to be called** heißen, hieß, hat geheißen, er heißt; **to call on** besuchen; **she called him** sie rief ihn; **he calls himself John Smith** er nennt sich John Smith
can können *mod. aux.;* **can you tell me** können Sie mir sagen; **cannot** kann nicht
care for mögen *mod. aux.;* **I don't care to** ich will nicht, ich mag nicht
careful sorgfältig
carry tragen; **to carry out** aus-führen
carton der Karton, –s, –s
cash bares Geld, das Bargeld
castle das Schloß, des Schlosses, die Schlösser
catch fangen; **to catch a cold** sich erkälten
certainly gewiß, sicher *adv.*
chair der Stuhl, ⸚e
cherry die Kirsche, –n
child das Kind, –er
chimney der Schornstein, –e
church die Kirche, –n; **in church** in der Kirche; **to church** zur Kirche
circle kreisen; **the circle** der Kreis, –e
city die Stadt, ⸚e
class die Klasse, –n
clock die Uhr, –en; **at six o'clock** um sechs Uhr
close zu-machen, schließen
coat der Rock, ⸚e; der Mantel, ⸚
coffee der Kaffe
cold kalt, kälter, am kältesten; **the cold** die Kälte; **to catch cold** sich erkälten
color die Farbe, –n
colorful bunt
come kommen, ist gekommen; **to come along** mit-kommen; **to come in** herein-kommen; **to come back** zurück-kommen; **to come late** zu spät kommen; **I heard him come** ich habe ihn kommen hören
conclude schließen
continue fort-fahren, fort-setzen
contrary to gegen, wider *prep. acc.*
conviction die Überzeugung, –en
cool kühl
could konnte *mod. aux.;* (*would be able to*) könnte
country das Land, ⸚er; **in the country** auf dem Lande; **to the country** aufs Land
cup die Tasse, –n
cut down (*trees*) fällen

damp feucht
dark dunkel, finster
daughter die Tochter, ⸚
day der Tag, –e; **day before yesterday** vorgestern; **day after tomorrow**

übermorgen; **one day** eines Tages; **all day** den ganzen Tag; **three days ago** vor drei Tagen; **the other day** neulich

dear lieb; (*expensive*) teuer; **dear mother** liebe Mutter

deceive betrügen

deep tief; **deep snow** hoher Schnee

definite bestimmt

deny leugnen

destroy zerstören, vernichten

did: did you? hast du? Haben Sie? **did you have?** haben Sie gehabt? **did you hear?** haben Sie gehört? **did he come?** ist er gekommen?

die sterben, ist gestorben

different anders, verschieden

difficult schwer, schwierig

diligent fleißig

dinner das Essen, –; das Mittagessen; **after Dinner** nach dem Essen

discover entdecken

dismiss entlassen, weg-schicken

ditch der Graben, ¨–

do tun, getan, er tut; machen; **that will do** das genügt; **that won't do** das geht nicht; **how do you do?** wie geht es Ihnen? **I didn't do it** ich habe es nicht getan; **what am I going to do?** was soll ich tun?

doctor der Arzt, ¨–e

dog der Hund, –e

door die Tür, –en; **next door** nebenan

doubt zweifeln

down hinab, nieder

dozen das Dutzend, –e

dress an-ziehen; **to dress oneself** sich an-ziehen

drink trinken

drop fallen lassen, auf-geben

during während *prep. gen.*

eagle der Adler, –

early früh

east der Osten, Orient

eat (*of people*) essen; (*of animals*) fressen

egg das Ei, –er

enough genug

enter ein-treten, ist eingetreten; herein-kommen, ist hereingekommen; herein-gehen, ist hereingegangen; **to enter the room** ins Zimmer treten

Europe (*das*) Europa

evening der Abend, –e; **this evening** heute abend; **one evening** eines Abends; **in the evening** am Abend; **evenings** abends

every jeder, jede, jedes

everything alles

examination die Prüfung, –en; **to take an examination** eine Prüfung machen

excuse die Entschuldigung, –en; **to excuse o.s.** sich entschuldigen

expensive teuer

expenses *pl.* die Unkosten

eye das Auge, –n

face das Gesicht, –er

fact die Tat, –en; die Tatsache, –n; die Wahrheit, –en; **in fact** in der Tat

faithful treu

fall fallen, ist gefallen; **to fall asleep** ein-schlafen, ist eingeschlafen

fall = autumn der Herbst, –e

famous berühmt

father der Vater, ¨–

few wenig, wenige; **a few** einige; **a few years** ein paar Jahre

field das Feld, –er

find finden

fine fein, gut, schön

finger der Finger, –

finish beenden, fertig-machen; **finished** fertig

first erst–; **at first** zuerst; **in the first place** erstens

fish der Fisch, –e

flower die Blume, –n

folksong das Volkslied, –er

follow folgen, ist gefolgt *with dat. of per.*

foot der Fuß, –es, ¨–e

football der Fußball, ¨–e

for für *prep. acc.;* denn *conj.* **for three years** seit drei Jahren; **to ask for advice** um Rat fragen; **for money** für Geld

forenoon der Vormittag, –e

forest der Wald, ¨–er

forget vergessen

found fand, hat gefunden

fountain pen die Füllfeder, –n

frequently oft; **quite frequently** sehr oft, öfter

friend der Freund, –e; **at my friend's** bei meinem Freunde

from von *prep. dat.*

front: in front of vor

gain gewinnen; der Gewinn, –e

garden der Garten, ⸚

gather sammeln; (*conclude*) schließen

gentleman der Herr, –n, –en

German (*language*) Deutsch; (*adj.*) deutsch; **in German** auf deutsch; **to study German** Deutsch lernen

Germany (*das*) Deutschland

get (*to receive*) erhalten, bekommen; (*to become*) werden; **to get angry** böse werden, sich ärgern; **to get rich** reich werden; **to get up** aufstehen

gift das Geschenk, –e

girl das Mädchen, –; **girl friend** Freundin, –nen

give geben; (*to present*) schenken

glad: to be glad sich freuen; **gladly** gern *adv.*

glass das Glas, –es, ⸚er

glasses (*spectacles*) die Brille, –n; die Gläser *pl.*

go gehen, ist gegangen; **I have to go** ich muß gehen; **to go to school** zur Schule gehen; **to go home** nach Hause gehen; **to go away** fortgehen; **to go along** mit-gehen

good gut, besser, am besten

grandfather, der Großvater, ⸚

great groß, berühmt

green grün

grow wachsen, ist gewachsen

guest der Gast, ⸚e

hair das Haar, –e

half halb; die Hälfte; **at half past nine** um halb zehn; **he gave me half** er gab mir die Hälfte

hand die Hand, ⸚e

handkerchief das Taschentuch, ⸚er

handwriting die Handschrift, –en

happy glücklich

hard schwer; hart, härter, am härtesten; **to study hard** fleißig studieren; **to work hard** schwer arbeiten

harm schaden *with dat.*

hat der Hut, ⸚e

have haben, hatte, hat gehabt, er hat; **I have to** ich muß; **I have to stay home** ich muß zu Hause bleiben; **I had to do it** ich mußte es tun; **I have had him come** ich habe ihn kommen lassen

he er *pers. pron.;* **he who** wer *indef. pron.*

health die Gesundheit, –en

hear hören; **I heard him sing** ich habe ihn singen hören

heart das Herz, –ens, –en; **to learn by heart** auswendig lernen

help helfen, half, hat geholfen, er hilft *with dat.;* die Hilfe, –n

her ihr (*dat.*), sie (*acc.*), *of pers. pron.* sie

her ihr, ihre, ihr *poss. pron.*

here hier

herring der Hering, –e

high hoch, höher, am höchsten

him ihm (*dat.*); ihn (*acc.*) *of pers. pron.* er

himself: he himself er selber, selbst

his sein, seine, sein *poss. pron.*

home das Haus, ⸚er; **at home** zu Hause; **to go home** nach Hause gehen

homework die Schularbeit, –en

hope hoffen

horse das Pferd, –e

hour die Stunde, –n; **at what hour?** um welche Stunde, um welche Zeit?

how wie *interr.;* **how much?** wieviel? **how many?** wie viele? **how long?** wie lange? **how do you do?** wie geht es Ihnen?

hungry hungrig

hurry sich beeilen

hurt: to hurt oneself sich weh tun, sich schaden

husband der Mann, ⸚er

I ich *pers. pron.;* **I am** ich bin

if wenn, ob *conj.*

ill krank; **to get ill** krank werden

immediately gleich, sofort

in in *prep. dat. or acc.*

industrious fleißig

influential einflußreich

ink die Tinte, –n

innocent unschuldig

inside of innerhalb *prep. gen.*

in spite of trotz *prep. gen.*

instead of statt, anstatt *prep. gen.*

intend to wollen *mod. aux.*

interested: to be interested in sich interessieren für *with acc.*

interesting interessant
into in *prep. acc.*
it (*masc.*) er; (*fem.*) sie; (*neut.*) es; **who is it?** wer ist's? **is it you?** bist du's? sind Sie's? **it is I** ich bin's

judge der Richter, –
jump springen, ist gesprungen
just eben, gerade

keep behalten
kill töten
kind (*dear, beloved*) freundlich; **please, be so kind** bitte, seien Sie so freundlich
king der König, –e
knife das Messer, –
know (*a fact*) wissen, wußte, gewußt, er weiß; (*to be acquainted with*) kennen, kannte, gekannt, er kennt; **do you know the man?** kennen Sie den Mann? **do you know where he lives?** wissen Sie, wo er wohnt?

lady die Dame, –n; die Frau, –en
lake der See, Se-es, Se-en
land das Land, ⁻er
large groß, größer, am größten
last letzt-; **last summer** im letzten Sommer
late spät
lately kürzlich
law das Gesetz, –e
lazy faul, träge
learn lernen
leave lassen; (*to depart*) ab-fahren, ist abgefahren; ab-reisen, ist abgereist; (*to leave behind*) verlassen
lend leihen
lesson die Aufgabe, –n; die Lektion, –en
let lassen; **let's go!** gehen wir! **let it be!** laß es sein!
letter der Brief, –e
library die Bibliothek, –en
lie liegen, ruhen
lie (*to tell a lie*) lügen, log, gelogen, er lügt
life das Leben, –; **all my life** mein ganzes Leben
like gern haben; **like to** mögen; **I would like to** ich möchte; **I like to play** ich spiele gern; **I don't like it** es gefällt mir nicht, ich mag es nicht; **I would like to know** ich möchte gern wissen
liter das Liter, –
little (*size*) klein, (*quantity*) wenig
live leben; (*dwell*) wohnen
load die Last, –en
long (*adj.*) lang; (*adv.*) lange; **how long?** wie lange? **as long as** solange
look sehen, schauen; (*appear*) aus-sehen; **to look for** suchen; **look forward to** erwarten, sich freuen auf; **look at** an-sehen, zu-sehen; **how does he look?** wie sieht er aus? **don't look at him** sieh ihn nicht an
lose verlieren
loud laut
love lieben, liebhaben

man der Mann, ⁻er; (*human being*) der Mensch, –en, –en; **those poor men** jene armen Leute
many viele; **many a** mancher
market der Markt, ⁻e; **to the market** auf den Markt
master der Herr, –n, –en
may dürfen *mod. aux.;* mögen *mod. aux.;* **may I go?** darf ich gehen? **that may be** das mag sein
me (*dat.*) mir, (*acc.*) mich *of pers. pron.* ich
meet begegnen, ist begegnet *with dat.;* treffen *with acc.;* kennen lernen; **I met her** ich begegnete ihr, ich traf sie
might (*possibility*) dürfte, könnte; **he might die** er dürfte (könnte) sterben
minute die Minute, –n
miss vermissen; (*omit*) aus-lassen
mistake der Fehler, –; Irrtum, ⁻er
momentarily augenblicklich
Monday der Montag, –e
money das Geld, –er
monotonous eintönig, langweilig
month der Monat, –e
more mehr (*comparative of* viel)
morning der Morgen, –; **tomorrow morning** morgen früh; **this morning** heute morgen; **in the morning** morgens
most meist, höchst
mother die Mutter, ⁻
mountain der Berg, –e
move ziehen, ist gezogen
Mr. Herr; **Mrs.** Frau; **Miss** Fräulein

much (*quantity*) viel; (*degree*) sehr; **how much?** wieviel? **very much** sehr viel
Munich (*German city*) München
music die Musik
must müssen *mod. aux.*
my mein, meine, mein *poss. adj.*

nail der Nagel, ¨
name der Name, –n; **what is your name?** wie heißen Sie?
narrow eng
near nahe *with dat.;* in der Nähe
neighbor der Nachbar, –s, –en
neither . . . nor weder . . . noch
never nie, niemals
new neu
newspaper die Zeitung, –en
next nächst; **next to** neben *prep. dat. or acc.;* **the next one** der Nächste
night die Nacht, ¨e; **at night** in der Nacht; **last night** gestern abend
nine neun; **at half past nine** um halb zehn
no nein; kein, keine, kein
nobody niemand
noon der Mittag, –e; **at noon** mittags
not nicht; **not a** kein; **not at all** gar nicht; **not yet** noch nicht
notebook das Heft, –e
nothing nichts
now jetzt

obey gehorchen *with dat.*
occur geschehen, ist geschehen; vor-kommen
ocean der Ozean, –e; das Meer, –e
o'clock: at six o'clock um sechs Uhr
of von *prep. dat.*
often oft
old alt, älter, am ältesten
on auf, an *prep. dat. or acc.;* **on what day?** an welchem Tage?
once einmal; **once more** noch einmal; **at once** sogleich, sofort
one ein, eine, ein *indef. art.;* **one day** eines Tages; **one** *indef. pron.* einer, ein Mann
only nur
open öffnen, auf-machen
open offen *adj.*
opinion die Ansicht, –en
or oder *conj.*
other ander-; der (die, das) andere, die anderen *pron.;* **on the other side** jenseits *prep. gen.*
our unser, unsere, unser *poss. adj.*
out hinaus, heraus *with verbs of motion;* **out of the house** aus dem Haus heraus
out of aus *prep. dat.*
outside of außerhalb *prep. gen.*
over über *prep. dat. or acc.*
overcoat der Mantel, ¨

page die Seite, –n
paint malen, (*a house*) an-streichen
paper das Papier, –e
parents die Eltern *pl.*
pay zahlen, (*a bill*) bezahlen; **to pay for** bezahlen
peace der Friede, –ns, –n
peasant der Bauer, –n, –n
pen die Feder, –n
pencil der Bleistift, –e
penny der Pfennig, –e
people die Leute *pl.*, die Menschen *pl.*
permission die Erlaubnis, –nisse
permit erlauben
permitted: to be permitted dürfen *mod. aux.*
physician der Arzt, ¨e
picture das Bild, –er
place der Platz, ¨e; die Stelle, –n; **in your place** an deiner Stelle
plan der Plan, ¨e
plant pflanzen; die Pflanze, –n
play spielen; das Spiel, –e
please gefallen; **if you please** bitte
poem das Gedicht, –e
poet der Dichter, –
poor arm, ärmer, am ärmsten; schlecht; **the poor** die Armen *pl.*
post office das Postamt, ¨er; **to the post office** zur Post
powerful mächtig, gewaltig
praise loben
prepare vor-bereiten
present das Geschenk, –e
present die Gegenwart; **at present** gegenwärtig, augenblicklich
president der Präsident, –en, –en
pretty hübsch, schön
price, der Preis, –e
print drucken
professor der Professor, –s, –en
prove beweisen
punish bestrafen

pupil der Schüler, –; die Schülerin, –nen
put legen, stellen, setzen, stecken; **to put away** weg-legen

question fragen, die Frage, –n
questioning fragend
quick(ly) schnell *adj. or adv.*
quite ganz; **quite often** sehr oft

rain regnen; der Regen, –
ran rannte, ist gerannt; lief, ist gelaufen
rapidly schnell
read lesen
ready fertig, bereit
really wirklich
reason der Grund, ⸗e; die Ursache, –n
receive erhalten, bekommen; (*to welcome*) empfangen, auf-nehmen
recently kürzlich, vor kurzem, seit kurzem
recognize erkennen, erkannte, erkannt, er erkennt
red rot
remember sich erinnern *with gen.;* erinnern an *with acc.*
remind erinnern
report berichten; der Bericht, –e
representative der Vertreter, –
request die Bitte, –n
respect der Respekt, die Achtung; respektieren
rest ruhen; die Ruhe, –n
return zurück-kommen, ist zurückgekommen; **return home** nach Hause kommen
rich reich
ring der Ring, –e
ripe reif
rise auf-stehen, ist aufgestanden; (*sun or moon*) auf-gehen, ist aufgegangen
river der Fluß, Flusses, Flüsse
road der Weg, –e
room das Zimmer, –
row rudern, ist gerudert
ruins die Trümmer *pl.;* die Ruinen *pl.*

same: the same derselbe, dieselbe, dasselbe
Saturday der Samstag, –e; der Sonnabend, –e; **on Saturdays** samstags
save sparen
say sagen
school die Schule, –n; **in school** in der Schule; **to school** zur Schule; **after school** nach der Schule
scold schelten
secondly zweitens
see sehen; sprechen *with acc.*
seem scheinen; **it seems to me** es scheint mir
sell verkaufen
send senden, sandte, gesandt, er sendet; **to send for** schicken nach, holen lassen; **we sent for the doctor** wir schickten nach dem Arzt, wir ließen den Arzt holen, wir ließen den Arzt kommen
sensible klug, vernünftig
sentence der Satz, ⸗e
serve dienen, *with dat.*
set unter-gehen, ist untergegangen; **the sun sets** die Sonne geht unter
seven sieben; **at half past seven** um halb acht
several mehrere; **several times** ein paarmal
shall werden *aux. of fut. tenses;* sollen, müssen *mod. aux.;* **I shall write** ich werde schreiben; **I shall have to** ich muß
she sie *pers. pron.*
shine scheinen
short kurz, kürzer, am kürzesten
should sollen *mod. aux.;* **he should go** er soll gehen; **I should like to** ich möchte
show zeigen
shudder schaudern
sick krank, kränker, am kränksten
sickness die Krankheit, –en
side die Seite, –n; **on this side of** diesseits *prep. gen.*
since seit *prep. dat.;* da, weil *conj.*
sing singen; **I heard him sing** ich habe ihn singen hören
singer der Sänger, –; die Sängerin, –nen
single einzig
sister die Schwester, –n
sit sitzen; **to sit down** sich setzen
six sechs; **at half past six** um halb sieben
sleep schlafen
slender schlank
small klein
smoke rauchen; der Rauch

snow schneien; der Schnee
soldier der Soldat, –en
some etwas, einige; **some day** eines Tages
somebody jemand
sometime einmal, einst
son der Sohn, ⸚e
song das Lied, –er
soon bald; **as soon as** so bald als, sobald *conj.*
south der Süden
speak sprechen, reden
spite: in spite of trotz *prep. gen.*
spring der Frühling, –e; **in spring** im Frühling
stable der Stall, ⸚e
stand stehen
start an-fangen, beginnen
stay bleiben, ist geblieben; sich auf-halten; **to stay at home** zu Hause bleiben
steamer der Dampfer, –; das Schiff, –e
steep steil
still noch; **I still believe** ich glaube noch immer
stone der Stein, –e
stop auf-hören
storm der Sturm, ⸚e, das Gewitter, –
story die Geschichte, –n
street die Straße, –n; **in (on) the street** auf der Straße
strong stark, stärker, am stärksten
student der Student, –en; die Studentin, –nen
study studieren; die Studie, Studien; das Studium, Studien
stupid dumm, dümmer, am dümmsten
succeed gelingen, ist gelungen; **I do not succeed** es gelingt mir nicht
success der Erfolg, –e
successful erfolgreich
such solcher, solche, solches, solch
sugar der Zucker
summer der Sommer, –; **in summer** im Sommer
sun die Sonne, –n; **the sun rises** die Sonne geht auf; **the sun sets** die Sonne geht unter
Sunday der Sonntag, –e; **on Sunday,** am Sonntag, sonntags
suppose: I am supposed to ich soll
sure(ly) sicher *adj. or adv.;* gewiß
surprise: to be surprised at sich wundern über *with acc.*
suspect vermuten
sweet süß
swim schwimmen, ist geschwommen

table der Tisch, –e
take nehmen, bringen, machen; **to take away** weg-nehmen; **I'll take you home** ich bringe dich nach Hause; **to take a walk** einen Spaziergang machen; **to take off** ab-nehmen
talk sprechen; **to talk about** sprechen über *with acc.,* sprechen von *with dat.*
tall hoch, höher, am höchsten; groß, größer am größten; lang, länger, am längsten
taste schmecken
tea der Tee
teacher der Lehrer, –; die Lehrerin, –nen
tell erzählen, sagen; **tell me** sage mir
than als
thank danken; **to thank for** danken *with dat. o. p.;* für *with acc.*
that das; **that one** der, jener *dem. pron.;* der, welcher *rel. pron.;* daß *conj.*
theater das Theater, –; **to go to the theater** ins Theater gehen; **at the theater** im Theater
their ihr, ihre, ihr *poss. adj.*
them (*dat.*) ihnen; (*acc.*) sie; *of pers. pron.* sie
then dann, damals; denn; **now and then** dann und wann
there da, dort; **there is, there are** es gibt, es sind
therefore deshalb, daher
these diese *pl.*
they sie *pers. pron.*
thief der Dieb, –e
think denken; **to think of** denken an *with acc.*
this dieser, diese, dieses, dies; **this morning** heute morgen
those jene *pl.*
threaten drohen *with dat.*
thrifty sparsam
through durch *prep. acc.*
till = until bis *prep. and conj.*
till (*to cultivate*) bestellen
time die Zeit, –en; (*occasion*) das Mal, –e; **what time is it?** wie spät ist es?

at what time? um welche Zeit? **for the first time** zum ersten Mal; **most of the time** die meiste Zeit, meistens; **three times three** dreimal drei; **at times** manchmal, zuweilen
tired müde
to zu, nach *prep. dat.;* auf, in, an *prep. acc.;* **to go to school** zur Schule gehen; **to New York** nach New York; **to the country** aufs Land; **to the theater** ins Theater; **to the window** ans Fenster
today heute
together zusammen
tomorrow morgen; **tomorrow morning** morgen früh
tonight heute abend
too auch, ebenfalls, zu; **too much** zu viel; **my friend too** auch mein Freund, mein Freund ebenfalls
town die Stadt, ¨e; **in town** in der Stadt
train der Zug, ¨e
translate übersetzen
travel reisen, ist gereist
tree der Baum, ¨e
true wahr; (*faithful*) treu
truth die Wahrheit, –en
try versuchen
twice zweimal; **twice as much** zweimal so viel, doppelt so viel

umbrella der Regenschirm, –e
uncle der Onkel, –
under unter *prep. dat. or acc.*
understand verstehen
unhappy unglücklich
university die Universität, –en; **at the university** auf der Universität
until bis *prep. and conj.*
up auf, hinauf; **up and down** auf und ab; **I went up** ich ging hinauf; **up to the window** bis ans Fenster
us uns *dat. or acc.; of pers. pron.* wir
use brauchen, gebrauchen
usually gewöhnlich

valley das Tal, ¨er
valuable wertvoll
very sehr; **very much** sehr viel, sehr; **very well** sehr gut
village das Dorf, ¨er
visit besuchen; der Besuch, –e
voice die Stimme, –n

wait warten; **to wait for** warten auf *with acc.*
walk gehen, ist gegangen
walk der Spaziergang, ¨e; **to take a walk** einen Spaziergang machen
wall die Wand, ¨e
want wollen *mod. aux.;* **what do you want?** was willst du? was wollen Sie?
war der Krieg, –e
warm warm, wärmer, am wärmsten
watch die Uhr, –en
water das Wasser
we wir *pers. pron.*
weather das Wetter
week die Woche, –n; **a week ago** vor einer Woche; **for a week** auf eine Woche
weekend das Wochenende, –n
well gut, besser, am besten; **I am well** es geht mir gut, ich bin gesund **well-to-do** wohlhabend
west der Westen
what was *interr. and rel. pron.;* **what kind of?** was für ein? **what time is it?** wie spät ist es?
when wann *interr. adv. and conj.;* (*for definite past action*) als; *conj.* wenn
whenever wenn *conj.*
where wo; **whereto** wohin *interr. and conj.*
whether ob. *conj.*
which der, die, das *rel. pron.;* welcher, welche, welches *rel. and interr. pron. and interr. adj.*
while während *conj.*
white weiß
who wer *interr. and rel. pron.;* der, die, das; welcher, welche, welches *rel. pron.*
whoever wer *rel. pron.*
whole ganz; **the whole evening** den ganzen Abend
whom (*interr.*) wem *with dat. or acc.;* (*rel. pron.*) dem, der, dem *dat. sing.;* denen *dat. pl.;* den, die, das *acc. sing.;* die *acc. pl.;* **to whom?** wem? **for whom?** für wen? **with whom?** mit wem?
whose (*rel. pron.*) dessen, deren, dessen; *pl.* deren; (*interr.*) wessen?
why warum *interr.*
wide breit, weit
will werden *aux. for fut. tenses;*

wollen *mod. aux. to express wish or willingness*

will der Wille, –ns, –n

willingly gern

window das Fenster, –; **at (by) the window** am Fenster

winter der Winter, –

wish wünschen; wollen *mod. aux.;* der Wunsch, ⸚e

with mit, bei *prep. dat.*

within innerhalb *prep. gen.*

without ohne *prep. acc.*

woman die Frau, –en

word das Wort, ⸚er *or* –e

work arbeiten; **to work hard** schwer arbeiten; die Arbeit, –en; **out of work** ohne Arbeit, arbeitslos

would würde; **he would have** er würde haben; **he would like to** er möchte gern; **he would like to know** er möchte gern wissen

write schreiben; **writer** der Schriftsteller, –

writing paper das Schreibpapier, –e

year das Jahr, –e; **for three years** drei Jahre lang, seit drei Jahren; **twenty years ago** for zwanzig Jahren; **last year** im letzten Jahr

yesterday gestern; **day before yesterday** vorgestern

you (*nom.*) du, ihr, Sie; (*dat.*) dir, euch, Ihnen; (*acc.*) dich, euch, Sie

young jung, jünger, am jüngsten

your dein, deine, dein; euer, eure, euer; Ihr, Ihre, Ihr

yourself, yourselves (*acc.*) dich, euch, sich; (*dat.*) dir, euch, sich *refl. pron.*

INDEX

References are to pages